A PONTE ENTRE REINOS

DANIELLE L. JENSEN

A PONTE ENTRE REINOS

Tradução
GUILHERME MIRANDA

4ª reimpressão

SEGUINTE

Copyright © 2018 by Danielle L. Jensen

O selo Seguinte pertence à Editora Schwarcz S.A.

Grafia atualizada segundo o Acordo Ortográfico da Língua Portuguesa de 1990, que entrou em vigor no Brasil em 2009.

TÍTULO ORIGINAL The Bridge Kingdom
CAPA E ILUSTRAÇÃO Richard Anderson/Audible Originals
MAPA Alessandro Meiguins e Giovana Castro/Shake Conteúdo Visual
PREPARAÇÃO Júlia Ribeiro
REVISÃO Renato Potenza Rodrigues e Fernanda França

Dados Internacionais de Catalogação na Publicação (CIP)
(Câmara Brasileira do Livro, SP, Brasil)

Jensen, Danielle L.
   A ponte entre reinos / Danielle L. Jensen ; tradução Guilherme Miranda. — 1ª ed. — São Paulo : Seguinte, 2022.

   Título original: The Bridge Kingdom.
   ISBN 978-85-5534-195-3

   1. Ficção – Literatura infantojuvenil I. Título.
II. Série

22-97911   CDD-028.5

Índices para catálogo sistemático:
1. Ficção : Literatura infantojuvenil 028.5
2. Ficção : Literatura juvenil 028.5

Eliete Marques da Silva – Bibliotecária – CRB-8/9380

Todos os direitos desta edição reservados à
EDITORA SCHWARCZ S.A.
Rua Bandeira Paulista, 702, cj. 32
04532-002 — São Paulo — SP
Telefone: (11) 3707-3500
www.seguinte.com.br
contato@seguinte.com.br

Para Spencer

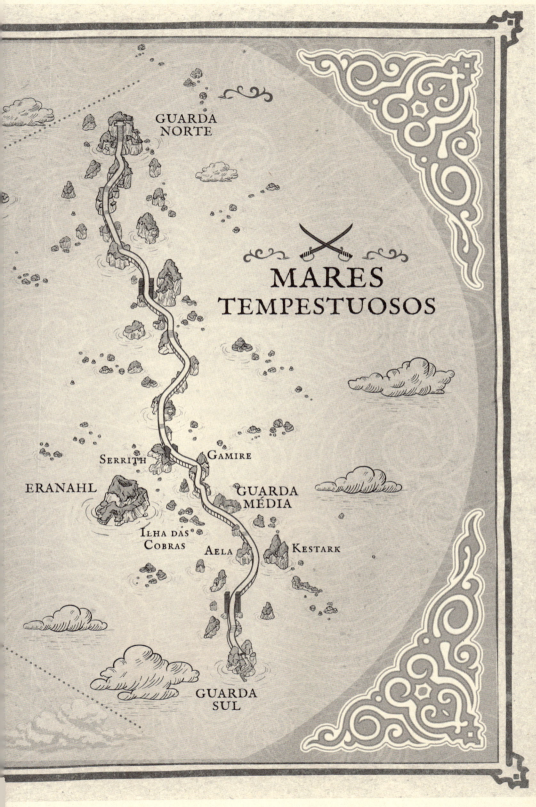

I
LARA

Lara apoiou os cotovelos na mureta de arenito, os olhos fixos no sol reluzente que descia entre os picos das montanhas distantes, nada entre eles além de dunas de areia abrasadora, escorpiões e um ou outro lagarto. Intransponível sem um bom camelo, as provisões certas e uma boa dose de sorte.

Não que ela não tivesse ficado tentada a se arriscar mais de uma vez.

Um gongo foi tocado, e as reverberações ecoaram sobre o complexo. O instrumento a chamava para jantar todas as noites havia quinze anos, mas hoje reverberou pelo seu corpo como um tambor de guerra. Lara respirou fundo para se acalmar, depois virou, atravessando o pátio de treinamento na direção das palmeiras altas, a saia cor-de-rosa farfalhando em suas pernas. Todas as suas onze meias-irmãs seguiam para o mesmo lugar, cada uma usando um vestido diferente, a cor escolhida com capricho pela mestra de estética para valorizar seus traços.

Lara detestava rosa, mas ninguém pedira sua opinião.

Depois de quinze anos aprisionadas no complexo, aquela seria a última noite que as irmãs passariam juntas, e o mestre de meditação tinha ordenado que aproveitassem como preferissem a hora antes do jantar, contemplando tudo que haviam aprendido e tudo que realizariam com as ferramentas que lhes foram dadas.

Ou, ao menos, o que uma delas realizaria.

O cheiro do oásis chegou a Lara na brisa levíssima. O aroma de frutas e verduras, o chamuscar da carne cozinhando e, acima de tudo, água. Água muito, muito preciosa. O complexo era localizado em uma das poucas fontes no meio do deserto Vermelho, mas longe das rotas de caravanas. Isolado. Secreto.

Exatamente como seu pai, o rei de Maridrina, gostava. E, pelo que haviam lhe contado sobre ele, era um homem que sempre conseguia o que queria, de uma forma ou de outra.

Parando fora do pátio de treinamento, Lara esfregou os pés nas panturrilhas, para limpar a areia, antes de calçar as delicadas sandálias de salto alto, equilibrando-se como se usasse coturnos.

Clac, clac, clac. Seus saltos ecoavam a batida frenética de seu coração enquanto ela descia a trilha de mosaicos e cruzava a pequena ponte; o som suave de instrumentos de corda abafava o gorgolejar da água. Os músicos tinham vindo com o séquito de seu pai para oferecer entretenimento às festividades da noite.

Ela duvidava que eles fizessem a jornada de volta.

Uma gota de suor escorreu pelas suas costas, a cinta que segurava a faca na parte interna de sua coxa já úmida. *Você não vai morrer hoje*, ela entoou em silêncio. *Hoje, não.*

Lara e suas irmãs se reuniram no oásis cercado por água; uma ilha de verde e flores. Elas foram até a enorme mesa com toalha de seda e carregada de louças e talheres, à espera da dezena de pratos que seriam servidos. Servos em silêncio estavam atrás das treze cadeiras, olhares fixos no chão. Quando as moças se aproximaram, eles puxaram as cadeiras. Sem nem olhar, Lara sabia que sentaria na almofada cor-de-rosa.

Nenhuma das irmãs falava nada.

Por baixo da mesa, Lara sentiu alguém apertar sua mão. Ela se permitiu espiar à sua esquerda, encontrando o olhar de Sarhina por um breve momento e logo em seguida se voltando para o prato. Todas as doze tinham vinte anos e eram filhas do rei; cada uma de uma esposa diferente. Lara e suas meias-irmãs foram trazidas para este lugar secreto para receberem o treinamento até então inédito para meninas maridrinianas. Treinamento este que agora estava completo.

O estômago de Lara se embrulhou, e ela soltou a mão de Sarhina, a textura fria e seca da pele de sua irmã preferida lhe causando mal-estar.

O gongo tocou outra vez, e os músicos ficaram em silêncio conforme as meninas levantavam. Um segundo depois, e o pai delas apareceu, o cabelo grisalho cintilando à luz das lamparinas enquanto ia até as filhas pela trilha, seus olhos azul-celeste idênticos aos das meninas. O suor escorria em filetes pelas pernas de Lara ao mesmo tempo que ela assimilava cada detalhe, como mandava o treinamento. O azul-anil do casaco dele. O couro desgastado de suas botas. A espada embainhada na cintura. E, quando ele virou para rodear a mesa, deu para ver o vago contorno da lâmina escondida às suas costas.

Quando ele sentou, Lara e as irmãs fizeram o mesmo, nenhuma delas emitindo um ruído sequer.

— Filhas. — Recostando-se na cadeira, Silas Veliant, o rei de Maridrina, sorriu, esperou que seu provador de comida assentisse, depois deu um grande gole no vinho.

Todas imitaram o gesto, mas Lara mal sentiu o gosto do líquido carmesim que passou por sua língua.

—Vocês são minhas posses mais valiosas — ele disse, acenando com a taça para todas. — Das vinte filhas que foram trazidas aqui, vocês são as únicas que sobreviveram. O fato de terem sobrevivido, terem prosperado, é uma conquista, pois o treinamento que receberam teria sido uma provação para os melhores homens. E homens vocês não são.

Foi esse mesmo treinamento que impediu Lara de estreitar os olhos. De demonstrar qualquer emoção.

— Todas vocês foram trazidas aqui para que eu pudesse determinar qual é a melhor. Qual de vocês será minha faca nas sombras. Qual de vocês se tornará a rainha de Ithicana. — Os olhos dele tinham a compaixão de um escorpião do deserto. — Qual de vocês romperá as defesas de Ithicana abrindo caminho para que Maridrina retome sua glória pregressa.

Lara assentiu uma vez, assim como todas as suas irmãs. Não havia expectativa. Não em relação à escolha de seu pai, ao menos. A decisão havia sido tomada dias antes, e Marylyn estava sentada na ponta oposta da mesa, o cabelo dourado trançado como uma coroa sobre a cabeça, o vestido em lamê no mesmo tom. Marylyn tinha sido a escolha mais óbvia, brilhante, graciosa, bela como o alvorecer — e sedutora como o crepúsculo.

Não, a expectativa era pelo que viria depois. A escolhida seria oferecida ao príncipe herdeiro — e agora rei — de Ithicana. O que ainda não se sabia era o que aconteceria com o restante das filhas. Elas tinham sangue real, e portanto valiam alguma coisa.

Todas as irmãs, incluindo Marylyn, haviam se reunido em um monte de almofadas nas últimas duas noites, especulando sobre seus destinos. Com quais ministros do rei se casariam. A que outros reinos poderiam ser oferecidas como noivas. Nenhum dos homens ou reinos fazia diferença. O que importava a todas era se libertar desse lugar.

Mas, em todas essas longas noites, Lara havia se mantido à margem, sem nada a comentar, usando seu tempo para observar as irmãs. Para amá-las. Para lembrar de como haviam brigado com a mesma frequência com que haviam trocado abraços apertados. Seus sorrisos. Seus olhos. Como, mesmo depois de crescidas, se aninhavam juntas feito um bando de filhotinhas recém-nascidas.

Porque Lara sabia algo que as outras não sabiam: seu pai pretendia que apenas uma saísse do complexo. A futura rainha de Ithicana.

Uma salada guarnecida com queijo e frutas de cores vibrantes foi colocada diante dela, que comeu mecanicamente. *Você vai viver, você vai viver, você vai viver*, ela repetia consigo mesma.

— Desde que o tempo é tempo, Ithicana mantém domínio sobre o comércio, fazendo outros reinos prosperarem ou ruírem, como um deus sombrio. — Seu pai se dirigiu a elas, os olhos flamejantes. — Meu pai, o pai dele e o pai do pai dele buscaram destruir o Reino da Ponte. Com assassinos, guerras, bloqueios e todas as armas à disposição. Mas nenhum deles pensou em usar uma mulher.

Ele sorriu com astúcia.

— As mulheres maridrinianas são frágeis. Fracas. Não servem para nada além de cuidar da casa e criar os filhos. Exceto vocês doze.

Lara não piscou. Nenhuma de suas irmãs piscou, e ela se perguntou por um momento se ele sabia que todas estavam considerando apunhalar seu coração por suas palavras insultantes. Ele deveria saber que todas eram capazes disso.

Seu pai continuou:

— Quinze anos atrás, o rei de Ithicana exigiu uma noiva para seu filho e herdeiro como tributo. Como pagamento. — O lábio dele se curvou com desprezo. — O canalha está morto há um ano, mas seu filho cobrou a dívida. E Maridrina está pronta. — Seus olhos se voltaram para Marylyn, depois para os servos que recolhiam os pratos de salada.

Nas sombras da noite crescente, Lara sentiu uma movimentação. Sentiu a presença da multidão de soldados que seu pai havia trazido. Os servos reapareceram com potes de sopa fumegante, o aroma de canela e alho-poró flutuando diante delas.

— A ganância de Ithicana, o orgulho, o desprezo por vocês, será sua derrocada.

Lara se permitiu desviar o olhar do rosto do pai e observou cada uma das irmãs. Depois de todo o treinamento que tiveram, todas as informações que receberam sobre seus planos, ele nunca pretendeu que nenhuma delas, à exceção da escolhida, sobrevivesse uma hora sequer após esse jantar.

As sopas foram servidas, e todas as irmãs esperaram o provador dar a primeira colherada e assentir. Depois, pegaram suas colheres e tomaram a sopa com obediência.

Lara fez o mesmo.

Seu pai acreditava que a inteligência e a beleza eram os atributos mais importantes da filha escolhida. Que seria a menina que havia demonstrado maior argúcia para o combate e a estratégia. A menina que havia demonstrado os maiores talentos na arte da sedução. Ele achava que sabia quais características importavam mais — porém, tinha esquecido de uma.

Sarhina ficou tensa ao lado dela.

Desculpa, Lara murmurou em silêncio para as irmãs.

Então, Sarhina começou a sofrer espasmos.

Rezo para que todas encontrem a liberdade que merecem.

A colher de sopa na mão de Sarhina voou pela mesa, mas nenhuma das outras meninas notou. Nenhuma delas se importou. Porque todas estavam engasgando, espuma saindo pela boca enquanto se contorciam sem fôlego, tombando uma a uma para a frente, para trás ou para o lado. Então todas ficaram imóveis.

Lara deixou a colher ao lado da tigela vazia, lançando um olhar para Marylyn, que havia caído de cara no prato. Levantando, Lara rodeou a mesa, tirando a cabeça de Marylyn da tigela e limpando com cuidado a sopa antes de pousar a bochecha da irmã na mesa. Quando Lara ergueu os olhos outra vez, seu pai estava em pé, pálido, a espada sendo desembainhada. Os soldados à espreita avançaram, encurralando os servos amedrontados. Mas ninguém, ninguém, tirava os olhos dela.

—Você se enganou em sua escolha, pai. — Lara se empertigou ao se dirigir ao rei. Ela o olhou de cima a baixo, permitindo que o lado sombrio, ávido e egoísta de sua alma viesse à tona e o enfrentasse. — Eu vou ser a próxima rainha de Ithicana. E o Reino da Ponte vai se curvar para mim.

2
LARA

Lara sabia o que viria em seguida, mas tudo pareceu acontecer rápido demais. E, ainda assim, ela tinha certeza de que todos os detalhes ficariam gravados em sua memória até o dia de sua morte. Seu pai guardou a espada na bainha e tocou o pescoço da menina mais próxima, mantendo os dedos ali por alguns segundos enquanto Lara observava, impassível. Depois, acenou uma vez para os soldados ao redor.

Os homens, que estavam lá para liquidar Lara e suas irmãs, voltaram as espadas para os servos, cujas bocas sem língua soltavam gritos incompreensíveis enquanto tentavam fugir do massacre. Os músicos foram abatidos, assim como os cozinheiros nas cozinhas longe dali e as criadas que arrumavam lençóis em camas nas quais ninguém dormiria mais. Em pouco tempo, os únicos que restaram foram os soldados leais ao rei, suas mãos sujas de sangue.

Lara permaneceu imóvel conforme tudo acontecia. Apenas a certeza de que era a única filha restante — de que era o último cavalo disponível para apostas — a impediu de lutar para escapar da carnificina e fugir para o deserto ao redor.

Erik, o mestre de armas, se aproximou por entre as palmeiras, a lâmina cintilando na mão. Seu olhar foi de Lara para os corpos inertes de suas irmãs, e ele abriu um sorriso triste.

— Não me surpreende ver que você continua em pé, baratinha.

Era o apelido que ele dera assim que ela chegou, aos cinco anos e quase morta, graças a uma tempestade de areia que caiu sobre o destacamento em sua jornada rumo ao complexo. "Gelo e fogo podem devastar o mundo, mas a barata sobrevive", ele dissera. "Assim como você."

Barata ou não, o fato era que Lara ainda estava respirando graças a ele. Erik a havia mandado para o pátio de treinamento como castigo por uma pequena transgressão duas noites antes, quando ela ouviu membros do núcleo de soldados do seu pai tramando a morte de todas elas. Uma conversa liderada pelo próprio Erik. Os olhos dela queimavam ao observá-lo — o homem que havia sido um pai para Lara, muito mais do que o monarca grisalho ao seu lado —, mas ela não disse nada, não abriu sequer um sorriso em resposta.

— Acabou? — seu pai perguntou.

Erik fez que sim.

— Todos foram silenciados, majestade. Exceto por mim. — Seus olhos se voltaram para as sombras intocadas pelas lamparinas da mesa. — E pelo Corvus.

Daquelas sombras saiu o mestre de intriga, e Lara observou com frieza o homem franzino que havia orquestrado todos os detalhes daquela noite.

E, com a voz nasalada que ela sempre havia odiado, Corvus disse:

— A menina fez a maior parte do trabalho sujo por vocês.

— Lara deveria ter sido sua escolha desde o começo. — A voz de Erik era inexpressiva, mas seus olhos se encheram de tristeza enquanto passavam pelas meninas mortas, antes de encará-la.

Lara quis pegar a faca — como ousava lamentar por elas se não havia feito nada para salvá-las? —, mas mil horas de treinamento fizeram com que ela não se movesse. Ele fez uma grande reverência ao rei.

— Por Maridrina. — Depois passou a faca na própria garganta.

Lara cerrou os dentes, a comida subindo em seu estômago, amarga, asquerosa e cheia do mesmo veneno que ela tinha dado às irmãs. Mas não desviou o olhar, obrigando-se a assistir a Erik cair, o sangue pulsando de seu pescoço em gotas gordas até seu coração parar.

Corvus rodeou a poça de sangue e se revelou por completo sob a luz.

— Quanto drama.

Corvus não era seu verdadeiro nome, claro. Ele se chamava Serin e, de todos os homens e mulheres que haviam treinado as irmãs ao longo dos anos, era o único que havia entrado e saído do complexo a seu bel-prazer, controlando a rede de espiões e complôs do rei.

— Ele era um bom homem. Um súdito leal. — Não havia inflexão na voz de seu pai, e Lara se perguntou se as palavras eram sinceras ou ditas por causa dos soldados que observavam a cena. Até a lealdade mais ferrenha tinha limites, e seu pai não era tolo.

Os olhos estreitos de Corvus se voltaram para ela.

— Como vossa majestade sabe, Lara não era minha primeira opção. Ela pontuou baixo em quase todos os requisitos, com a única exceção de combate. Sempre se deixa levar pelo temperamento. Marylyn — ele apontou para a irmã dela — era a escolha óbvia. Brilhante e bela. Magistralmente em controle das próprias emoções, como deixou claro nos últimos dias. — Ele soltou um ruído de repulsa.

Tudo o que disse sobre Marylyn era verdade, mas ela não era só isso. Contra a vontade, memórias encheram a mente de Lara. Visões de sua irmã cuidando com esmero de um filhotinho magricela, que tinha se tornado o gato mais gordo do complexo. Ouvindo em silêncio os problemas das irmãs, depois oferecendo o conselho mais perfeito. Dando nomes, na infância, a todos os servos, porque achava cruel que fossem anônimos. Então as visões se dissiparam, deixando apenas um corpo inerte diante dela, o cabelo dourado encharcado de sopa.

— Minha irmã era bondosa demais. — Lara olhou para o pai, o coração disparando no peito enquanto o desafiava. — A futura rainha de Ithicana deve seduzir seu governante. Fazer com que acredite que é ingênua e sincera. Deve conquistar a confiança enquanto usa de sua posição para descobrir todas as fraquezas dele, até enfim traí-lo. Marylyn não era essa mulher.

Seu pai não piscou enquanto a examinava, apenas assentiu discretamente.

— E você é?

— Sou. — Seu sangue rugia nos ouvidos, e sua pele estava fria apesar do calor.

— Você não costuma se enganar, Serin — o rei disse. — Mas, nesse caso, acredito que estava errado e o destino interveio para corrigir esse erro.

O mestre de intriga ficou tenso, e Lara se perguntou se ele agora percebia que sua própria vida estava por um fio.

— Como quiser, majestade. Parece que Lara tem uma qualidade que eu não havia considerado em meu teste.

— A qualidade mais importante de todas: inclemência. — O rei a observou por um momento antes de se voltar para Corvus.
— Prepare a caravana. Cavalgaremos para Ithicana ainda esta noite.
— Então sorriu para Lara como se ela fosse a coisa mais preciosa do mundo. — É hora de minha filha conhecer seu futuro marido.

3
LARA

O FOGO LAMBIA O CÉU NOTURNO QUANDO o grupo partiu, mas Lara arriscou olhar uma única vez para o complexo em chamas que tinha sido seu lar, os pisos e paredes manchados de sangue se enegrecendo enquanto o incêndio consumia todas as evidências de um plano tramado durante quinze anos. Apenas o coração do oásis, onde ficava a mesa de jantar cercada pela fonte, permaneceria intocado.

Ainda assim, era quase insuportável ter deixado as irmãs adormecidas cercadas por um círculo de fogo, inconscientes e indefesas até que o efeito da mistura de narcóticos que ela havia lhes dado passasse. Suas pulsações, que haviam diminuído até perto da morte por um longo e perigoso tempo, deviam estar se acelerando, suas respirações perceptíveis a quem quer que olhasse de perto. Se Lara encontrasse uma desculpa para ficar e garantir a segurança delas, acabaria sendo descoberta, e tudo teria sido em vão.

"Não as queime. Deixe a carne para os abutres comerem", ela havia dito ao pai, seu estômago se revirando até ele rir e aceitar o pedido macabro, deixando suas irmãs caídas sobre a mesa, os servos massacrados formando um perímetro sanguinolento ao redor.

Era com essa imagem que suas irmãs acordariam: fogo e morte. Pois elas só teriam uma chance de futuro caso seu pai acreditasse que haviam sido silenciadas. Ela levaria a missão adiante enquanto suas irmãs construiriam suas próprias vidas, agora livres para serem senhoras de seus destinos. Ela havia explicado tudo no bilhete que deixou discretamente no bolso de Sarhina enquanto seu pai ordenava que varressem o complexo em busca de sobreviventes. Pois não se poderia deixar vivo ninguém que pudesse dizer qualquer palavra sobre a armadilha que agora viajava rumo a um casamento em Ithicana.

Sua viagem pelo deserto Vermelho seria cheia de dificuldades e perigos. Mas, nesse momento específico, Lara estava convencida de que a pior parte seria ouvir a tagarelice de Corvus durante todo o caminho. A égua de Lara estava carregada com o enxoval de Marylyn, enquanto a jovem era forçada a cavalgar na garupa do mestre de intriga.

— De agora em diante, você deve ser a perfeita dama maridriniana — ele instruiu, sua voz a deixando irritada. — Não podemos correr o risco que alguém a veja se comportar de outra forma, nem mesmo aqueles que sua majestade considere leais. — Ele lançou um olhar incisivo para os guardas do pai dela, que haviam formado a caravana com uma facilidade ensaiada.

Nenhum deles olhava para Lara.

Eles não sabiam o que ela era. O que havia sido treinada para fazer. Qual era seu propósito além de cumprir um contrato com o reino inimigo. Mas todos acreditavam que ela havia assassinado as irmãs a sangue-frio. Ela se perguntou por quanto tempo seu pai os deixaria vivos.

— Como você fez?

Depois de horas de estrada, a pergunta de Corvus tirou Lara de seus pensamentos, e ela apertou o lenço de seda branca sobre o rosto, embora o mestre estivesse de costas.

—Veneno. — Ela permitiu que sua voz transparecesse um traço de acidez.

Ele bufou.

— Somos corajosos quando nos achamos intocáveis.

Ela passou a língua pelos lábios secos, sentindo o calor do sol nascendo atrás deles. Então se permitiu entrar no círculo de calma que seu mestre de meditação lhe havia ensinado para traçar estratégias, entre outras coisas.

— Envenenei as colheres de sopa.

— Como? Você não sabia em que lugares da mesa seriam colocadas.

— Envenenei todas, exceto a colher à cabeceira da mesa.

Corvus ficou em silêncio.

Lara continuou:

—Venho tomando pequenas doses de vários venenos ao longo dos anos para desenvolver minha tolerância. — Mesmo assim, ela vomitara logo que teve a chance, botando tudo para fora até seu estômago ficar seco, depois tomou o antídoto. O mal-estar estonteante foi o único sinal remanescente de que havia ingerido algum narcótico.

O corpo franzino do mestre de intriga se tensionou.

— E se os lugares tivessem sido alterados? Você poderia ter matado o rei.

— É óbvio que ela acreditava que o risco valia a pena.

Lara inclinou a cabeça ao ouvir os sinos na rédea do cavalo enquanto seu pai vinha de trás, o animal adornado de prata em vez do estanho das montarias dos guardas.

— Você imaginou que eu pretendia matar as meninas de que não precisava — ele disse. — Mas em vez de alertar suas irmãs ou tentar escapar, matou todas elas para assumir o lugar da escolhida. Por quê?

Porque se as meninas lutassem para sobreviver, viveriam sempre em fuga. Forjar a morte delas tinha sido a única saída.

— Posso ter passado minha vida em isolamento, pai, mas os tutores que você escolheu me educaram bem. Conheço a privação que nosso povo sofre devido ao controle de Ithicana sobre o comércio. Nosso inimigo precisa ser derrotado e, de todas as minhas irmãs, sou a única capaz de fazer isso.

— Você matou suas irmãs pelo bem do país? — Ele pareceu achar graça.

Lara soltou um riso seco e forçado.

— Longe disso. Eu as matei porque queria viver.

— Você apostou a vida do rei para salvar a própria pele? — Serin se voltou para ela, o semblante pálido.

Ele a havia treinado, e, portanto, o rei estaria em seu direito se o culpasse pelo mal que ela havia causado. E Silas era conhecido por ser implacável.

Mas o rei de Maridrina apenas riu com deleite.

— Apostou e venceu. — Ele puxou o lenço de Lara para o lado e segurou sua bochecha. — O rei Aren só verá o que você é quando for tarde demais. Uma viúva-negra em sua cama.

Rei Aren de Ithicana. Aren, seu futuro marido.

Lara ouviu vagamente seu pai dar a ordem para seus guardas montarem acampamento. O grupo pretendia dormir durante o calor do dia.

Um dos guardas a tirou do dorso do camelo de Serin, e ela sentou em uma toalha, aproveitando enquanto os homens armavam acampamento para pensar no que estava por vir.

Lara conhecia Ithicana tanto quanto a maioria dos maridrinianos, talvez um pouco mais. Era um reino tão envolto em mistério quanto em névoa: uma série de ilhas que se estendiam entre dois continentes, as massas de terra protegidas por mares bravios, que se tornaram ainda mais traiçoeiros após as defesas que os ithicanianos haviam instalado nas águas para evitar invasores. Mas não era isso que tornava Ithicana tão poderosa. Era a ponte que se estendia lá no alto entre as ilhas — a única forma segura de viajar entre os continentes durante dez meses do ano. E Ithicana usava seu trunfo para manter os reinos que dependiam do comércio famintos. Desesperados. E, acima de tudo, dispostos a pagar qualquer preço que o Reino da Ponte exigisse por seus serviços.

Ao ver sua barraca pronta, Lara esperou os homens colocarem suas malas lá dentro e entrou na desejável sombra, contendo a vontade de agradecê-los ao passar.

Mal deu tempo de tirar o lenço e seu pai já entrou, seguido por Serin.

— Terei que começar a treinar seu conhecimento dos códigos agora — o mestre de intriga disse, esperando que o rei sentasse para se posicionar à frente de Lara. — Marylyn criou esse código, e devo dizer que ensiná-lo em tão pouco tempo será um desafio.

— Marylyn está morta — ela respondeu, tomando um gole de água morna do cantil antes de fechá-lo com cautela.

— Não me lembre disso — ele disparou.

O sorriso dela era cheio de uma falsa confiança.

— Aceite que sou a única que resta das meninas que você treinou, assim não precisarei refrescar sua memória.

— Comecem — seu pai ordenou e, então, fechou os olhos; a presença dele na barraca era apenas por uma questão de decoro.

Serin começou a instrução sobre o código. Ele precisava ser completamente memorizado, pois ela não poderia levar anotações para Ithicana. Era um código que talvez nunca usasse, e serviria apenas caso o rei de Ithicana lhe concedesse a gentileza de se corresponder com a família. E gentileza, pelo que lhe disseram, não era o forte daquele homem.

— Como você sabe, os ithicanianos são exímios decifradores de código, e tudo que você conseguir enviar será sujeito a um controle minucioso. Os riscos de que decifrem esse são grandes.

Lara ergueu a mão, baixando os dedos a cada argumento:

— É provável que eu fique completamente isolada, tanto dos ithicanianos como do mundo exterior. É possível que não me permitam me corresponder com ninguém e, mesmo se eu conseguir, são grandes as chances de nosso código ser decifrado. Não há nenhuma forma de você buscar uma mensagem. Nenhuma forma de eu enviar algo por meio dos cidadãos deles, visto que você ainda não conseguiu comprar a lealdade de nenhum. — Ela fechou o punho. — Além de fugir, o que significaria um fim à espionagem, como exatamente você espera que eu transmita as informações?

— Se fosse uma missão fácil, já teríamos cumprido a essa altura. — Serin tirou um pergaminho pesado da bolsa. — Há apenas um ithicaniano que se corresponde com o mundo exterior, e é o próprio rei Aren.

Pegando o pergaminho estampado com o brasão de Ithicana da ponte curvada, os contornos adornados de ouro, ela examinou a caligrafia precisa, que exigia que Maridrina entregasse uma princesa para ser sua noiva de acordo com os termos do Tratado de Quinze Anos, além de um convite para negociar novos termos de comércio entre os reinos.

— Quer que eu esconda uma mensagem dentro de uma missiva dele?

— Sim — ele respondeu, entregando um pote de líquido transparente. Tinta invisível. — Vamos tentar arrancar mensagens dele para lhe dar a oportunidade, mas ele não é propenso a se corresponder com frequência. Por isso, devemos voltar a estudar o código de sua irmã.

A lição era tediosa, e Lara estava exausta. Ela precisou de todo o seu autocontrole para não suspirar, aliviada, quando Serin finalmente partiu para sua barraca.

Seu pai levantou, bocejando.

— Posso lhe fazer uma pergunta, majestade? — ela pediu antes que ele partisse.

Quando ele fez que sim, Lara umedeceu os lábios.

—Você o viu? O novo rei de Ithicana?

— Ninguém o viu. Eles usam máscaras, sempre, ao se encontrarem com estrangeiros. — Então seu pai balançou a cabeça. — Mas o conheci, certa vez. Anos atrás, quando ele era apenas uma criança.

Lara esperou, segurando as saias, a palma das mãos suada molhando a seda.

— Dizem que ele é ainda mais implacável do que o pai. Um homem brutal, que não demonstra piedade contra estrangeiros. — Seu olhar encontrou o dela, e a rara piedade nos olhos do pai fez as mãos de Lara gelarem. — Creio que ele a tratará com crueldade, Lara.

— Fui treinada para suportar a dor. — Dor, fome e solidão. Tudo que poderia enfrentar em Ithicana. Ensinada a suportar isso e se manter fiel à sua missão.

— Talvez a dor não seja a mesma que você conhece. — Seu pai pegou a mão dela e examinou a palma. — Tenha cuidado sobretudo com a bondade deles, Lara. Pois os ithicanianos são astutos, mais do que qualquer outra coisa. E o rei deles não dará nada sem cobrar seu preço.

Os batimentos dela aceleraram.

— O coração de nosso reino fica entre o deserto Vermelho e os mares Tempestuosos, tendo a ponte de Ithicana como única rota de segurança — ele continuou. — Nem o deserto nem o mar se curvam a mestre algum, e Ithicana... Eles preferiam ver o nosso povo empobrecido, faminto e destroçado a permitir que o comércio flua livremente. — Ele soltou a mão de Lara. — Por gerações, tentamos de tudo para fazer com que fossem sensatos. Tentamos fazer com que vissem o mal que a ganância deles causa em pessoas inocentes de nossas terras. Mas os ithicanianos não são humanos,

Lara. São demônios disfarçados de gente. E receio que você venha a descobrir isso em breve.

Ao ver seu pai sair da tenda, Lara flexionou as mãos, querendo pegar em armas. Para atacar. Ferir. Matar.

Não por causa das palavras dele.

Por mais nefasto que fosse o alerta, ela já tinha ouvido aquilo inúmeras vezes. Não. Era a curva dos ombros dele. A resignação em seu tom. A desesperança que transpareceu brevemente nos seus olhos. Todos os sinais de que, por mais que seu pai houvesse apostado em sua missão, não acreditava de verdade que ela teria sucesso. Por mais que Lara detestasse ser subestimada, odiava ainda mais ver pessoas que amava feridas. E, com suas irmãs livres de seus grilhões, nada importava mais para ela do que Maridrina.

Ithicana pagaria por seus crimes contra seu povo e, durante o tempo que Lara passasse naquele reino, o rei não iria apenas se curvar.

Ele iria sangrar.

Depois de outras quatro noites de viagem para o norte, as dunas de areia vermelha deram lugar a colinas ondulantes cobertas de vegetação seca e árvores troncudas, depois montanhas escarpadas que pareciam tocar o céu. Eles seguiram por ravinas estreitas e, lentamente, o clima começou a mudar, o marrom sem fim da terra sendo interrompido por trechos verdes e pelo brotar brilhante de uma ou outra flor. O leito de riacho seco foi se tornando lamacento e, algumas horas depois, a caravana estava chapinhando através da água rasa, enquanto, ao redor, a terra continuava completamente seca. Árida e aparentemente inabitável.

Camponeses de todas as idades pararam o trabalho para olhar o grupo passar. Eram todos magros, com roupas esfarrapadas e chapéus de palha de abas largas que os protegiam do sol incessante.

Sobreviviam à base de lavouras esparsas e do gado esquelético que criavam; não havia outra forma. Enquanto em gerações anteriores as famílias conseguiam ganhar o suficiente em seus ofícios para comprar carne e grãos importados de Harendell através da ponte, os impostos e pedágios crescentes de Ithicana impossibilitaram isso. Agora apenas os ricos conseguiam pagar pelos produtos, e a classe trabalhadora de Maridrina tinha sido obrigada a trocar seus ofícios pelos campos secos para alimentar seus filhos.

Para mal alimentar, Lara se corrigiu, sentindo o peito apertar quando as crianças correram para rodear a caravana, as costelas visíveis por baixo das roupas surradas.

— Deus abençoe sua majestade! — eles gritavam. — Deus abençoe a princesa! — Menininhas seguiram o camelo de Serin, erguendo os braços para entregar tranças de flores silvestres, que Lara pendurou nos ombros, depois na sela quando não cabiam mais.

Serin deu a ela um saco de moedas de prata para distribuir, e foi difícil manter os dedos firmes enquanto as colocava nas mãos pequeninas. Eles logo descobriram seu nome e, quando o riacho lamacento se transformou em corredeiras cristalinas que corriam pelos declives rumo ao mar, eles gritaram: "Que a princesa Lara seja abençoada! Que nossa linda princesa seja protegida!". Mas era um coro cada vez maior de "Abençoe Lara, mártir de Maridrina" que gelava suas mãos. Que a mantinha acordada toda noite depois das aulas de Serin e que enchia sua mente de pesadelos quando o sono finalmente tomava conta dela. Pesadelos em que era aprisionada por demônios provocadores, em que todas as suas habilidades falhavam, em que, por mais que tentasse, não conseguia se libertar. Sonhos em que Maridrina pegava fogo.

E, a cada dia, eles chegavam mais perto.

Quando a terra se tornou verdejante e úmida, a caravana foi acompanhada por um contingente maior de soldados, e Lara foi transferida do camelo para uma carruagem azul puxada por uma tropa de cavalos brancos, seus arreios decorados com as mesmas moedas de prata do cavalo do pai. E, com os soldados, veio uma comitiva inteira de servas cuidando de todas as necessidades de Lara, lavando, esfregando e refinando a princesa durante a viagem rumo a Vencia, capital de Maridrina.

Seus sussurros atravessavam as paredes da barraca: o rei havia mantido a futura noiva de Ithicana escondida no deserto durante todos esses anos pela própria segurança. Ela era uma jovem estimada, filha da esposa favorita, escolhida a dedo por ele para unir os dois reinos, seu charme e graça destinados a fazer com que Ithicana concedesse todos os benefícios que um aliado deveria ter, o que permitiria que o reino voltasse a prosperar.

A própria ideia de que Ithicana concedesse tantas coisas era ridícula, mas Lara não achava graça na ingenuidade deles. Não quando via a esperança e o desespero em seus olhos. Pelo contrário: isso alimentava sua fúria, que escondia com cautela por trás de sorrisos gentis e acenos graciosos da janela da carruagem. Ela precisava dessa força, visto que também escutava outros sussurros. "Coitada da pobre e gentil princesa", os servos diziam com tristeza nos olhos. "O que será dela contra aqueles demônios? Como sobreviverá à brutalidade deles?"

— Você está com medo? — Seu pai fechou as cortinas da carruagem quando se aproximaram de Vencia, para a tristeza de Lara.

Era sua cidade natal, que ela não via desde que tinha sido tirada dos confins do harém e levada para o complexo para começar seu treinamento aos cinco anos.

Ela se voltou para o pai.

— Seria tola se não estivesse com medo. Se descobrirem que sou uma espiã, vão me matar e cancelar as concessões de comércio por rancor.

Ele concordou, depois tirou duas facas encrustadas de rubis maridrinianos de dentro de seu casaco e as entregou para ela. Lara reconheceu os artefatos; eram armas cerimoniais que as mulheres maridrinianas carregavam para indicar que eram casadas. Teoricamente, eram usadas pelo marido em defesa da honra da mulher, mas normalmente eram cegas. Decorativas. Inúteis.

— São lindas. Obrigada.

Ele riu baixo.

— Olhe mais de perto.

Ao tirá-las da bainha, Lara testou as lâminas e viu que eram afiadas, mas estranhou o peso. Então seu pai apertou uma das joias, e o cabo abriu, revelando uma faca de arremesso.

Lara sorriu.

— Se não lhe permitirem se comunicar com o mundo exterior, você precisará ganhar tempo enquanto descobre os segredos deles para escapar depois. Talvez precise lutar para se libertar e voltar até nós com o que tiver descoberto.

Ela assentiu, virando as lâminas de um lado para o outro para avaliar o peso. Jamais voltaria por livre e espontânea vontade para entregar pessoalmente sua estratégia de invasão. Fazer isso seria uma sentença de morte.

Depois de descobrir a intenção do pai de tirar a vida dela e de suas irmãs no jantar, Lara teve tempo para considerar por que seu pai queria ver mortas as filhas que não estivessem destinadas a ser rainhas. Não era apenas um desejo de manter seu plano secreto até que conquistasse a ponte. Seu pai queria manter o plano secreto para sempre, pois se alguém descobrisse perderia definitivamente a chance de usar qualquer outro filho vivo como arma de negociação. Ninguém jamais confiaria nele. Assim como ele jamais confiaria nela. O que significava que, se Lara voltasse algum dia, bem-sucedida ou não, ela também seria silenciada.

Seu pai interrompeu seus pensamentos.

— Eu estava lá quando vocês mataram pela primeira vez — ele disse. — Sabia?

As lâminas ficaram imóveis em suas mãos enquanto Lara recordava. Ela e as irmãs tinham dezesseis anos quando a fila de homens acorrentados havia sido trazida para o complexo sob o olhar vigilante de Serin. Eram saqueadores de Valcotta que tinham sido capturados e trazidos para testar a coragem das princesas guerreiras de Maridrina. Matem ou morram, mestre Erik lhes dissera enquanto eram empurradas uma a uma para a arena de combate. Algumas das irmãs hesitaram e caíram sob os golpes desesperados dos saqueadores. Lara, não. Ela nunca se esqueceria do barulho surdo de sua lâmina perfurando o pescoço do oponente do outro lado da arena. A forma como ele a encarou com assombro antes de cair lentamente na areia, seu sangue vital formando uma poça ao redor dele.

— Não sabia — ela disse.

— Facas, se me recordo, são sua especialidade.

Matar era sua especialidade.

A carruagem era ruidosa sobre as ruas de paralelepípedos, os cascos dos cavalos estalavam na pedra. Lara ouvia os vivas intermitentes lá de fora e, ao abrir a cortina, tentou sorrir para os homens e mulheres imundos que lotavam as ruas, seus rostos pálidos de fome e doença. As crianças no meio deles estavam piores, os olhares sem brilho nem esperança, com moscas zumbindo perto de seus olhos e bocas.

— Por que você não faz nada por eles? — ela questionou o pai, cujo rosto era inexpressivo enquanto olhava pela janela.

Ele voltou os olhos azul-celeste para ela.

— Por que acha que criei você? — Então ele levou a mão ao bolso e tirou um punhado de prata para que Lara atirasse pela janela.

Ela o fez e fechou os olhos enquanto as pessoas empobrecidas brigavam entre si pelo metal reluzente. Ela os salvaria. Tiraria a ponte do controle de Ithicana, e nenhum maridriniano passaria fome de novo.

Os cavalos diminuíram a velocidade, descendo as ruas íngremes em zigue-zague rumo ao porto. Onde o navio esperava para levá-la a Ithicana.

Lara abriu a cortina para olhar o mar pela primeira vez, o cheiro de peixe e maresia no ar. Havia cristas espumosas na água, o subir e descer das ondas capturando sua atenção enquanto seu pai tirava as facas de suas mãos para que fossem devolvidas no momento certo.

A carruagem entrou em um mercado que parecia quase sem vida, as baias vazias.

— Cadê todo mundo? — ela perguntou.

O rosto do rei ficou sombrio e difícil de interpretar.

— Esperando você abrir os portões para Ithicana.

A carruagem entrou no porto e parou. Seu pai a ajudou a descer sem cerimônia. O navio que os aguardava exibia uma bandeira azul-celeste e prateada. As cores de Maridrina.

Ele a guiou rapidamente pela doca e por uma prancha de embarque para o navio.

— A travessia até Guarda Sul leva menos de uma hora. Há servos esperando para prepará-la sob o convés.

Lara olhou uma única vez para trás, na direção de Vencia, do sol brilhante e incandescente sobre a cidade, depois se voltou para as nuvens, a névoa e a escuridão no estreito diante dela. Um reino para salvar. Um reino para destruir.

4
LARA

Lara estava no convés do navio, que balançava e sacudia como um cavalo selvagem. Ela cravava as unhas na amurada, esforçando-se para não lançar ao mar o que havia dentro do estômago. Para piorar, como fora criada no deserto, não havia aprendido a nadar — uma fraqueza que já tinha começado a assombrá-la. Toda vez que o navio se inclinava sob o vento forte, ela prendia o fôlego com a certeza de que eles virariam e se afogariam. A única coisa que a distraía de visões de ondas cobrindo sua cabeça era a certeza dos outros perigos que ela enfrentaria.

Naquela noite, ela se casaria. Ficaria sozinha em um reino estrangeiro conhecido por fazer os piores tipos de crueldade. Seria esposa de um jovem que era senhor de tudo. Essa era a vida da qual ela havia protegido suas irmãs, com o sacrifício da própria e, tudo isso, pelo bem de seu povo. Mas agora as consequências dessa escolha eram assustadoramente iminentes. Nuvens pairavam baixas sobre o mar branco, se movendo como feras sencientes, mas, através delas, muito vagamente, ela conseguia distinguir uma ilha. Ithicana.

Seu pai se juntou a ela perto da amurada.

— Guarda Sul.

Sua roupa suja de viagem havia sido substituída por uma camisa branca impecável e um casaco preto, sua espada lustrosa pendurada em um cinto decorado por discos prateados e azul-turquesa.

— Aren mantém uma guarnição inteira de soldados aí o tempo todo, e eles têm catapultas e outras máquinas de guerra voltadas para o oceano, prontas para afundar quem quer que tente tomar a ilha. Há estacas instaladas no fundo do mar para perfurar qualquer navio que se aproxime além do píer, que também é carregado de explosivos caso eles acreditem que o lugar tenha sido comprometido. A ponte não pode ser conquistada pela embocadura. — Ele trinca os dentes. — Já tentaram muitas vezes.

Inúmeros navios e milhares de homens morreram a cada tentativa. Lara conhecia a história da guerra que havia acabado quinze anos antes com o triunfo de Ithicana, mas os detalhes subiam e desciam por sua mente como as ondas que o navio atravessava. Seus joelhos estavam trêmulos, seu corpo todo fraco de enjoo.

— Você é a esperança de nosso povo, Lara. Precisamos daquela ponte.

Se abrisse a boca, ela temia não conseguir mais conter a náusea, então apenas assentiu. A ilha estava em plena vista agora, picos gêmeos de pedra enfeitados por vegetações viçosas que saíam do mar. Na base, ficava um píer solitário coberto de armamentos, um aglomerado de construções de pedra sem adornos e, adiante, uma única estrada que levava para a embocadura enorme da ponte em si.

A manga de seu pai roçou o punho dela.

— Não pense nem por um segundo sequer que confio em você — ele murmurou, voltando a capturar sua atenção. — Por mais que você afirme pensar acima de tudo em Maridrina, sei que o que fez com suas irmãs foi motivado pelo desejo de salvar a própria pele.

Se desejasse salvar a própria pele, teria fingido sua morte também. Mas não disse nada.

— Sua inclemência a torna desejável para o papel, mas sua falta de honra me faz questionar se você colocará a vida de nosso povo acima da sua. — Pegando seus braços, ele a virou para si, nada em seu rosto revelando que aquela era mais do que uma conversa entre um pai amoroso e sua filha. — Se me trair, vou perseguir você. E farei com que deseje ter morrido junto com suas irmãs.

O som de tambores de aço atravessou o mar e chegou a seus ouvidos, pontuado pelo estrondo distante de um trovão.

— E se eu triunfar? — Ela sentiu um gosto amargo na boca e virou o rosto, notando as centenas de pessoas na ilha à espera do navio. À espera dela.

—Você será a salvadora de Maridrina. Será recompensada como nunca sonhou.

— Quero minha liberdade. — Sua língua parecia estranhamente grossa enquanto ela falava. — Quero viver em paz, por minha conta e risco. Livre para ir aonde escolher, para fazer o que quiser.

Ele ergueu a sobrancelha grisalha.

— Como você e Marylyn são diferentes.

— Éramos.

Ele inclinou a cabeça.

— Ainda assim.

—Temos um acordo, então? A ponte em troca da minha liberdade?

Ele assentiu, e seu gesto foi pontuado pelo estrondo alto de um trovão. Era mentira, e Lara sabia. Mas poderia conviver com as mentiras dele, porque seus objetivos estavam alinhados.

— Baixem as velas — o capitão do navio berrou, e Lara apertou a amurada quando eles perderam impulso, os marujos correndo de um lado para o outro para aportar.

Os tambores continuaram a batida, o ritmo se acelerando com o coração de Lara, enquanto a embarcação deslizava até o píer vazio, marinheiros saltando o vão para atracar o navio.

A prancha foi baixada, e o rei colocou a filha para subir. Os tambores se intensificaram.

— Você tem um ano. — Ele pisou na pedra sólida do píer. — Não vacile. Não fracasse.

Lara hesitou, zonza, e, pela primeira vez desde a noite em que havia libertado as irmãs de seu destino sombrio, sentiu um pavor desesperado. Então, deu seu primeiro passo para o mundo que agora era seu novo lar.

Os tambores soltaram uma batida estrondosa, depois ficaram mudos. Segurando firme o braço do pai, Lara pisou no píer, escondendo o espanto ao observar pela primeira vez os ithicanianos mascarados.

Seus elmos de aço eram esculpidos como feras raivosas com bocas cheias de dentes à mostra e testas adornadas por chifres curvados. Ela não conseguia ver nada dos homens além dos olhos, que pareciam brilhar com malícia enquanto a observavam passar, as mãos nas espadas e lanças. Nenhum deles falava; os únicos sons eram o assobio do vento entre as duas torres de rocha e o chamado da tempestade ao longe.

Tirando os olhos dos soldados, Lara voltou-se para a rua pavimentada que seguia até a entrada da enorme ponte de Ithicana. Era uma ponte coberta como um túnel, tendo três ou quatro metros de largura e altura, de uma pedra cinza-esverdeada pela umidade. Uma grade enorme se ergueu, toda a abertura da ponte cercada por um posto de guarda.

Uma figura saiu da escuridão lá dentro, passando pelas estacas de aço da grade levadiça, abertas como presas, e Lara sentiu o estômago revirar.

O rei de Ithicana.

Usando calças, botas robustas e uma túnica de um cinza--esverdeado opaco, ele era alto e tinha os ombros largos. O treinamento dela lhe havia ensinado que aquele era um soldado tanto quanto qualquer outro que cercava a estrada. Mas esses detalhes se perderam nas batidas aceleradas de seu coração, enquanto ela observava o elmo que ocultava o rosto dele. Tinha uma boca de leão, aberta e revelando caninos cintilantes, e chifres de touro saindo das têmporas.

Não um homem, mas um demônio.

A tontura remanescente da viagem passou por ela em ondas e, com essa sensação, veio o medo que a possuía como um espírito raivoso. O calcanhar de sua sandália deslizou sobre a pedra, e Lara escorregou de encontro ao pai, o chão parecendo se mover sob ela como o balanço do barco.

Tudo isso tinha sido um erro. Um erro terrível, horrendo.

Quando faltavam apenas alguns passos entre eles, seu pai parou e se virou para ela. Em sua mão estava um cinto cravejado de joias com as facas de arremesso camufladas penduradas, uma de cada lado. Ele o envolveu na cintura do vestido encharcado dela, afivelando o cinto. Em seguida, beijou-a nas bochechas antes de se voltar para o rei de Ithicana.

— Conforme acordado, venho para oferecer minha filha mais preciosa, Lara, como símbolo do compromisso de Maridrina com a continuação da aliança com Ithicana. Que sempre haja paz entre nossos reinos.

O rei de Ithicana assentiu uma vez, e seu pai deu um leve empurrão nas costas dela. Com passos vacilantes, ela caminhou em direção ao rei e, ao fazer isso, um raio cortou o ar, o clarão dando a impressão de que a viseira do elmo dele se movia, como se não fosse metal, mas carne.

Os tambores voltaram a ressoar, uma batida firme e severa: Ithicana encarnada. O rei estendeu a mão e, embora todos os instintos lhe dissessem para se virar e correr, Lara a segurou.

Por motivos que não conseguia articular, ela achava que a mão seria fria como metal, e igualmente inflexível — mas era quente. Dedos compridos se curvaram ao redor dos dela, as unhas curtas. Sua palma era calejada; a pele, como a dela, era coberta por minúsculas cicatrizes brancas. Os arranhões e cortes que não se podiam evitar quando o combate era um modo de vida. Ela observou a mão, que lhe ofereceu um estranho consolo; aquele que estava diante dela não passava de um homem.

E homens poderiam ser derrotados.

Uma sacerdotisa se aproximou pela sua esquerda e amarrou uma fita azul-celeste em volta das mãos deles, unindo-os antes de cantar os votos de casamento maridrinianos a plenos pulmões para que todos pudessem ouvir apesar da tempestade crescente. Votos de obediência da parte dela. Votos de criar uma centena de filhos da parte dele. Lara podia jurar ter ouvido uma risada abafada e baixa detrás do elmo do rei.

Mas quando a sacerdotisa ergueu as mãos para declará-los marido e mulher, ele falou pela primeira vez:

— Ainda não.

Fazendo sinal para a sacerdotisa se afastar, ele arrancou a fita, que Lara deveria usar trançada no cabelo durante o primeiro ano de casamento. A seda voou em direção ao mar. Um dos seus soldados de elmo saiu dentre as fileiras, parou diante deles e gritou:

— Você, Aren Kertell, rei de Ithicana, jura lutar ao lado desta mulher, defendê-la até seu último suspiro, desejar o corpo dela e nenhum outro, ser leal a ela até que a morte os separe?

— Sim. — A palavra do rei foi pontuada pela batida de uma centena de espadas e lanças nos escudos, e Lara se contraiu.

Mas o choque do ruído não foi nada comparado ao que ela sentiu quando o soldado se virou para ela e disse:

— Você, Lara Veliant, princesa de Maridrina, jura lutar ao lado deste homem, defendê-lo até seu último suspiro, desejar o corpo dele e nenhum outro, e ser leal a ele até que a morte os separe?

Ela pestanejou. E, como não havia mais nada que pudesse dizer, sussurrou:

— Sim.

Assentindo, o soldado sacou uma faca.

— Não seja frouxo, hein, majestade — ele murmurou, e o rei de Ithicana respondeu com uma risadinha tensa antes de estender a mão.

O soldado passou a faca na palma da mão do rei e então, antes que Lara pudesse recuar, ele pegou o braço dela e cortou sua mão também. Ela viu o sangue brotar antes de sentir a dor. O soldado pressionou as mãos deles uma contra a outra, o sangue quente do rei de Ithicana se misturando ao dela antes de escorrer pelos dedos entrelaçados.

O soldado ergueu as mãos deles, quase tirando Lara do chão.

— Eis o rei e a rainha de Ithicana.

Como se para pontuar as palavras dele, a tempestade finalmente caiu com um trovão retumbante que fez a terra tremer. Os tambores aumentaram seu ritmo frenético, e o rei de Ithicana soltou as mãos do soldado, baixando o braço para que Lara não tivesse mais que ficar na ponta dos pés.

— Sugiro que embarque em seu navio, majestade — ele disse para o pai de Lara. — Essa tempestade o seguirá até sua terra.

— Você sempre pode nos oferecer sua hospitalidade — o pai dela respondeu, e a atenção de Lara se voltou dele para Serin, que estava atrás com o resto dos maridrinianos. — Afinal, somos uma família agora.

O rei de Ithicana riu.

— Um passo de cada vez, Silas. Um passo de cada vez. — Ele se virou e puxou Lara gentilmente para as profundezas da ponte e a grade levadiça se fechou.

Ela só foi capaz de lançar um breve olhar para trás na direção do pai, o semblante dele inexpressivo e impossível de decifrar. Mas, atrás, Serin encontrou o olhar dela, inclinando a cabeça uma única vez em um aceno lento antes de ela sumir de vista.

Estava escuro lá dentro, um aroma tênue de estrume animal e suor. Nenhum dos ithicanianos retirou seus elmos, mas, apesar dos rostos escondidos, Lara sentiu seu escrutínio.

— Bem-vinda a Ithicana — o rei, seu marido, disse. — Desculpe ter que fazer isso.

Lara o viu estender um frasco. Ela poderia ter desviado. Poderia tê-lo derrubado com um único golpe, lutado para se livrar dos soldados. Mas não poderia deixar que ele soubesse que era capaz. Então, lançou um olhar de espanto enquanto ele erguia o frasco na direção de seu nariz. O mundo girou ao redor dela, a escuridão tomando conta. Seus joelhos cederam, e ela sentiu braços fortes a pegarem antes de cair no chão. A última coisa que escutou antes de perder a consciência foi a voz resignada do rei:

— Onde fui me meter?

5
AREN

AREN, O TRIGÉSIMO SÉTIMO GOVERNANTE de Ithicana, estava deitado, olhando fixamente para as manchas de fuligem no teto do quartel. Seu elmo estava pousado ao lado da mão esquerda e, enquanto virava a cabeça para olhar o capacete monstruoso de aço que havia herdado junto com seu título, chegou à conclusão de que quem quer que tivesse dado a ideia dos elmos era ao mesmo tempo genial e sádico. Genial, porque aquelas coisas metiam medo nos inimigos de Ithicana. Sádico, porque usar aquilo era como enfiar a cabeça em uma panela com cheiro de meias suadas.

O rosto de sua irmã gêmea surgiu na sua linha de visão, a expressão sorridente.

— Vovó a examinou. Diz que ela tem um físico surpreendente, com certeza é saudável e, salvo alguma tragédia, deve viver por um bom tempo.

Aren piscou uma vez.

— Decepcionado? — Ahnna perguntou.

Virando-se de lado e sentando no banco, Aren respondeu:

— Ao contrário do que dizem nossos reinos vizinhos, não sou tão perverso a ponto de desejar a morte de uma menina inocente.

— Você tem tanta certeza assim de que ela é inocente?

— Está sugerindo que ela não é?

Ahnna franziu o rosto, depois balançou a cabeça.

— Fiéis ao estilo maridriniano, eles lhe deram uma bela e recatada violeta murcha. Serve para ser admirada e nada mais.

Lembrando-se de como a jovem tremia ao atravessar o píer, agarrada ao braço do pai, os enormes olhos azuis cheios de pavor, Aren ficou inclinado a concordar com a irmã. Mesmo assim, pretendia manter Lara isolada até ter ideia do verdadeiro caráter dela. E descobrir exatamente a quem era leal.

— Nossos espiões descobriram mais alguma coisa sobre ela?

Ahnna fez que não.

— Nada. Ele parece tê-la mantido escondida no deserto e, até ela sair das areias vermelhas, nem mesmo os maridrinianos sabiam seu nome.

— Por que todo esse sigilo?

— Dizem que para a proteção dela. Nem todos estão contentes com a nossa aliança com Maridrina, principalmente Valcotta.

Aren franziu a testa, insatisfeito com a resposta, embora não soubesse por quê. Maridrina e Valcotta viviam em guerra pela faixa fértil de terra que descia a costa ocidental do continente meridional, a fronteira disputada pelos dois reinos. Era possível que a imperadora valcottana pudesse ter tentado romper a aliança assassinando a princesa, mas ele achava improvável. Primeiro porque Silas Veliant tinha tantas filhas que nem sabia o que fazer com elas, e o tratado não especificara qual menina seria enviada. Segundo porque todos os reinos ao norte e ao sul sabiam que o casamento de Aren com uma princesa maridriniana não passava de um ato simbólico, focado mais nos termos comerciais do acordo e da paz que eles compravam. O tratado teria sobrevivido mesmo sem a princesa.

O terceiro motivo, o mais incômodo, era que essa atitude de se esconder não condizia com a natureza maridriniana. Na verdade, Silas teria se deleitado com o assassinato de uma filha ou duas, porque isso renovaria o apoio enfraquecido de seu povo pela guerra contra Valcotta.

— Ela já acordou?

— Não. Desci assim que Vovó a considerou uma esposa saudável e digna, quis logo contar essa notícia maravilhosa.

A voz de sua irmã gêmea estava carregada de sarcasmo, e Aren lhe lançou um olhar de alerta.

— Lara é sua rainha agora. Talvez seja bom demonstrar um pouco de respeito.

Ahnna respondeu mostrando o dedo do meio.

— O que você vai fazer com a rainha Lara?

— Com aqueles peitos, eu sugeriria transar — uma voz grave interveio.

Aren se virou com um olhar de repreensão para Jor, o capitão da guarda de honra, que estava sentado no lado oposto da braseira.

— Obrigado pela sugestão.

— O que eles tinham na cabeça quando deram um vestido de seda para a menina usar em uma chuva torrencial? Era o mesmo que desfilar a coitada nua na frente de todos.

Aren havia, sim, notado. Mesmo desgrenhada pela chuva, ela era deslumbrante, o corpo cheio de curvas, o rosto delicado emoldurado pelo cabelo cor de mel. Não que ele esperasse algo diferente. Ainda que passada sua juventude, o rei de Maridrina ainda era um homem vigoroso, e sabia-se que ele escolhia a maioria de suas mulheres pela beleza e nada mais.

Pensar no outro rei causou náuseas em Aren. Ele lembrou da expressão presunçosa no rosto de Silas enquanto entregava a preciosa filha.

Era uma expressão típica do rei Rato.

Enquanto Ithicana estava agora presa a novos termos indesejáveis de comércio, tudo que o rei de Maridrina havia entregado era uma de suas incontáveis filhas e a promessa de manter a paz que havia se estabelecido entre os dois reinos pelos últimos quinze anos. E, não pela primeira vez, Aren amaldiçoou os pais por incluir seu casamento com Maridrina como parte do acordo.

"Um papel com três assinaturas será pouco para unir nossos reinos", sua mãe sempre respondia quando ele reclamava. "Seu casamento será o primeiro passo rumo a uma verdadeira aliança entre nossos povos. Você dará o exemplo e, ao fazer isso, vai garantir muito mais para Ithicana do que apenas sobreviver por um triz. E, se isso não significar nada para você, lembre-se de que seu pai deu a palavra dele em meu nome."

E um ithicaniano era sempre fiel à própria palavra. Justamente por isso, no décimo quinto aniversário do acordo, embora seus pais estivessem mortos fazia um ano, Aren havia mandado uma missiva para Maridrina para trazer a princesa deles para o casamento.

— A beleza dela é inegável. Só me resta torcer para que eu tenha a mesma sorte. — Embora a voz de Ahnna fosse leve, Aren notou como os olhos anogueirados da irmã perderam o brilho com a menção da parte dela do acordo.

O rei de Harendell, vizinho deles ao norte, ainda não tinha vindo buscar a noiva ithicaniana para seu filho, mas, com o casamento de Aren e Lara, era apenas uma questão de tempo. Harendell saberia a essa altura os termos que Maridrina havia negociado e eles estariam ansiosos para tomar a parte que lhes cabia. Ambos os acordos incitariam retaliações de Amarid. A relação do outro reino do norte com Ithicana já era cheia de conflitos, visto que os navios mercantis daquele domínio disputavam negócios com a ponte.

Lançando um olhar incisivo para Jor, Aren esperou até sua guarda de honra se dispersar antes de falar à irmã com a voz baixa:

— Não vou obrigar você a casar com o príncipe, se não quiser.

Vou compensá-los de outra forma. Em Harendell, eles são mais pragmáticos do que em Maridrina. Podem ser comprados.

Porque uma coisa era Aren casar com uma menina que ele não havia escolhido nem sequer conhecido em nome da paz. Outra bem diferente era dar sua irmã para um reino estrangeiro, onde ela ficaria sozinha em um lugar estranho, para ser usada como quisessem.

— Não seja idiota, Aren. Você sabe que vou colocar o bem de nosso reino em primeiro lugar — Ahnna murmurou, mas se apoiou no ombro esquerdo dele, onde estivera, lutando pelo irmão, desde que se entendiam por gente. — E você não respondeu à minha pergunta.

Ele não respondera porque não sabia o que fazer com Lara.

— Não podemos baixar a guarda — Ahnna disse. — Silas pode ter prometido paz, mas não pense nem por um segundo que ele pretende honrar a promessa pelo bem dela. Aquele canalha seria capaz de sacrificar uma dezena de filhas se nos visse baixar as defesas.

— Sei disso.

— Ela pode ser bonita, mas não pense que isso não foi proposital. Ela é a filha de nosso inimigo. Silas quer que você se distraia com ela. Ela provavelmente foi instruída a seduzir você, descobrir o que puder sobre os segredos de Ithicana na esperança de conseguir transmiti-los de volta para o pai. Não queremos que ele tenha essa carta na manga.

— Como, exatamente, ela conseguiria fazer isso? Não é como se fôssemos deixá-la voltar para visitar sua casa. Ela não vai ter contato com ninguém de fora de Ithicana. Ele deve saber disso.

— É melhor prevenir. É melhor que ela fique na ignorância.

— Então devo mantê-la trancada na casa dos nossos pais, nesta ilha vazia, pelo resto de sua vida? — Aren encarou as chamas incandescentes do fogo. Uma rajada de vento arrastou a chuva pelo buraco no teto, as gotículas silvando ao acertarem a madeira chamuscada. — E — ele engoliu em seco, sabendo que tinha obrigações com o reino —, quando tivermos um filho, devo manter a criança trancada aqui também?

— Eu nunca disse que seria fácil. — Sua irmã segurou a mão dele, virando-a para cima para observar o corte na palma, que sangrava onde ele havia cutucado. — Mas nosso dever é proteger o povo. Manter Eranahl em segredo. Mantê-la a salvo.

— Eu sei.

Mas isso não queria dizer que ele não se sentia com algumas obrigações em relação à nova esposa. Que ele havia trazido pelos longos e sombrios trechos da ponte, sabendo que, quando ela acordasse, seria em um lugar completamente diferente de tudo que ela conhecia. Tampouco era a vida que ela havia escolhido, mas que lhe tinha sido imposta.

— É melhor você subir para a casa — Ahnna disse. — O efeito do sedativo vai passar logo mais.

— Vá você. — Aren voltou a se deitar no banco, ouvindo o trovão passar sobre a ilha, a tempestade quase acabando, ainda que logo mais fosse substituída por outra. — Ela já passou por tanta coisa... não precisa acordar em um quarto com um homem estranho.

Por um momento, pareceu que Ahnna discordaria, depois assentiu.

— Mando notícias quando ela acordar. — Levantando, a princesa saiu silenciosamente do quartel, deixando-o sozinho.

Você é um covarde, ele pensou. Porque tinha sido apenas uma desculpa para evitar a garota. Sua mãe acreditava que essa princesa era a chave para alcançar a grandeza de Ithicana, mas Aren não estava convencido.

Ithicana precisava de uma rainha guerreira. Uma mulher que lutasse até a morte pelo seu povo. Sagaz e implacável, não porque quisesse, mas porque seu país precisava que ela fosse assim. Uma mulher que desafiasse o rei todos os dias pelo resto de sua vida. Uma mulher que Ithicana respeitasse.

E de uma coisa ele tinha certeza: Lara Veliant não era essa mulher.

6
LARA

Lara acordou com um sobressalto, a cabeça doendo e um gosto amargo na boca.

Sem se mexer, ela abriu os olhos, analisando o quarto. Avistou uma janela aberta, com uma brisa úmida repleta de aromas de flores e plantas verdejantes das quais não sabia o nome, tendo passado a vida cercada por areia. A vista era de um jardim verde, a luz constante e prateada, como se filtrada por nuvens grossas. O único som era do fraco tilintar da chuva.

E de uma mulher cantarolando.

Ela relaxou o punho que havia fechado por impulso, pronta para atacar, e virou a cabeça devagar.

Uma mulher de beleza extraordinária, talvez cinco anos mais velha do que Lara, com o cabelo escuro, comprido e ondulado, estava no meio do quarto usando um dos vestidos de Lara. *Um dos vestidos de Marylyn*, ela se lembrou com um aperto no peito.

Pelo jeito como inclinou a cabeça, a mulher tinha ouvido Lara se mexer, mas fingiu que não, balançando as saias de seda curtíssimas de um lado para o outro, ainda cantarolando.

Lara não disse nada, observando os móveis de madeira de árvores frutíferas, polidos a ponto de brilhar, e vasos de flores radiantes em praticamente todas as superfícies planas. Os pisos eram feitos de lascas de madeira dispostas em formatos elaborados. As paredes eram rebocadas de branco e decoradas com obras de arte vibrantes. Uma porta levava ao que parecia ser um quarto de banho e outra, fechada, ela presumiu que levasse a um corredor para a saída. Satisfeita em ter a planta do ambiente, Lara perguntou:

— Onde estou?

— Ah, você acordou! — a mulher disse, fingindo surpresa. — Você está na casa do rei na ilha de Guarda Média.

— Entendi.

Se Guarda Média ficava, como o nome sugeria, no meio de Ithicana, ela ficara inconsciente por mais tempo do que imaginara. Eles a haviam drogado, o que significava que não confiavam nela. Até aí, nenhuma surpresa.

— Como cheguei aqui?

—Você chegou a Guarda Média pelo mar.

— Por quanto tempo dormi?

—Você não estava exatamente dormindo. Só não estava... presente. — A mulher deu de ombros com um ar de quem pede desculpas. — Perdoe-nos. É da natureza de todo ithicaniano ser sigiloso, e ainda estamos nos acostumando com a ideia de ter uma forasteira entre nós.

— Percebi — Lara murmurou, notando que a mulher não havia respondido à sua pergunta, embora ela soubesse exatamente com o que a haviam drogado e por quê.

Manter uma pessoa inconsciente por dias tinha consequências, muitas vezes fatais. Entorpecê-la para apagar sua memória era mais seguro.

Seguro, porém arriscado. Ainda mais quando o indivíduo drogado já tinha sido exposto a doses no passado. Resquícios de memórias já rondavam a mente de Lara. Lembranças de andar. Andar em sapatos largos em uma superfície dura. Ela estava na ponte e, em determinado ponto, foi tirada de lá.

Voltando a encarar a mulher, ela perguntou:

— Por que está usando meu vestido?

—Você tem um baú cheio. Eu estava pendurando para você, e pensei em experimentar um deles para ver se gostava.

Lara ergueu a sobrancelha.

— E gostou?

— Ah, sim. — A desconhecida arqueou as costas, sorrindo para o reflexo no espelho. — Nem um pouco prático, mas bonito. Seria bom ter um ou dois no meu guarda-roupa. — Erguendo a mão, ela tirou as alças do vestido dos ombros, deixando que deslizasse de seu corpo e se amontoasse no chão.

Ela não usava nada por baixo, e seu corpo era musculoso e curvo, os seios pequenos e rijos.

— Lindo esse vestido que você usou no casamento, aliás. — Ela vestiu uma túnica de manga curta e uma calça confortável. Pegou um par de avambraços caídos no chão e os afivelou como se tivesse feito isso mil vezes. — Eu pediria emprestado para minha parte do Tratado de Quinze Anos, mas receio que ele tenha sofrido alguns estragos na viagem.

Lara piscou, entendendo de repente.

—Você é a princesa ithicaniana.

— Entre outras coisas. — A mulher sorriu. — Mas não quero revelar todos os nossos segredos. Meu irmão nunca me perdoaria.

— Seu irmão?

— Seu marido. — Pegando um arco e uma aljava, a mulher... a *princesa* atravessou o cômodo. — Meu nome é Ahnna. — Ela se agachou para dar um beijo na bochecha de Lara. — E, sendo sincera, estou ansiosa para conhecer você, irmã.

Houve uma batida na porta, e uma serva carregando uma bandeja de frutas fatiadas entrou, colocando a comida em uma mesa antes de anunciar que o jantar seria servido à sétima hora.

— Vou deixar você sozinha — Ahnna disse. — Dar um tempo para você se acomodar. Tenho certeza de que acordar aqui foi um choque e tanto.

Depois de anos da tutela agressiva de Serin, seria preciso muito mais do que acordar em um colchão de plumas para chocar Lara, mas ela se permitiu um leve tremor na voz ao dizer:

— O rei... Ele está... Ele vai...

Ahnna deu de ombros.

— Aren não é muito previsível em suas idas e vindas. É melhor você se acomodar do que esperar que ele venha para casa. Tome um banho. Coma algumas frutas. Tome um drinque. Ou dez.

Um lampejo de decepção perpassou Lara, mas ela abriu um sorriso para Ahnna antes de fechar a porta e virar o trinco. Encarou o pedaço de metal por um longo tempo, surpresa por lhe permitirem alguma privacidade, depois deixou o pensamento de lado. Tudo que Lara sabia sobre eles era mais especulação do que fato. Era melhor avaliar a situação como se não soubesse absolutamente nada.

Depois de colocar o vestido que Ahnna havia deixado e o cinto de facas, que ficou surpresa ao encontrar em cima de seu baú, Lara rodeou o quarto em busca de sinais de que estava sendo espionada, mas não havia buracos nas paredes nem no teto, nem rachaduras nas tábuas do assoalho. Pegando sua bandeja de frutas, ela entrou no que havia presumido que fosse o quarto de banho, mas não encontrou nada que se assemelhasse a uma banheira, apesar das prateleiras de madeira cheias de toalhas macias, esponjas, sabonetes, e uma coleção inteira de escovas e pentes. No entanto, havia outra porta.

Lara empurrou o bloco sólido de madeira, revelando um pátio inclinado resplandecente com uma exuberância que ela nunca tinha visto. As paredes do edifício estavam escondidas por trepadeiras cheias de flores em tons vivos de rosa, roxo e laranja, e duas árvores altas com enormes folhas bifurcadas, com várias aves coloridas pousadas em seus galhos. Uma trilha feita de pedras lapidadas emoldurada por pedrinhas brancas serpenteava pelo pátio, mas o que tirou seu fôlego foi o riacho no meio.

A casa, ela entendeu ao entrar no pátio, tinha sido construída quase como uma ponte sobre uma pequena cachoeira. A água caía por blocos de pedra em uma piscina, que escorria por um canal até outra piscina, e depois outra, antes de correr por baixo do lado mais distante da casa para o que quer que houvesse na outra ponta.

Na base da cascata, perto da piscina, ela notou os bancos curvados de pedra sob a água. Era ali que deveria se banhar. Um vapor subia suavemente da superfície e, ao mergulhar os pés rapidamente, sua pele ficou rosada de calor. Havia apenas mais uma entrada para o pátio, que era a porta oposta à de seus aposentos.

Ao atravessar o córrego por uma pequena ponte, Lara caminhou até a porta e testou a maçaneta em silêncio. Trancada. Os aposentos do outro lado tinham uma janela semelhante à dela, mas estava fechada e coberta por uma cortina.

O céu não revelava nada além de nuvens ondulantes, e com um teste rápido ela viu que as trepadeiras nas paredes eram fortes o bastante para sustentar seu peso, caso ela decidisse escalar para sair. Inúmeras maneiras de escapar, o que significava que a casa não tinha sido projetada para ser uma prisão.

Uma voz chamou sua atenção.

— Ela está acordada, então?

Aren.

— Faz mais ou menos meia hora.

— E?

Lara desceu correndo a trilha perto da nascente, ajoelhando na passagem da água debaixo da construção.

— Ela estava mais calma do que eu imaginava. Mais preocupada em saber por que eu estava usando um dos vestidos dela. Cada um com suas prioridades.

Silêncio. Então:

— Por que você estava usando um dos vestidos dela?

— Porque eram bonitos e eu estava entediada.

O rei bufou, e Lara engatinhou por mais alguns centímetros até conseguir ver as pernas deles. Ele segurava um arco na mão relaxada, balançando-o para trás e para a frente. Quis avançar mais, para tentar ver o rosto do marido, mas não podia correr o risco de ser ouvida.

— Ela falou alguma outra coisa?

— Tive conversas mais interessantes com seu gato. Os jantares de vocês vão ser muito animados.

— Não me diga. — O rei chutou uma pedra, que saiu quicando pelo córrego, jogando água no rosto de Lara. — Filha mais preciosa o cacete. Aposto que suas próprias botas são mais estimadas para ele.

Aposta aceita, cretino presunçoso, Lara pensou.

— Essas concessões não eram o que eu queria tirar do tratado, Ahnna. Não gosto delas, e não quero assinar o despacho.

— Você precisa assinar. Maridrina cumpriu a parte deles do acordo. Se faltarmos com nossa palavra, haverá consequências, e a paz será a primeira a ser comprometida.

Os dois começaram a andar, depois houve um barulho de botas, os passos calculados de duas pessoas subindo degraus, e a voz de Ahnna soou distante quando disse:

— Dar ao rei maridriniano o que ele quer vai fazer com que ele dependa ainda mais de nós. Talvez valha a pena.

E, ao longe, Lara conseguiu ouvir a resposta dele:

— Maridrina vai morrer de fome antes de ser beneficiada por esse tratado.

A fúria de Lara se inflamou como brasa com as palavras dele, e sua visão foi ofuscada pela lembrança das crianças esqueléticas nas ruas do reino. Empertigando-se, ela atravessou a trilha em direção ao quarto, decidida a encontrar aquele rei babaca e cravar uma de suas facas no meio das tripas perversas e ithicanianas dele.

Mas isso não traria resultado algum.

Parando na trilha, ela olhou o céu e inspirou várias vezes, encontrando calma no mar de fogo que era sua alma. Por mais agradável que destripar seu marido pudesse ser, não resolveria nenhum dos problemas de Maridrina. Se resolvesse, seu pai já teria enviado um assassino muito tempo antes para fazer esse trabalho. Não era uma questão de derrubar um homem, mas de derrubar um reino e, para isso, ela precisava pensar a longo prazo. Adiar o ataque para quando fizesse mais efeito. Lembrar para que e por que ela havia sido treinada. Ser a mulher que seu pai havia criado para salvar sua terra natal.

Uma porta bateu atrás dela, e Lara deu meia-volta, achando que um dos servos tinha vindo para oferecer seus serviços.

Não poderia estar mais enganada.

O homem estava sem roupa, exceto pela toalha enrolada na cintura. Mas o que ela conseguia ver era mais do que suficiente. Alto e com os ombros largos, seu corpo musculoso era definido, como se fosse esculpido em pedra, os braços marcados por cicatrizes antigas, brancas na pele bronzeada. E o rosto... Seu cabelo escuro emoldurava as maçãs do rosto altas e um maxilar forte, suavizado por lábios fartos. Ele olhava para Lara, fazendo as bochechas dela corar.

— É óbvio que, de todos os quartos em que ela poderia te colocar, tinha que escolher este — ele disse, e a familiaridade da voz foi como um balde de água fria quando Lara se deu conta de quem estava diante dela.

Tudo que ela via agora era aquela máscara perversa, e tudo que ouvia era que Maridrina morreria de fome.

As mãos de Lara se moveram por instinto na direção das facas em sua cintura, mas ela disfarçou o movimento ajustando o vestido.

Ele não se deixou enganar.

— Você ao menos sabe usá-las?

O pensamento de que poderia matar esse homem arrogante e condescendente naquele instante passou pela sua cabeça, mas Lara respondeu apenas com um sorriso doce.

— Não foram poucas as carnes que cortei na vida.

Os olhos dele brilharam de interesse.

— E não é que a princesinha tem resposta na ponta da língua? — Apontando para as facas, ele disse: — Perguntei se você sabe lutar com elas.

Se respondesse que não e fosse flagrada usando-as em qualquer circunstância seria automaticamente taxada de mentirosa, então, em vez disso, Lara ergueu a sobrancelha com ar de ironia.

— Fui criada para ser sua rainha, não um reles soldado.

O interesse nos olhos dele se apagou, o que não era bom. O objetivo dela era seduzi-lo e, consequentemente, conquistar sua confiança. Mas, para isso, precisava que Aren a desejasse. A chuva nebulosa havia deixado a seda de seu vestido molhada, e ela conseguia sentir o tecido colado nos seios. Havia sido treinada para isso. Havia assistido a inúmeras aulas ensinando exatamente o que ela precisava fazer para conquistar o interesse de um homem. E mantê-lo. Se empertigando, disse:

— Você está aqui para tomar o que é seu?

Ele não alterou a expressão. No máximo, pareceu entediado.

— A única coisa que vim tomar é um banho antes do jantar. Suei para arrastar você da Guarda Sul até aqui. É mais pesada do que aparenta.

As bochechas de Lara coraram. Ele continuou:

— Dito isso, se tiver interesse em fazer o mesmo, fique à vontade para ir primeiro. Considerando que você não vê um banho há três dias, deve precisar mais do que eu.

Ela o encarou, sem palavras.

— Mas, se está aqui só para admirar a... folhagem, talvez possa me dar um pouco de privacidade. — Ele abriu um sorriso preguiçoso para ela. — Ou não. Não sou tímido.

Era o que ele esperava. Que ela fosse a mulherzinha maridriniana obediente que saciasse todas as necessidades dele, quer ela quisesse ou não.

É o que ele espera, ela pensou, encarando-o, *mas não o que ele quer*. Diversos pensamentos percorreram sua mente. As roupas que ele vestia antes, as cores feitas para se camuflar na selva ao redor. As cicatrizes, claramente causadas por batalhas. O arco que tinha trazido, pronto para ser usado num piscar de olhos. *Esse homem é um caçador*, ela concluiu. *E o que ele quer é caçar.*

E ela teria o maior prazer em oferecer isso. Ainda mais se significasse adiar certa inevitabilidade que ela estava louca para evitar.

— Então você pode esperar. — Ela sorriu por dentro com a surpresa que iluminou os olhos dele.

Desafivelando o cinto, deixou as armas caírem perto da beira da piscina e virou de costas para o rei, baixando as alças do vestido. Depois de tirar a seda molhada do corpo, Lara chutou a vestimenta para o lado, sentindo os olhos de Aren enquanto entrava na piscina, com apenas o cabelo caindo pelas costas para esconder a pele nua.

Estava escaldante. Uma temperatura com a qual era preciso se acostumar aos poucos, mas Lara rangeu os dentes e desceu os degraus, virando-se apenas quando a água rodopiante cobria seus seios.

O rei olhava fixamente para ela. Lara abriu um sorriso sereno para ele.

— Eu aviso quando tiver terminado.

Ele abriu a boca como se fosse protestar, depois balançou a cabeça e deu as costas. Lara lhe permitiu três passos antes de chamar:

— Majestade.

O rei de Ithicana virou para ela, sem conseguir esconder a expectativa no rosto.

Lara deixou a cabeça cair para trás de maneira que a cascata se derramasse sobre seu cabelo.

— Por favor, me traga o sabonete. Infelizmente esqueci. — Ela hesitou antes de acrescentar: — A toalha também.

O sabão foi atirado na água perto dela. Lara abriu os olhos a tempo de vê-lo tirar a toalha da cintura e a jogar numa rocha, os pés batendo na trilha enquanto ele voltava sem roupa para o quarto.

Mordendo os lábios, Lara se esforçou para conter o sorriso. Esse homem poderia até ser um caçador. Mas estava enganado se achava que ela seria a presa.

7
LARA

LARA PERMANECEU NAS FONTES TERMAIS até sua pele ficar rosada e enrugada, em parte para irritar o rei de Ithicana e, em parte, porque a sensação de estar completamente imersa na água quente era um prazer novo para ela. No oásis, os banhos eram limitados a uma bacia, um pano e muitas esfregações vigorosas.

De volta aos aposentos, ela se dedicou à sua aparência, escolhendo um vestido azul-celeste sem mangas e com um decote generoso, fez uma trança em forma de uma coroa, deixando o pescoço e os ombros nus. Em seu baú, havia uma caixa de cosméticos, cujo fundo falso escondia potinhos de venenos e drogas. Ela escondeu um frasco no bracelete engenhosamente projetado. Escureceu os cílios e passou pó dourado na pele, tingindo os lábios de rosa-claro quando o relógio em sua mesa bateu a sétima hora. Então, depois de respirar fundo, ela saiu do quarto e foi em direção ao cheiro de comida.

O piso encerado do corredor refletia a luz das arandelas de vidro valcottano. As paredes eram cobertas por uma treliça de peças finas de madeira amarelo-âmbar, onde ficavam penduradas pinturas de cores vibrantes còm molduras de bronze. O corredor dava em uma cozinha, então ela entrou na porta à esquerda, encontrando um vestíbulo revestido de mármore, com uma porta externa pesada e cercada por janelas que não revelavam nada na escuridão crescente.

— Lara.

Virando ao ouvir seu nome, ela olhou pelas portas abertas de uma grande sala de jantar, com uma linda mesa de madeira com quadrados esmaltados embutidos e uma dezena de cadeiras em volta. Ahnna estava com a cadeira afastada e uma taça apoiada no joelho.

— Como foi o banho? — A ironia nos olhos de Ahnna sugeria que ela estava a par da conversa de Lara com Aren.

— Uma delícia, obrig... — Ela conteve uma exclamação de surpresa.

Sentado em uma cadeira à frente da princesa estava o maior gato que ela já tinha visto, ao menos do tamanho de um cachorro. Observando-a com os olhos dourados, ele ergueu uma pata e a lambeu, passando, então, a se limpar à mesa de jantar.

— Meu bom deus — ela murmurou. — O que é isso?

— É Vitex. O bichinho de Aren.

— Bichinho?

A outra mulher deu de ombros.

— Aren o encontrou abandonado quando era filhote. Trouxe para casa e não conseguiu mais tirá-lo daqui. Mas ele mantém as serpentes longe, isso eu reconheço.

Lara observou o animal com desconfiança. Era grande o bastante para derrubar um humano, se atacasse de surpresa.

— Ele é manso?

— Às vezes. Mas é melhor deixar que ele vá até você. Xô, Vitex. Xô! — O enorme animal lhe lançou um olhar de desprezo, depois saltou da cadeira e desapareceu da sala.

Lara sentou à frente da princesa, observando a parede cheia de janelas. A vista devia ser impressionante à luz do dia.

— Cadê todo mundo?

Ahnna tomou um grande gole de vinho, depois pegou a garrafa no centro da mesa e encheu a taça das duas, deixando Lara surpresa.

Em Maridrina, apenas os servos seguravam garrafas. Ninguém se servia. Ela imaginava que seus compatriotas prefeririam morrer de sede a quebrar o costume.

— Esta é a residência particular dos meus pais. — Ahnna parou e estremeceu, depois se corrigiu: — *Do meu irmão*, então não tem ninguém aqui agora além de nós três, a cozinheira e dois servos. E vou embora amanhã depois que minha ressaca passar. — Ela ergueu a taça. — Saúde.

Lara ergueu a taça com o ar dócil e deu um gole, notando que o cálice também era de Valcotta, o vinho de Amarid e, a menos que estivesse enganada, os talheres eram de sua terra natal. Ela catalogou os detalhes para refletir sobre eles mais tarde. Ithicana fazia o comércio de quase todas as mercadorias, comprando na Guarda Norte, transportando os produtos pela ponte, depois os vendendo mais caros na Guarda Sul. E faziam o processo reverso com as exportações dos reinos sulistas. Os mercadores que percorriam a ponte pagavam taxas pesadas pelo privilégio e eram sempre mantidos sob a guarda de soldados ithicanianos. Ithicana em si não exportava nada, mas não parecia ter nenhum escrúpulo em importar produtos de outros lugares.

— A ilha inteira é domínio privado do rei, então? — Lara perguntou, conjecturando quando ou se o homem em questão apareceria.

— Não. Meu pai construiu esta casa para minha mãe para que ela ficasse confortável durante os períodos do ano em que eles estivessem aqui.

— Onde eles ficavam o resto do tempo?

Ahnna sorriu.

— Em outro lugar.

Segredos.

— Eu deveria saber sobre os outros moradores desta ilha?

— A guarda de honra de Aren fica aqui. Você vai conhecê-los em algum momento, imagino.

A frustração corroeu Lara, e ela deu mais um gole de vinho para aliviar a sensação. Fazia poucas horas desde que chegara. Ninguém — nem mesmo Serin ou seu pai — poderia achar que ela encontraria uma forma de quebrar as defesas de Ithicana no intervalo de um dia.

— Estou ansiosa para conhecê-los, sem dúvida.

Ahnna desdenhou.

— Duvido. Eles são um pouco brutos comparados ao que está acostumada, creio eu. Embora você seja um tanto misteriosa.

A princesa também estava fazendo sua própria investigação. Lara sorriu.

— E você? Disse que vai partir amanhã? Esta ilha não é sua casa?

— Sou a comandante da Guarda Sul.

Lara se engasgou com um gole de vinho.

— Mas você é uma...

— Mulher? — Ahnna completou. — Você vai ver que temos um estilo de vida diferente aqui em Ithicana. O que tem no meio de suas pernas não determina o caminho que você segue na vida. Metade da guarnição na Guarda Sul é composta por mulheres.

— Que liberal. — Lara conseguiu dizer entre uma tosse e outra enquanto imaginava o horror de seu pai se descobrisse que a ilha que o havia derrotado várias e várias vezes era defendida por mulheres.

— Pode ser para você também, se quiser.

— Não faça promessas que não podemos cumprir, Ahnna — uma voz masculina disse.

O rei de Ithicana entrou na sala de jantar, o cabelo molhado do banho, mas ela não deixou de notar a barba por fazer. Dava a ele um charme meio malandro, mas ela suprimiu o pensamento na hora.

— E por que ela não pode aprender a usar uma arma? Ithicana é perigosa. Seria para a própria segurança.

Ele observou a mesa, depois sentou na cabeceira.

— Não é com a segurança dela que estou preocupado.

Lara disparou um olhar de desdém a ele.

— Você se daria bem em Maridrina, majestade, se a ideia de sua mulher saber usar uma arma o amedronta tanto.

— Minha nossa. — Ahnna encheu a taça até a borda e se recostou na cadeira. — Julguei mal sua presença de espírito, Lara.

— Você está perdendo tempo, Ahnna — Aren disse, ignorando o comentário. — Lara acredita que armas são o domínio de reles soldados e indignas do tempo dela.

— Nunca disse isso. Falei que fui treinada para ser uma esposa e uma rainha, não um reles soldado.

— E o que exatamente esse treinamento envolveu?

— Talvez o destino sorria para você e um dia você descubra, majestade. Mas, por enquanto, precisará se contentar com meu bordado impecável.

Às gargalhadas, Ahnna serviu mais uma taça de vinho para si e depois encheu uma para o irmão.

— Talvez isso ajude.

Aren ignorou as duas e voltou sua atenção aos servos que apareceram trazendo bandejas de comida e ainda voltando para buscar mais. Havia frutas e verduras frescas, todas coloridas, bem como peixes grandes ainda com a cabeça. Um dos peixes estava em uma cama de arroz fumegante, que Lara observou e então deixou de lado, sua atenção se voltando para o rosbife com uma crosta de ervas, o questionamento sobre as origens dos alimentos contendo sua raiva pelo excesso de comida. Comida que poderia ter ido para Maridrina.

Ela esperou que um dos servos a servisse, mas todos saíram. Então os irmãos da família real fizeram seus pratos, enchendo de salada, peixe e carne ao mesmo tempo, sem se importar com a ordem das coisas.

— É um cardápio mais diversificado do que estou acostumada — ela disse. — Nunca comi peixe, mas pelo visto é algo comum aqui.

Aren ergueu a cabeça, observando a mesa, estreitando os olhos.

— Há algumas ilhas com javalis. Cabras. Frangos. Serpentes fazem parte do menu muitas vezes. Todo o resto é importado, normalmente de Harendell pelo mercado na Guarda Norte.

Os espiões de Serin relatavam que nem todas as mercadorias que entravam pela ponte da Guarda Norte saíam na Guarda Sul, indicando que os ithicanianos usavam a estrutura para transportar produtos dentro do próprio reino. Há entradas e saídas da ponte além das aberturas na Guarda Norte e na Guarda Sul, Serin havia gritado várias vezes para Lara e suas irmãs. Esses são os pontos fracos. Encontrem uma forma de entrar.

Pegando porções generosas de tudo, Lara cortou sua fatia de carne, observando o caldo escorrer. Então deu uma mordida e, sorrindo para um dos servos que havia ressurgido com mais vinho, disse:

— Está uma delícia.

Nenhum deles disse nada por um longo tempo e, da parte de Lara, o silêncio era resultado de sua boca cheia. A comida era melhor do que qualquer coisa que ela já havia experimentado, fresca e temperada com especiarias cujos nomes ela desconhecia. Era isso que o domínio da ponte significava, ela pensou, imaginando toda aquela comida chegando a Maridrina.

— Por que seu pai manteve você no meio do deserto Vermelho? — Aren perguntou, finalmente.

— Pela nossa segurança.

— Nossa?

Fale a verdade, quando puder, a voz de Serin a orientou em seus pensamentos.

Ela engoliu um pedaço de peixe encharcado de manteiga cítrica.

— Minha e das minhas irmãs. Quer dizer, meias-irmãs.

Os dois irmãos pararam de mastigar.

— Quantas filhas ele estava… está escondendo lá? — Aren perguntou.

— Doze, contando comigo. — Lara tomou um gole de vinho, depois voltou a encher o prato. — Meu pai escolheu dentre nós a menina que achou que seria a mais adequada para ser sua rainha.

Aren a encarava sem entender enquanto sua irmã gêmea acenava com sabedoria antes de perguntar:

— A mais bela, você quer dizer?

— Não, creio que não.

— A mais inteligente?

Lara abanou a cabeça, pensando em como Sarhina e Marylyn conseguiam decifrar códigos facilmente. E criar novos.

— Por que você, então? — Aren interveio.

— Não cabia a mim questionar os motivos por trás da decisão dele.

— Sem dúvida você tem uma opinião sobre o assunto.

— Com certeza: que minha opinião não importa.

— Nem se eu perguntar? — Ele franziu a testa. — Estou perguntando sua opinião.

— Meu pai é o monarca mais longevo na história de Maridrina. Sua sabedoria e seu conhecimento sobre a relação entre nossos reinos o guiaram a me escolher para ser rainha de Ithicana.

Ahnna se voltou abruptamente para o irmão, sua voz urgente ao dizer:

— Aren, fomos infiltrados. Há um espião entre nós.

Lara sentiu um frio na barriga quando os olhos de Aren se voltaram para ela. Seus dedos se contraíram na direção das facas em sua cintura, pronta para lutar e escapar se fosse necessário.

— Não existe outra explicação — Ahnna disse. — De que outro modo aquele reizinho salafrário poderia saber qual filha seria a pior esposa possível para você?

Bufando, Aren balançou a cabeça. Lara escondeu o alívio com mais uma garfada de peixe, que foi tão agradável de engolir quanto um punhado de serragem.

— Era por isso que ele parecia tão presunçoso no casamento — a princesa continuou. — Ele deve ter imaginado que você a mandaria de volta depois de uma semana.

— Ahnna. — A voz do rei de Ithicana trazia um tom de advertência.

— É incrível, sério. Parece até que ela foi criada para acabar com a sua vida.

Você nem imagina, Lara pensou.

— Ahnna, se você não calar a boca, vou te afogar no seu vinho.

Ahnna ergueu a taça para um brinde.

— Fique à vontade para tentar, querido irmão.

Lara escolheu esse momento para interromper, enchendo as taças dos irmãos. Servir o vinho com as próprias mãos tornava mais fácil colocar algumas gotas do frasquinho escondido em seu bracelete na taça de cada um deles, garantindo aos dois uma noite de sono pesado.

— Por falar no meu pai, você vai permitir que eu me corresponda com ele?

Eles a encararam, o descontentamento evidente enquanto viravam as taças, parecendo não perceber como repetiam os movimentos um do outro. Lara sorriu por dentro, sabendo que o narcótico misturado ao álcool cumpriria bem sua função.

Finalmente, Aren perguntou:

— Por que está pedindo isso? E, por favor, não me diga que é para manter o que obviamente não é uma relação próxima entre pai e filha.

Uma dezena de respostas sarcásticas se formou em sua mente, e Lara conteve todas. Afinal, precisava que esse homem maldito se apaixonasse por ela.

— Eu entendi que, para proteger os interesses de Ithicana, nunca terei permissão para rever minha família, minha casa, nem mesmo meu povo. Que esta casa, por mais linda que seja, será minha prisão pelo tempo que você achar necessário. Pena e papel são tudo que me resta para manter minha ligação com o que deixei para trás. Isto é, se você permitir.

Ele desviou o olhar, mexendo o maxilar enquanto travava um grande debate interno. Então, os olhos dele se voltaram para a irmã, a mulher lhe dando um levíssimo aceno de cabeça. Interessante. Ahnna se portava como a parte mais descontraída e benevolente dos dois, mas talvez essa não fosse uma avaliação precisa de seu caráter.

Qualquer que tenha sido o alerta trocado entre irmão e irmã, Aren decidiu ignorá-lo.

—Você pode se corresponder com seu pai. Mas suas cartas serão lidas e, se contiverem informações que coloquem Ithicana em risco, pediremos que você reescreva. Se você for pega usando algum código, seus privilégios serão revogados.

O que ele poderia censurar da carta revelaria muita coisa, o que não passou despercebido pela Comandante da Guarda Sul. Os olhos de Ahnna faiscaram de irritação, mas logo ela desistiu de protestar, sem querer comprometer sua atuação. Lara não tinha dúvidas de que ela argumentaria contra a correspondência assim que estivesse longe.

— Não gostaria que minhas cartas particulares fossem lidas — Lara disse, apenas porque era o que ele esperava ouvir.

— E eu não gostaria de lê-las — Aren retrucou. — Mas todos devemos fazer coisas de que não gostamos, então sugiro que se acostume. — E, sem dizer outra palavra, ele empurrou a cadeira para trás e saiu da sala com um passo um pouco torto.

Ahnna soltou um suspiro exausto. Tirando a rolha de outra garrafa de vinho e enchendo a taça de Lara até a borda.

— Em Guarda Sul, chamamos isso de servir à Ahnna.

Embora soubesse que o comportamento da mulher era uma atuação para ganhar sua confiança, Lara sorriu, dando um gole.

— Ele sempre teve esse pavio curto? — ela perguntou, embora pensasse: *Ele é sempre babaca assim?*

O sorriso no rosto da cunhada se fechou.

— Não. — Sua voz estava levemente enrolada, e ela franziu a testa para a taça. — Nossa, quantas dessa eu bebi?

— Amarid produz os melhores vinhos do mundo... É difícil não exagerar.

Instantes depois, o queixo de Ahnna bateu na mesa com um baque pesado. Um dos servos entrou nesse exato momento e ficou boquiaberto ao ver a princesa roncando na mesa de jantar.

— Exagerou na dose — Lara disse, com uma careta. — Pode me ajudar a levá-la para o quarto?

Ahnna era um peso morto entre os dois enquanto eles meio a arrastavam, meio a carregavam pelo corredor até o quarto dela, que era tão lindo quanto o de Lara.

— Se você puder segurá-la, majestade, vou verificar se não tem nenhuma serpente entre os lençóis.

Serpentes? O pensamento distraiu tanto Lara que ela quase tombou quando o garoto soltou Ahnna. Ele foi até a cama e a chutou com força antes de revirar os lençóis, que, felizmente, estavam livres de serpentes.

Ao colocar Ahnna na cama com delicadeza, Lara desviou por

pouco de um chute na cara quando a mulher virou de barriga para baixo com um resmungo abafado. Tirando a bota dela, que escondia uma lâmina afiada, Lara a jogou perto da cama, depois fez o mesmo com a outra e, então, espanou as mãos.

— Obrigada pela ajuda — ela disse ao garoto, saindo da sala e fazendo sinal para ele sair também. — Como você se chama?

— Eli, milady. Devo dizer que isso não é normal para Ah... sua alteza. — Ele mordeu o lábio. — Talvez seja melhor avisar sua majestade...

— Deixa pra lá. — Lara fechou a porta. — Não há por que envergonhá-la ainda mais.

O servo pareceu prestes a argumentar, mas Ahnna soltou um ronco alto, que deu para ouvir pela porta grossa, então pensou melhor.

— Gostaria de mais alguma coisa hoje, majestade?

Lara fez que não, querendo se livrar dele.

— Boa noite, Eli.

Fazendo uma reverência, ele disse:

— Muito bem. Por favor, verifique se a cama não tem...

— Serpentes? — Ela abriu um sorriso que deixou as bochechas dele coradas em contraste com os cachos marrom-claros de seu cabelo bagunçado.

Ele fez outra reverência antes de sair pelo corredor. Lara escutou o estrépito de pratos sendo tirados da sala de jantar, depois entrou discretamente no quarto de Ahnna, fechando o trinco.

A princesa nem se mexeu enquanto Lara vasculhava metodicamente em busca de qualquer informação útil, suspirando de cobiça diante do arsenal de armas da mulher, todas da melhor feitura. Mas não havia mais nada de interessante além de algumas lembrancinhas, uma caixa de joias com itens sem valor e uma caixa de música com um fundo falso cheio de poemas. Um quarto de infância que agora quase nunca era usado.

Depois de diminuir a luz da luminária, Lara abriu a porta discretamente para confirmar se o corredor estava vazio antes de seguir até o quarto. Havia barulhos de atividade em ambas as pontas do corredor; ela não tinha nenhuma chance de chegar ao outro lado da casa sem que um dos servos notasse. Roendo a unha do polegar, Lara olhou para o relógio. O narcótico não era feito para durar muito, e o rei não havia bebido tanto vinho quanto a irmã, o que significava que o tempo dela estava acabando.

Tirando o vestido, Lara pegou algumas toalhas, sabonetes e esponjas e, com a luminária em mãos, saiu para o pátio. O ar noturno estava fresco, uma leve névoa de chuva umedecendo sua camisola enquanto atravessava, descalça, a trilha de pedra até a fonte termal. Deixando os artigos de banho ao lado do lago, Lara tirou a camisola e entrou na água fumegante, levando uma das facas consigo. Depois, diminuiu a lamparina para que emanasse apenas um brilho fraco e deixou que seus olhos se acostumassem à escuridão.

O barulho da selva conseguia ser ao mesmo tempo ensurdecedor e relaxante, uma cacofonia contínua que acalmou as batidas aceleradas de seu coração enquanto apoiava os cotovelos na beira da piscina, avaliando o ambiente. O canto dos pássaros se misturava ao farfalhar de folhas, os guinchos agudos de macacos gritando entre si no meio das árvores. Uma criatura, talvez algum tipo de sapo, fazia um barulho estridente e repetitivo, insetos zumbiam e, misturado a tudo isso, havia o borbulhar da cascata atrás dela.

Observar. Escutar. Sentir.

Ela sempre foi melhor na última. Mestre Erik chamava de sexto sentido — a parte inconsciente da mente que pegava tudo que os outros sentidos ofereciam, depois acrescentava algo mais. Uma intuição que poderia ser sintonizada e aguçada para se tornar o sentido mais valioso de todos.

Por isso, se ouviu um som ou viu um movimento, Lara não

saberia dizer, mas sua atenção se voltou do telhado para a abertura embaixo da casa pela qual corria o riacho.

Guarda.

Dito e feito: enquanto olhava fixamente para a escuridão, seus olhos acabaram por distinguir a silhueta de um pé contra uma rocha. Um lampejo de irritação por se atreverem a vigiá-la enquanto ela se banhava se apagou pela necessidade óbvia daquilo. Aren era o rei de Ithicana, e ela era a filha de um reino inimigo. É óbvio que qualquer caminho entre eles seria protegido.

Depois de confirmar que não havia outros, ela observou as linhas de visão. Procurou lugares que lhe dariam cobertura. Olhou de relance para a camisola branca bem à vista no chão e afundou devagar no córrego que escoava da piscina, rastejando nos cotovelos para manter o corpo submerso. A água morna acariciou seu corpo enquanto descia até a ponte decorativa, que ela usou como cobertura para sair, movendo-se em silêncio atrás de um arbusto de folhas largas.

De lá, avançou rapidamente para cruzar o pátio, chegando por baixo da janela do rei, que estava entreaberta.

Ajeitando uma folhagem para cobrir o braço, ela se esticou e abriu mais a janela.

Respire.

Erguendo os dois braços, subiu pela abertura estreita, o caixilho ralando sua bunda enquanto ela virava, caindo em pé no quarto à meia-luz sem fazer barulho, a faca entre os dentes.

Ela deu de cara com o maldito gato enorme de Aren que a encarava com olhos dourados. Lara prendeu a respiração, mas o animal apenas saltou para o batente e saiu para o pátio em silêncio.

O olhar dela se voltou imediatamente para o homem esparramado na grande cama de dossel. Aren estava deitado de costas, só de cueca, os lençóis enrolados nas panturrilhas.

Com a faca na mão, Lara avançou com cuidado na direção da cama, usando um dos tapetes para limpar os pés. Não tinha necessidade de deixar suas pegadas pequeninas.

Não havia dúvidas, depois de vê-lo sem roupa mais cedo, de que era um homem impressionante, mas, dessa vez, ela não tinha medo de ser pega dando uma conferida. Com os ombros duas vezes mais largos do que os dela, ele era musculoso como alguém que levava o corpo aos limites com frequência. Luta, a julgar pelas cicatrizes, mas sua ausência de gordura era sinal de uma vida ativa, não de um homem que se recostava e governava em um trono.

Rodeando a cama, ela examinou o rosto dele: maçãs do rosto altas, maxilar forte, lábios grossos e cílios pretos pelos quais uma esposa de harém faria tudo. Uma barba rala marcava a linha de seu maxilar cinzelado, e ela precisou segurar o impulso de passar os dedos.

Maridrina vai morrer de fome antes de ser beneficiada por esse tratado.

As palavras dele ecoaram em sua mente e, por vontade própria, a mão de Lara se ergueu, pousando a lâmina da faca na garganta dele. Seria fácil. Um único corte, e ele sangraria em questão de instantes. Talvez ele nem acordasse rápido o suficiente para soar o alarme. Lara já estaria bem longe dali quando se dessem conta de que ele estava morto.

E ela não teria conseguido nada além de destruir a única chance de Maridrina ter um futuro melhor.

Lara baixou a faca e se dirigiu à escrivaninha. O coração bateu mais forte quando ela observou a caixa de madeira polida cheia de pergaminhos pesados estampados com a ponte de Ithicana, os contornos cintilando em dourado. O mesmo papel timbrado que Serin lhe havia mostrado, o papel que Aren usava para correspondências oficiais. Ela imediatamente procurou qualquer coisa que fosse dirigida a Maridrina. Tudo que encontrou foram pilhas de anotações curtas em papéis baratos e as folheou, assimilando relatórios de espiões de todos os reinos ao norte e ao sul. Mais relatórios das Ilhas de Guarda Norte e Guarda Sul, rendimentos, pedidos de armas, soldados e suprimentos.

Provisões para Eranahl...

Franzindo a testa, ela começou a tirar a folha de papel da pilha quando a cama rangeu.

Ela se contorceu e sentiu um aperto no peito quando seu olhar encontrou o de Aren. Ele estava apoiado no braço, os músculos do ombro tensos sob o marrom-dourado de sua pele.

— Lara? — Sua voz era rouca, os olhos turvos por narcóticos, sono e... desejo.

Ele percorreu o corpo dela com o olhar, então esfregou os olhos como se não soubesse ao certo se era real ou uma aparição.

Faça alguma coisa!

Seu treinamento, inculcado nela por seus mestres, finalmente surtiu efeito. Estar nua no quarto dele implicava em certas coisas... ou ela cumpria essa promessa, ou encontrava uma forma de fazer com que ele voltasse a dormir. A primeira estratégia parecia mais segura, mas... não era uma cartada que ela estava disposta a dar tão cedo.

— Como entrou aqui? — O olhar de Aren estava ficando mais aguçado.

Se ela não agisse logo, ele se lembraria de tê-la visto quando acordasse, e isso não fazia parte do plano.

Acredite que você é algo desejável, e ele também vai acreditar nisso, a voz de Mezat, mestra de sedução, disse, invadindo os pensamentos de Lara. *O desejo é uma arma para se usar com tanta malícia quanto qualquer espada.*

Tinha parecido ser algo muito simples no complexo. Ali, nem tanto. Mas ela não tinha escolha.

Tirando o frasco do bracelete, Lara passou a droga no dedo e esfregou nos lábios.

— Shh, majestade. Agora não é hora de conversar.

— Uma pena. Você tem tanto jeito com palavras.

— Tenho outros talentos.

Um sorriso lento se abriu no rosto dele.

— Prove.

Uma gotícula do narcótico ficou no lábio inferior de Lara enquanto ela caminhava com falsa confiança na direção da cama, sentindo Aren se inebriar com sua imagem. Observando a excitação dele crescer. Talvez as técnicas de Mezat valessem de alguma coisa, afinal.

Subindo na cama, ela montou em Aren, a pulsação rugindo em seus ouvidos enquanto ele subia a mão para apertar sua bunda. Os lábios se entreabriram como se ele fosse dizer algo, mas Lara o calou com um beijo.

O primeiro beijo de sua vida, dado ao inimigo.

Um gemido dele em sua boca expulsou aquele pensamento, a língua buscando seus lábios sujos com a droga, depois intensificando o beijo, a sensação trazendo uma onda inesperada de calor entre as pernas dela.

Em silêncio, Lara desejou que as drogas surtissem efeito logo enquanto o beijava de novo, intensa e insistentemente, sentindo a outra mão dele roçar a parte de baixo de seu seio até ela prendê-la no colchão. Aren riu baixo, mas ela notou como ele pestanejou, quase inconsciente, ao mesmo tempo que passou a mão da bunda para o interior das coxas dela. Para cima e para baixo. Lara sentiu as drogas começarem a fazer efeito nela ao mesmo tempo que sentia outra coisa crescendo em seu corpo.

Ele os virou, imobilizando as mãos dela no colchão, seus dentes mordiscando o lóbulo da orelha e arrancando um gemido de seus lábios. O quarto girou em torno dela enquanto sua pele ardia de calor, os lábios dele beijando seu pescoço. No meio dos seios. Um único beijo, logo abaixo do umbigo, tirando o fôlego dela.

Então Aren suspirou uma vez, caiu e ficou imóvel.

Lara olhou fixamente para o teto, o coração na garganta. Mas cada segundo ficava mais arrastado, o sono tomando conta dela, acolhendo-a em seu abraço quente.

Mexa-se, ela ordenou a si mesma, contorcendo-se para se desvencilhar do peso dele.

Sabendo que tinha poucos minutos antes de ser derrubada pela droga, Lara cambaleou até a janela, olhando apenas de relance para garantir que o lugar estava como o havia encontrado. Seus braços tremiam quando ela saiu, os pés dormentes sentindo o chão frio, a lama entrando entre seus dedos enquanto ela atravessava o pátio de volta. Ao retornar para o córrego, a água dançou sobre sua pele, que, apesar do narcótico, parecia tão sensível que doía ao toque.

A água estava quente. Estranhamente relaxante enquanto a puxava para baixo, acolhendo-a em suas profundezas.

Ela logo começou a engasgar. Perder o fôlego. Lutando para manter a consciência enquanto tentava chegar à margem e se esforçava para sair da piscina.

Seu corpo cambaleava enquanto vestia a camisola. Ela subiu a trilha, trôpega, torcendo para que o guarda pensasse que ela só estava bêbada. Suas mãos acertaram a madeira sólida da porta, empurrando-a. Fechando-a. Virando o trinco.

Vá para a cama. Não dê motivos para desconfiarem.
Vá para a cama.
Vá para a...

8
AREN

AREN GUARDOU A PEDRA DE AMOLAR que estava passando na lâmina de uma faca, contemplando as profundezas da selva que rodeava sua casa. Embora uma centena de sons viesse das árvores — o gotejar de água, os chamados de animais, o zumbido de insetos —, a ilha estava em silêncio. Serena. Pacífica.

Um corpo peludo e quente passou por seu braço, e Aren ergueu a mão para fazer carinho nas orelhas de Vitex, o gato grande ronronando, contente, até algo nos arbustos chamar sua atenção. Havia uma fêmea correndo por ali, e Aren conseguia avistar os olhos amarelos dela observando-os detrás de uma folha grande.

— Quer ir até ela? — ele perguntou ao gato.

Vitex apenas sentou e bocejou.

— Bom plano. Deixe que ela venha até você. — Aren riu baixo. — Me conta se der certo.

Atrás deles, havia sons de botas contra o mármore e da porta abrindo. Sua irmã se crispou ao sair.

— Você está melhor do que pensei — ele disse, seco.

Ahnna franziu a testa, usando um pé para empurrar o gato do caminho e fechar a porta.

— Por quê?

— Porque a quantidade de vinho que tomou para desmaiar na mesa deve ter esvaziado a minha adega.

— Meu bom deus, eu desmaiei?

— Se a conversa que ouvi da cozinha for verdadeira. — Pegando seu arco, Aren levantou do degrau da frente, batendo a ponta da arma no dedo da bota. — Eli e Lara arrastaram você de volta ao quarto.

Passando a mão nos olhos, Ahnna balançou a cabeça como se tentasse clarear as ideias.

— Lembro de conversar com ela e então... — Ela sacudiu a cabeça de novo. — Desculpa. E desculpa pelo atraso. Dormi como uma pedra.

Ele também, o que era estranho, considerando que tinha sido uma noite de céu limpo. Sem uma tempestade para proteger as costas de Ithicana, Aren normalmente passava metade da noite virando de um lado para outro. Ele também teria se atrasado para levantar se o bendito gato não o tivesse acordado.

— Bom dia, crianças.

Aren virou e viu Jor aparecer através da névoa, segurando um pão que ele claramente tinha afanado da cozinha.

O homem mais velho olhou Aren de cima a baixo.

— Você parece descansado demais para um homem recém-casado.

Ahnna gargalhou.

— Acho que ele não teve muitas companhias ontem à noite. Nem poucas.

— Já deu nos nervos da esposa nova?

Aren ignorou a pergunta, uma imagem de Lara ao pé da sua cama passando pelos seus pensamentos, o corpo despido tão terrivelmente perfeito que só podia ter sido um sonho. O gosto dos lábios dela, o toque da pele sedosa em suas mãos, o som da respiração dela, tomada de desejo. Era tudo tão vívido, mas sua memória parava aí.

Sem dúvida, um sonho.

Tirando o papel dobrado do bolso, Aren o entregou a Ahnna.

— Suas ordens para a Guarda Sul.

Ela desdobrou o papel, passando os olhos pelos termos comerciais revisados com Maridrina, franzindo as sobrancelhas, contrariada.

— Vou descer com vocês até o quartel — ele disse. — Preciso de um mensageiro para levar uma cópia para a Guarda Norte. Maridrina já espalhou compradores com ouro pela ponte. Eles vão querer seguir viagem. — Para Jor, ele disse: — Quem está de guarda?

— Lia.

— Ótimo. Mantenha-a aqui. Não acho que Lara causará nenhum problema, mas...

Jor tossiu.

— Sobre Lara. Aster está aqui. Ele quer uma palavrinha.

— Ele está no quartel?

— Na água.

— É claro que está. — O comandante da guarnição de Kestark, ao sul da Guarda Média, era membro da velha guarda. Foi nomeado perto do fim da vida do avô de Aren, e a mãe de Aren havia passado quase o reinado todo buscando um motivo legítimo para substituí-lo, mas não conseguiu. O velho sacana se apegava à tradição ithicaniana feito uma craca a um navio, e Aren não pôde deixar de notar que, de todos os comandantes da Guarda, Aster tinha sido o único que não compareceu a seu casamento.

A névoa pairava no ar como um grande lençol cinza, reduzindo o sol a uma bola prateada e impossibilitando ver mais de poucos metros em cada direção. Na baía, a guarda pessoal de Ahnna esperava por ela, assim como a dele, os homens e mulheres tirando a embarcação da água em silêncio. Ahnna se juntou a ele em um dos navios da Guarda Média.

O ar estava abafado, sem nenhuma brisa para soprar as velas, e o barulho da corrente subindo de onde bloqueava a entrada da angra parecia uma violação vulgar do silêncio. Remos mergulhavam e saíam da água enquanto o grupo rodeava os perigos escondidos poucos centímetros abaixo da superfície, saindo para o alto-mar e rumo à sombra corpulenta da ponte.

— Aren.

Virando para sua irmã gêmea, Aren acompanhou o olhar dela na direção de um vulto enorme que se movia sob eles, na água. O tubarão era mais comprido do que o barco em que ele estava — e mais do que capaz de destruí-lo caso desejasse —, mas não era por isso que Ahnna havia apontado para o predador. Sua chegada anunciava uma calmaria dos mares Tempestuosos, e não demoraria muito para as águas de Ithicana estarem vermelhas de sangue.

Sua espinha formigou, e Aren pegou uma luneta, avaliando os arredores, sem revelar nada além de cinza. Excelente para esconder as idas e vindas do seu povo, mas igualmente bom para o inimigo.

— Está semanas adiantado. Vovó ainda não determinou o fim da estação. — Mas, apesar das palavras da irmã, ele notou que a mão dela tinha se dirigido à arma em sua cintura, seus olhos vigilantes. — Preciso voltar para a Guarda Sul.

Duas embarcações surgiram na névoa. Aster — sempre propenso a simbolismos explícitos — tinha escolhido esperar bem embaixo da ponte.

— Majestade. — O homem mais velho estendeu a mão para manter os dois barcos próximos. — Estou aliviado em vê-lo bem.

— Estava esperando o contrário? — As embarcações balançaram enquanto seus guardas trocavam de lugar com o comandante, dando aos três certa privacidade.

— Considerando o que você trouxe para dentro de casa, sim.

— Ela não passa de uma menina, sozinha, e à nossa mercê. Acho que consigo me defender.

— Até uma criança é capaz de colocar veneno em um copo. E os maridrinianos são conhecidos por isso.

— Fique tranquilo, Aster, minha vida não está em perigo por conta de Lara. Silas Veliant não é bobo, sabe que mandar a filha me assassinar só lhe custaria seu novo acordo comercial com Ithicana.

— Lara. — Aster cuspiu na água. — Consigo ouvir na sua voz que ela já está cravando as garras dela. Você deve saber que há um motivo pelo qual mandaram uma mulher tão bela quanto ela.

— Como sabe como ela é, comandante? — Ahnna interrompeu. — Não o vi no casamento, mas imagino que talvez estivesse escondido nos fundos.

Aren mordeu a língua. O comandante de Kestark era baixo para um ithicaniano e não gostava de ser lembrado disso.

— Ouvi dizer. — Enquanto observava os tubarões que nadavam sob a embarcação, Aster tinha o mesmo olhar de peixe morto que eles. — Não fui porque não apoiava sua decisão de tomá-la como esposa.

Não era o único. Havia muitos, especialmente da geração mais antiga, que tinham protestado veementemente contra a união.

— Então por que está aqui agora?

— Para lhe dar um conselho, majestade. Leve a menina maridriniana até a água e a afogue. Segure-a até ter certeza de que ela está morta, depois entregue o cadáver dela ao mar.

Por um momento, ninguém disse nada.

— Não tenho o hábito de matar mulheres inocentes — Aren disse, por fim.

— Inocentes. Está aí uma palavra. — Aster fechou a cara, erguendo os olhos para a ponte sobre eles antes de se voltar para Aren. — Esqueço como você é jovem, majestade. Era apenas um menino mantido na segurança de Eranahl na última vez que fomos à guerra contra Maridrina. Não lutou naquelas batalhas em que lançaram toda a marinha deles contra nós, bloqueando a Guarda Sul e obstruindo o comércio, enquanto nosso povo morria de fome. Não estava lá quando Silas Veliant percebeu que não tinha como vencer pela força e se vingou contra as ilhas periféricas, seus soldados massacrando famílias e pendurando seus corpos para os pássaros se banquetearem.

Aren não tinha idade suficiente para lutar na época, mas isso não queria dizer que não lembrava do desespero dos pais quando propuseram o tratado a Maridrina e Harendell.

— Tivemos quinze anos de paz com eles, Aster. Quinze anos em que Silas não levantou a mão contra Ithicana.

— Ele ainda é o mesmo homem! — Aster bradou. — E você trouxe uma cria dele para sua cama! Eu achava que você poderia ser muitas coisas, Aren Kertell, mas não tolo.

Ahnna estava com a faca na mão, mas Aren fez que não para ela em alerta. Ele tinha passado o ano sendo pressionado e questionado pelos comandantes da Guarda, e seria preciso mais do que alguns insultos para fazer com que perdesse a calma.

— Sei melhor do que ninguém que tipo de homem Silas Veliant é, comandante. Mas esse tratado nos trouxe paz e estabilidade com Maridrina, e não farei nada para colocar isso em risco.

Aren esperou que o homem se apaziguasse, então continuou:

— Enquanto o resto do mundo avança, Ithicana definha. Nossa única atividade é a ponte e a luta para mantê-la. Não cultivamos nada. Não criamos nada. Não conhecemos nada além de guerra e sobrevivência. Nossas crianças crescem aprendendo cem maneiras de matar um homem, mas mal sabem escrever o próprio nome. E isso não é nada bom.

Aster o encarou, tendo ouvido esse discurso antes. Mas Aren

o repetiria mil vezes se fosse necessário para fazer homens como Aster aceitarem a mudança de que Ithicana necessitava.

— Precisamos de alianças, alianças de verdade. Alianças que sejam mais do que papéis assinados por reis. Alianças que ofereçam a nosso povo oportunidades além da espada.

— Você é um sonhador, assim como sua mãe era. — Aster ergueu uma das mãos, fazendo sinal para os outros barcos voltarem. — E é um belo futuro esse que vossa majestade imagina, isso eu admito. Mas não é o futuro de Ithicana.

Os barcos se encontraram, e o comandante pulou entre eles, posicionando-se no meio de seus guardas.

— E, para que seu sonho não se transforme em nosso pesadelo, faça um favor a todos, majestade, e mantenha aquela mulher trancada.

9
LARA

FAZIA TEMPO QUE LARA NÃO DORMIA tão bem, em parte por causa dos narcóticos e em parte por causa do silêncio. Seu sono durante a viagem por Maridrina era interrompido constantemente pelo barulho ambiente. Soldados, servos, cavalos, camelos... Mas, ali, havia apenas os sons delicados de pássaros cantando nas árvores do pátio.

Era pacífico.

Mas essa sensação de paz era um manto que escondia a violenta verdade do lugar. E a violenta verdade dela própria.

Vestindo-se em silêncio, Lara foi para a sala de jantar. Ela se preparou para a possibilidade de que Aren lembrasse do que havia acontecido no quarto dele na noite anterior. Que tivesse se dado conta de que ela o havia drogado, acabando com a missão dela antes mesmo de ter começado.

A mesa estava cheia de bandejas de frutas fatiadas e carnes, iogurte cremoso e bolinhos polvilhados de canela e noz-moscada. Mas ela só tinha olhos para a vista das janelas enormes. Embora a manhã estivesse no fim, a luz do sol estava esmaecida por um filtro de nuvens, tornando-a tão tênue quanto o crepúsculo. Mesmo assim, revelava o que a escuridão da noite anterior havia ocultado: a mata virgem, as árvores altas, a folhagem tão densa que chegava a ser impenetrável, tudo coberto de névoa.

— Cadê sua majestade? — Lara perguntou a Eli, torcendo para que ele não notasse como as bochechas dela coravam.

As coisas haviam saído do controle na noite anterior. Em vários sentidos.

A serva mais velha lançou um olhar incisivo para Eli.

— Sua majestade acorda cedo. Ele saiu com a comandante para cuidar que os novos termos comerciais com Maridrina fossem enviados aos mercados da Guarda Norte e da Guarda Sul.

Graças a Deus. Ela não sabia ao certo se estava pronta para ficar frente a frente com ele. Não depois das coisas que haviam feito, quer ele se lembrasse ou não. Lara assentiu solenemente para a mulher, torcendo para que isso escondesse seu desconforto.

— Os novos termos de comércio serão uma dádiva para minha terra. Apenas coisas boas virão disso.

Uma sombra pareceu perpassar o olhar da criada mais velha, mas ela apenas inclinou a cabeça.

— Se a senhora diz, milady.

— Qual é o seu nome? Conheci Eli, e gostaria de conhecer melhor todos vocês.

— É Clara, milady. Eli é meu sobrinho, e minha irmã, Moryn, é a cozinheira.

— Só vocês três? — Lara perguntou, lembrando-se da legião de servos que havia acompanhado seu grupo desde os arredores do deserto Vermelho até Ithicana.

Um sorriso lento se abriu no rosto de Clara.

— Sua majestade tinha o hábito de ficar na companhia de seus soldados, não nesta casa. Embora eu acredite que sua presença vá mudar isso, milady.

Havia uma leve faísca nos olhos da serva que fez as bochechas de Lara corarem.

—Você sabe quando ele vai voltar?

— Ele não disse, milady.

— Entendi. — Lara deixou um traço de decepção atravessar sua voz.

Ela se encheu de satisfação quando a expressão da mulher se suavizou.

— Ele se mantém ocupado durante a maior parte dos dias, mas o estômago o trará para casa para o jantar, ao menos.

— Tenho restrições sobre onde posso ficar?

— A casa é sua, milady. Sua majestade pediu que ficasse à vontade.

— Obrigada. — Lara então deixou que eles limpassem a mesa enquanto começava seu passeio pela casa.

Além de seus aposentos e dos de Aren, havia outros quatro quartos, a sala de jantar, a cozinha e as dependências dos criados. Toda a parte de trás da casa estava cheia de poltronas estofadas, uma variedade de jogos dispostos nas mesas e paredes cobertas por livros. Ela sentiu vontade de pegá-los, mas apenas passou o dedo pelas lombadas antes de continuar andando. Todo cômodo era cheio de janelas, mas a vista era a mesma em todos: selva. Linda, mas completamente desprovida de civilização. *Talvez Ithicana seja toda assim*, Lara pensou. *A ponte, a selva e nada mais do que isso.*

Ou talvez seja isso que quisessem que ela pensasse.

Voltando a seus aposentos, ela examinou o conjunto de roupas ithicanianas no guarda-roupa, escolhendo uma calça e uma túnica que deixava seus braços à mostra, assim como botas de couro rígido e, então, caminhou pelo corredor até a porta da frente da casa.

Teste suas restrições de forma que não os faça desconfiar de suas habilidades, Serin instruiu em silêncio. *Eles esperam que você seja ignorante, inofensiva e mimada. Tire vantagem da ignorância deles.*

Prevendo que poderia ser seguida, Lara começou a andar. Havia uma trilha que levava para cima, mas ela decidiu seguir a fonte, sabendo que em algum momento a levaria para o mar.

Foi apenas uma questão de minutos até ela ouvir o barulho tênue de passos. O estalar de um galho. O salpicar suave de água. Quem quer que fosse era furtivo como um caçador, mas ela havia aprendido a distinguir entre a areia se mexendo ao vento e a areia se mexendo sob o peso de um homem, então notar os sons errantes de perseguição naquela selva não era nada para ela.

Notando os sinais de várias armadilhas na mata, Lara continuou a seguir o córrego, logo ficando encharcada de chuva e suor, a umidade do ar a fazendo se sentir como se estivesse inspirando água, mas, ainda assim, ela não tinha visto sinal de ponte ou de praia. Seu perseguidor tampouco havia feito nada para interferir.

Ela apoiou a mão em um tronco de árvore e fingiu exaustão enquanto erguia os olhos, tentando inutilmente avistar a copa e a névoa.

Serin havia explicado em detalhes o que eles sabiam sobre a ponte. Que a maioria dos pieres era torre natural de rocha projetada do mar, sustentando as envergaduras em cerca de trinta a sessenta metros sobre a água. Havia algumas poucas ilhas em que a ponte aportava, e eram defendidas por toda forma de obstáculos feitos para afundar navios. Seu principal objetivo era descobrir como os ithicanianos acessavam a ponte, mas ela precisava encontrar a construção primeiro.

O córrego descia por uma encosta cada vez mais íngreme, a água já fresca escorrendo sobre saliências em pequenas cachoeiras, enchendo o ar com um bramido suave. Segurando-se aos cipós e se apoiando nas rochas, Lara desceu, já temendo a dor da subida na volta.

Então sua bota escorregou.

O mundo girou, um turbilhão verde enquanto ela rolava, seu cotovelo batendo dolorosamente em uma rocha. Ela estava caindo.

Lara gritou uma vez, debatendo os braços enquanto se esforçava para agarrar um cipó. Ela caiu em um corpo de água, a força tirando seu fôlego. Água cobriu sua cabeça, bolhas saindo de sua boca enquanto ela esperneava e agitava os braços. Suas botas acertaram o fundo, e ela flexionou os joelhos para subir...

E descobriu que a água batia em sua cintura.

— Que inferno — Lara rosnou, andando até a beira.

Mas, antes de chegar à margem, um silvo chamou sua atenção.

Paralisada, Lara observou os arredores, os olhos pousando na cobra marrom e preta que serpenteava furiosamente na vegetação rasteira. A criatura era maior do que ela, e estava entre ela e a parede do barranco. Lara deu um passo hesitante de volta para a água, mas seu movimento só serviu para agitar a criatura. Era isso que ela ganhava por não seguir o alerta de Eli.

Foi necessário muito autocontrole para não levar a mão a uma de suas facas na cintura, seus ouvidos escutando os passos de botas e um resmungo ao longe. Atirar facas era a especialidade dela, mas seu perseguidor estava no alto do barranco, e a última coisa que ela queria era ser vista usando uma de suas armas.

A cobra avançou, a cabeça na altura dos olhos de Lara. Sibilando. Furiosa. Pronta para dar o bote. Lara respirou calmamente. Inspirando e expirando. *Vamos, quem quer que seja*, ela resmungou baixinho. *Acabe logo com essa criatura.*

A serpente balançou de um lado para outro, e os nervos de Lara começaram a ficar à flor da pele. Sua mão se aproximou da faca, seu dedo abrindo o estojo em volta do cabo.

A serpente atacou.

Um arco zumbiu, uma flecha de pluma preta cravou a cabeça do animal na terra. O corpo se debateu violentamente até ficar imóvel. Lara virou.

Aren estava ajoelhado na beira da cachoeira da qual ela havia escorregado de maneira desajeitada, o arco na mão e uma aljava cheia de flechas sobre os ombros largos. Ele se empertigou.

— Temos um probleminha com cobras em Ithicana. Não é tão ruim nesta ilha em específico, mas — ele saltou da beirada, pousando quase sem fazer barulho ao lado dela —, se ela tivesse fincado as presas em você, você não teria continuado neste mundo por muito tempo.

Lara olhou para a serpente morta e o corpo do animal se contorceu. Sem querer, estremeceu e tentou esconder o movimento com uma pergunta.

— Como você sabe que é fêmea?

— Pelo tamanho. Os machos não crescem tanto. — Agachando-se, ele arrancou a flecha do crânio do animal. Secando o sangue e o pedaço de escamas da ponta da flecha, que tinha três gumes, em vez das pontas largas e farpadas que os maridrinianos preferiam, ele voltou o olhar sombrio para Lara. — Era para você ficar dentro da casa.

Ela abriu a boca, prestes a dizer que não havia recebido essa instrução, quando ele acrescentou:

— Não se faça de tonta. Você sabia o que Clara quis dizer.

Ela mordeu o lado de dentro da bochecha.

— Não gosto de ficar confinada.

Ele bufou, depois guardou a flecha limpa de volta na aljava.

— Pensei que estaria acostumada.

— Estou acostumada. Mas isso não quer dizer que eu goste.

— Você foi mantida presa naquele complexo no deserto pela sua própria segurança. Considere minhas motivações para manter você confinada aqui as mesmas. Ithicana é um lugar perigoso. Primeiro, a ilha toda é cheia de armadilhas. Segundo, você não vai dar dois passos sem cruzar com algum tipo de criatura capaz de te mandar para a cova. E, terceiro, uma princesinha mimada como você não sabe se virar sozinha.

Lara rangeu os dentes. Ela precisou de todo o seu autocontrole para não mostrar a Aren como ele estava errado nesse aspecto.

— Dito isso, você chegou mais longe do que eu imaginava. — Aren considerou, seus olhos passeando pelo corpo dela, suas roupas encharcadas coladas à pele. — O que obrigavam você e suas irmãs a fazer naquele complexo? Correr e escavar areia?

Era uma pergunta inevitável. Embora seu corpo fosse esguio, ela também era cheia de músculos enrijecidos por horas sem fim de treinamento — o corpo dela não era igual ao da maioria das nobres maridrinianas.

— A vida no deserto é difícil. E meu pai queria me preparar para o... vigor da vida em Ithicana.

— Ah. — Ele sorriu. — Que pena que não a preparou também para a vida selvagem. — Erguendo o arco, ele apontou para trás do ombro dela e, pelo canto do olho, Lara observou uma sombra preta voar.

Uma aranha do tamanho da mão dela caiu na terra e saiu correndo para as sombras. Ela observou com interesse, se perguntando se era venenosa.

— Não é pior do que os escorpiões do deserto Vermelho.

— Talvez não. Mas imagino que o deserto Vermelho não esteja cheio de coisas como essa. — Pegando uma pedra, ele a atirou a vários metros à esquerda.

Houve um estalido alto, e uma tábua coberta por estacas de madeira surgiu do chão. Quem acionasse o dispositivo ficaria com uma dezena de buracos da cintura para baixo. Ela vira o orvalho pingando do detonador uns dez passos atrás, mas, para ser justa, teria sido pega na escuridão.

— Você ganhou a competição do mais forte — ela disse de uma forma que dava a entender que Aren não havia ganhado coisa nenhuma. — Podemos continuar?

Em vez de retrucar com sarcasmo, Aren se aproximou, segurando o pulso dela. Lara deveria ter se retraído, mas ficou paralisada, lembrando da sensação daquela mão em seu corpo, as carícias suaves na coxa.

Ela começou a recuar, mas ele virou seu braço, franzindo a testa ao ver o corte superficial no cotovelo. Levando a mão à algibeira no cinto, ele tirou uma latinha de bálsamo e um rolo de curativo e começou a cuidar do ferimento com habilidade. Os músculos do antebraço dele se flexionavam sob o aço e o couro dos avambraços afivelados. De perto, ela teve uma noção melhor de como ele era maior do que ela: mais alto e com o dobro de seu peso, no mínimo. Puro músculo.

Mas Erik, seu mestre de armas, era igualmente grande e havia treinado Lara e suas irmãs a lutar contra pessoas maiores e mais fortes. Enquanto Aren terminava de enfaixar seu braço, ela imaginou onde atacaria. No arco do pé ou do joelho dele. A faca para abrir as tripas. Outra na garganta antes que ele tivesse a chance de apanhá-la.

Ele amarrou o curativo.

— Eu cedi muito nesse acordo com seu pai, e tudo que ganhei em troca, além da promessa de paz, foi você. Então me perdoe por não querer ver você morta poucos dias depois da sua chegada.

— No entanto, você obviamente não viu mal em me deixar vagar por suas selvas perigosas.

— Queria ver até onde iria. — Fazendo sinal para que ela o seguisse, Aren atravessou as folhas que cobriam o chão da floresta, quase sem usar o facão cintilante que trazia na mão. — Estava tentando fugir?

— Fugir para onde? — Ela se obrigou a aceitar o braço de Aren quando ele a guiou por cima de uma árvore caída. — Meu pai mandaria me matar por desonrá-lo se eu voltasse para Maridrina, e não tenho as habilidades necessárias para sobreviver em outro lugar por conta própria. Queira eu ou não, é em Ithicana que devo ficar.

Ele riu baixo.

— Pelo menos você é sincera.

Lara segurou o riso. Ela era muitas coisas, mas sincera definitivamente não.

— Então, o que estava fazendo aqui fora?

Guarde as mentiras para quando for necessário.

— Queria ver a ponte.

Aren parou de repente, voltando-se para lançar um olhar incisivo para ela.

— Por quê?

Ela retribuiu o olhar dele sem pestanejar.

— Queria ver a obra arquitetônica que valia os direitos sobre meu corpo. Sobre minha lealdade. Sobre minha vida.

Ele se retraiu como se ela o tivesse dado um tapa.

— Só quem pode ceder esses direitos é você, não seu pai.

Não era o que ela esperava ouvir. Mas, em vez de amenizar o receio sobre esse aspecto específico de sua missão, o comentário fez sua pele arder com uma fúria que ela não conseguiu explicar bem, então apenas assentiu rapidamente.

— Se é o que você diz.

Tirando um cipó do caminho com o facão, Aren subiu a encosta íngreme, sem esperar para ver se ela o seguia.

—Você estava indo na direção errada, aliás. Agora tente acompanhar o passo. Há apenas um breve intervalo em que você vai conseguir ver a ponte através da névoa.

Eles subiram, quase o tempo todo em uma trilha estreita, durante a qual não dirigiram a palavra um ao outro. Não havia nada a ver além de selva infinita, e Lara estava começando a acreditar que foi de brincadeira que Aren entrou em uma clareira com uma torre de pedra.

Olhando para o céu, ela deixou que a chuva constante lavasse o suor de seu rosto, observando as nuvens se contorcerem e girarem sob os ventos que não passavam pela cobertura das árvores.

Aren apontou para a torre.

— O sol só vai atravessar as nuvens por um rápido momento nessa época do ano.

A torre cheirava a terra e mofo; os degraus de pedra que a circundavam eram desgastados no centro por inúmeros passos. Eles chegaram ao topo — uma pequena área aberta para todos os lados, revelando a selva enevoada em todas as direções. Ela se deu conta de que o mirante era o cume de uma pequena montanha, e mal conseguia enxergar o mar cinza lá embaixo. Não havia praia. Não havia píer. E, mais importante, não havia ponte nenhuma.

— Cadê?

— Paciência. — Aren apoiou os cotovelos na mureta de pedra que cercava o espaço.

Mais curiosa do que irritada, Lara se aproximou e parou perto dele, observando as árvores, as nuvens e o céu, mas sua atenção se voltava para ele. Aren cheirava a couro e aço úmido, a terra e coisas folhosas, mas, por baixo disso, o nariz dela notou o aroma de sabão e de algo nitidamente masculino, o que não era nada ruim. Então uma rajada de vento soprou pela torre, afugentando todos os aromas além daqueles do céu e da chuva.

As nuvens se abriram com uma velocidade incrível, o sol queimando sobre eles com uma intensidade que ela não sentia desde que tinha saído do deserto, tornando as faixas verde-claras em um tom esmeralda tão vibrante que quase machucava seus olhos. A névoa foi soprada pelo vento, deixando céus cor de safira para trás. A ilha misteriosa sumiu, e o que ficou no lugar eram cores e luzes brilhantes. No entanto, por mais que procurasse, não conseguia ver nada remotamente parecido com uma ponte.

Um riso irônico encheu seus ouvidos e com a ponta dos dedos Aren pegou seu queixo, erguendo seu rosto com delicadeza.

— Olhe bem — Aren disse, e os olhos de Lara se voltaram para os mares agora turquesa.

O que ela viu tirou seu fôlego.

10
LARA

Todas as descrições que ouvira durante seu treinamento não eram nada em comparação com a realidade. Não era uma ponte. Era A Ponte, pois não havia nada no mundo que se comparasse a ela.

Como uma grande cobra cinza, a ponte serpenteava até onde a vista alcançava, unindo os continentes. Ela se apoiava sobre torres cársticas naturais que pareciam ter sido colocadas pela mão de Deus com exatamente esse propósito, desafiando os mares Tempestuosos que golpeavam seus alicerces. De tempos em tempos, sua extensão cinza passava sobre as ilhas maiores, apoiada em colunas grossas de rocha construídas por mãos anciãs. A ponte era uma façanha arquitetônica que desafiava a razão. Que desafiava a lógica. Que, para todos os efeitos, nem deveria existir.

E exatamente por isso todos a queriam.

Tirando os olhos da ponte, Lara se voltou para Aren, hipnotizado pela estrutura de pedra. Embora devesse tê-la visto todos os dias de sua vida, ele ainda exalava um ar de fascínio, como se também mal conseguisse conceber a existência daquela construção.

Antes que ela pudesse desviar o olhar, ele a encarou. Sob a luz do sol, ela viu que os olhos dele não eram pretos, mas castanhos, o marrom salpicado com o mesmo verde-esmeralda de seu reino.

—Ver a ponte aumenta sua autoestima?

Ela sentiu um calor na pele e virou as costas, precisando se movimentar.

— Não sou uma mercadoria.

Ele bufou.

— Não foi o que eu quis dizer. A ponte é... Para Ithicana, ela é tudo. E Ithicana é tudo para mim.

Assim como Maridrina era tudo para ela.

— É... impressionante. — Uma palavra fraca para a estrutura antiga.

— Lara. — Pelo canto do olho, ela viu que Aren estendeu e depois recuou a mão, como se pensasse que era melhor não tocar nela. — Sei que você não escolheu estar aqui.

Ele passou a mão pelo próprio cabelo, cerrando o maxilar como se estivesse à procura de palavras, e o coração dela começou a bater mais forte imaginando o que ele diria.

— Quero que você saiba que não precisa fazer nada que não queira. Quer dizer... isso é o que você quiser que seja. Ou não quiser que seja.

— O que é para você?

— O tratado significa paz entre Ithicana e Maridrina. Significa salvar vidas. Talvez um dia signifique o fim da violência em nossas costas.

— Pensei que não estávamos falando sobre o tratado. — Ela estava decidida a entender o que motivava aquele homem, incluindo os desejos dele.

Aren hesitou.

— Quero que nosso casamento seja o primeiro passo rumo a um futuro em que a vida do meu povo não esteja vinculada a essa estrutura gigante de pedra.

Aquilo não fazia sentido, Aren tinha dito que a ponte era tudo para ele. Quando Lara ia pedir uma explicação, foi interrompida por uma trombeta ao longe. O instrumento tocou uma canção três vezes. Aren praguejou depois do primeiro toque, levando a mão à luneta grande montada no centro da torre de vigia. Vasculhou a água, soltando uma série de palavrões ao encontrar o que estava buscando.

— O que houve?

— Invasores. — Ele correu para a escada, então se apoiou na ombreira, parando de repente. — Fique aqui, Lara. Só... não saia daqui. Vou mandar alguém para buscar você.

Ela começou a protestar, mas ele já tinha descido. Debruçando-se no parapeito da torre, ela o observou sair lá embaixo, correr pela clareira, depois desaparecer.

Ficando na ponta dos pés, Lara espiou pela luneta. Demorou, mas finalmente conseguiu avistar o navio que passava sob a ponte em direção à Guarda Média, seu convés cheio de homens armados de uniforme, a bandeira amaridiana ondulando no mastro. Um navio de guerra. E, segundo Aren, não tinha vindo em paz.

Um estrondo alto cortou o ar. Lara observou quando um projétil trespassou o cordame, um mastro se partindo em estilhaços e tombando para a lateral. Ele caiu, velas e cordas se emaranhando nas pontas de metal instaladas na base de um dos pieres da ponte. O navio tombou, jogando inúmeros homens na água. Outro estrondo ecoou até onde ela estava, e um buraco se abriu no casco. O buraco logo desapareceu conforme o navio afundava.

Com as mãos paralisadas na luneta, Lara prendeu a respiração quando uma saraivada de tiros destruiu o navio metodicamente enquanto as pessoas que ainda estavam a bordo tentavam subir mais ou nadar para a costa, cercadas por nadadeiras sinistras e sem nenhuma segurança ao alcance. Diante dos seus olhos, um dos marujos foi puxado para baixo, e o sangue dela gelou quando uma bolha carmesim subiu. Depois disso, foi um frenesi, os tubarões atacando um após o outro, a água agora mais vermelha do que azul.

Direcionando a luneta para onde a ilha encontrava o mar, ela buscou algum sinal de ithicanianos, ansiosa para ver as defesas deles em ação. Mas o ângulo era ruim, e a selva obstruía a visão dela do que estava acontecendo na margem.

Essa poderia ser sua única chance de ver, de dentro, como os ithicanianos rechaçavam invasores, e ela não podia perder por causa de um posto de observação precário.

Correu sem pensar. Descendo a escada e entrando na clareira, sem tirar os olhos da trilha que Aren havia tomado, confiando que a levaria aonde ela precisava ir. A selva era um borrão verde indistinto enquanto ela corria, o ar úmido pesando em seus pulmões enquanto ela saltava por rochas, escorregava na lama, recuperava o equilíbrio e seguia em frente. A água não estava longe, e ficava montanha abaixo.

A trilha se abria na clareira, passando pela beira de uma falésia. Lá embaixo, o oceano batia no rochedo escarpado. Ela fez uma curva que deu no topo de uma encosta íngreme. Lara parou, se escondendo atrás de uma rocha.

Avistou uma angra que não conseguia ver da torre de vigia. Com uma praia de areia branca e águas azul-turquesa, a pequena enseada ficava escondida do oceano pelas falésias rochosas. A abertura para o alto-mar era uma fenda pela qual só um barco pequeno poderia passar. A fenda estava bloqueada por uma corrente pesada e fixada a construções de pedra, uma de cada lado.

A praia estava cheia de soldados. Lara olhou os barcos estranhos na areia, que não davam sinal de ir a lugar nenhum, e depois voltou sua atenção para os ithicanianos em cima das falésias, o vulto alto de Aren entre eles.

Franzindo a testa, Lara espiou por trás do pedregulho, tentando determinar onde estava a catapulta que os ithicanianos haviam usado contra o navio, quando escutou cascalhos soltos deslizando pela trilha atrás dela. Então uma voz:

— ... mal vale as pedras que atiramos neles. Um vento forte já botaria aquela merda decrépita no fundo do mar.

Com o coração acelerado, Lara buscou uma maneira de fugir, mas a praia estava repleta de soldados. De um lado havia um emaranhado de cipós, e do outro, um penhasco íngreme que dava para as rochas escarpadas que se projetavam do oceano. A única forma de não ser pega espionando era seguir em frente.

Saindo do esconderijo, Lara desceu pela encosta íngreme em direção à praia, ignorando as caras de espanto dos soldados.

Um homem levou os dedos aos lábios e assobiou alto, chamando a atenção dos homens nas falésias — incluindo Aren. O rei não estava tão distante, e assim ela conseguiu enxergar primeiro a surpresa e logo em seguida a irritação no rosto dele.

Antes que os soldados pudessem impedi-la, Lara rodeou a angra, subindo os degraus esculpidos na rocha. Aren a encontrou no topo, nem um pouco disposto a deixar que ela assistisse ao que estava acontecendo.

— Falei para ficar na torre, Lara.

— Eu sei, eu... — Ela fingiu perder o equilíbrio no degrau estreito, escondendo um sorriso quando ele segurou o braço dela, puxando-a do topo da falésia e proporcionando uma vista livre da ponte e do navio que afundava ao lado. — O que está acontecendo?

— Não é assunto seu. Desça para a praia e alguém vai levar você de volta para casa. — Ele fez sinal para um dos soldados, e a mente de Lara se acelerou, buscando um motivo para ficar.

— Há homens se afogando ali! — Ela ignorou o soldado que tentava pegar seu braço. — Por que você não os está ajudando?

— São invasores. — Aren colocou a luneta que estava segurando na mão dela. — Está vendo a bandeira? É um navio de Amarid. Eles estavam tentando encontrar uma forma de entrar na ponte sob a cobertura da névoa.

— Eles podem ser mercadores.

— Não são. Olhe para a ponte. Está vendo as cordas penduradas?

Pela luneta, Lara fingiu olhar para os homens pendurados em cordas quando na verdade estava examinando a estrutura em si, buscando entradas. Essa era uma perspectiva que ninguém além dos ithicanianos tinha, e era possível que ela descobrisse algo útil. Mas Aren tirou a luneta da mão dela antes que ela pudesse olhar bem.

— É um ataque contra nós, Lara. Eles estão recebendo o que merecem.

— Ninguém merece isso — ela respondeu e, embora sua reação fosse uma farsa, seu estômago se revirou quando as ondas bateram no navio, afundando todos os destroços. Todos os amaridianos estavam na água agora, alguns tentando alcançar as cordas penduradas, outros nadando na direção daquela ilha. — Ajude-os.

— Não.

— Então eu vou ajudar. — Ela deu meia-volta, decidida a usar uma atuação dramática de empatia para olhar a pequena embarcação na praia mais de perto, mas dando de cara com três dos soldados de Aren. — Deixem-me passar.

Nenhum deles se mexeu, embora também não tivessem pegado em armas. Lara olhou para trás, observando as estruturas de pedra gêmeas com portas sólidas e sem janelas que guardavam o mecanismo para erguer a corrente. Ela desconfiava que as torres estivessem sempre protegidas, mas, embora estivesse afundando, engolida pelas ondas pesadas, meia dúzia de marujos tinha chegado perto da abertura que levava para a angra.

— Por favor. — Lara não deveria se importar se os amaridianos morressem, mas percebeu que se importava, o tremor em sua voz sincero ao dizer: — Isso é crueldade.

O rosto de Aren estava sombrio de fúria.

— Crueldade é o que aqueles homens teriam feito com meu povo se tivessem conseguido romper nossas defesas. Ithicana nunca pediu por isso. Nunca invadimos as terras deles. Nunca massacramos suas crianças por diversão. — Ele apontou para os marinheiros, a bile subindo pela garganta de Lara quando outro foi puxado para baixo das ondas, a água espumando, vermelha, enquanto o tubarão o despedaçava. — Eles trouxeram a guerra até nós.

— Se você deixar que eles morram, por acaso será um homem melhor? — Restavam apenas três marinheiros, e eles estavam perto. Mas nadadeiras os seguiam. — Tenha piedade.

— Você quer piedade? — Aren deu meia-volta, levando a mão à aljava.

Três flechas pretas foram disparadas, e os marinheiros restantes afundaram. Ele se voltou para ela, os nós dos dedos brancos de tanto apertar o arco.

Lara caiu de joelhos, fechando os olhos e fingindo estar angustiada enquanto tentava se concentrar. Ithicana estava mostrando sua verdadeira face. Para além de pátios serenos e fontes termais relaxantes eram só violência e crueldade. E Aren era o mestre do lugar.

Mas ela acabaria com ele.

— Esperem os ventos se acalmarem, depois recolham os que estiverem pendurados nas rochas — Aren ordenou a seus soldados. — A última coisa que queremos é que algum deles encontre o caminho na maré baixa.

Depois Lara ouviu o som de botas passando por ela, e ele desceu os degraus para a praia escondida.

Lara continuou onde estava, sorrindo internamente enquanto

os ithicanianos davam espaço para ela e sua indignação moral conforme refletia sobre as palavras de Aren: um caminho na maré baixa. Um caminho para onde, era a questão. Para a angra? Ou ele estava se referindo a um prêmio ainda maior?

Os ventos cessaram, o sol se escondeu atrás de outras nuvens, e as chuvas voltaram, deixando-a completamente encharcada. Mas ela não se moveu. Em um silêncio estoico, observou os soldados levarem os barcos para a água, navegarem sob a ponte e atirarem metodicamente nos marinheiros que haviam conseguido se segurar às cordas durante todo o tormento, seus corpos inertes caindo no oceano.

Lara não disse nada enquanto eles voltavam, apenas prestou atenção no caminho serpenteante que seguiram, certinho demais para não ter sido pensado. Mas quando as marés baixaram tudo ficou claro, as águas se afastando e revelando as armadilhas mortais sob a superfície. Estacas de aço e rochas pontiagudas, todas feitas para destruir qualquer embarcação que se aproximasse sem saber o caminho correto.

A maré atingiu seu ponto mais baixo, e Lara começou a se levantar, convencida de que tinha visto tudo que havia para ver. Então, uma sombra na base do píer da ponte mais próxima chamou sua atenção. Não, não era uma sombra. Era uma abertura.

Seu coração se acelerou, e foi difícil impedir que um sorriso se abrisse em seu rosto, tamanha euforia. Ela havia encontrado uma entrada para a ponte.

II
AREN

— A RAINHA DE AMARID DEVE ESTAR muito desesperada para tripular os navios com essa gente. — Gorrick virou o cadáver que tinha sido tirado do oceano, o sangue tingindo a areia branca.

Estava sem uma perna, graças a um dos tubarões de Ithicana. Também estava sem o polegar esquerdo, mas disso os tubarões não tinham culpa. O dedo faltante, combinado com a marca no dorso da mão, indicava que o homem havia passado algum tempo em uma das prisões de Amarid por roubo.

Ajoelhando, Aren examinou o uniforme surrado do soldado morto, as mangas rasgadas nos dois braços.

— Todos são presidiários, você diz?

— Os que conseguimos olhar.

Levantando, Aren franziu a testa para as águas enevoadas da angra. A marinha amaridiana conhecia bem os quebra-navios da Guarda Média, mas a embarcação tinha velejado diretamente ao encontro deles, tornando-a uma presa fácil. Talvez um navio antigo com uma tripulação de presidiários fosse tudo que a rainha de Amarid estivesse disposta a colocar em risco no fim da estação de tempestades, mas, ainda assim... A troco de quê?

Aren se voltou para Gorrick.

— Mande um relatório para os comandantes da Guarda informando-os de que as invasões começaram mais cedo. — Então ele subiu a trilha em direção ao quartel, sem vontade nenhuma de voltar para casa.

— A mulher já foi atrás de você, majestade? — Jor estava relaxando perto do fogo, um livro na mão. — Ela não pareceu muito contente com o estilo ithicaniano de piedade.

Não mesmo.

Lara havia ficado se remoendo na beira da falésia até ele se perguntar se precisava mandar alguém para a arrastar de volta para casa. Até que, abruptamente, ela havia levantado, descido os degraus até a praia e passado por ele sem dizer uma palavra, os guardas que Aren havia colocado de olho nela parecendo preferir nadar com os tubarões a cuidar de sua nova rainha. Cerca de uma hora depois, Eli havia chegado com uma carta escrita por Lara para o pai e, agora, com os comentários de Aster frescos em seus ouvidos, Aren estava em dúvida se a enviava ou não.

— Duvido que ela tenha visto muita violência na vida. — Aren seguiu em direção ao seu beliche, mas mudou de ideia e sentou perto do velho soldado. — Leia isto.

Pegando a carta de Lara, o homem mais velho leu, depois deu de ombros.

— Parece uma carta de prova de vida.

Aren estava propenso a concordar. A carta dizia pouco além de que ela estava bem e sendo bem tratada, bem como uma longa descrição da casa dele, com uma grande ênfase na fonte termal. Mesmo assim, ele havia lido diversas vezes em busca de algum código, sem saber se estava feliz ou decepcionado por não encontrar nenhum.

— Interessante ela não mencionar você. Acho que vai ter uma cama fria no futuro.

Aren bufou, os resquícios turvos do sonho que havia tido com

Lara em seu quarto, em sua cama, em seus braços, percorrendo seus pensamentos.

— Ela não parece muito satisfeita em ser o prêmio de um tratado.

—Vai ver estava esperando um marido mais bonito. Nem todo mundo lida bem com a frustração.

Aren ergueu a sobrancelha.

— Essa deve ter sido a única coisa que não foi frustrante para ela.

Jor balançou a cabeça.

—Vai ver ela não gosta de sacanas presunçosos.

— Ouvi dizer que existem reinos em que as pessoas demonstram respeito pelos monarcas.

— Posso respeitar você e ainda assim achar que sua merda fede tanto quanto a de qualquer outro.

Revirando os olhos, Aren aceitou o caneco que Lia, uma de suas guardas de honra, passou para ele, sorrindo até ela dizer:

—Você só está irritado porque o rei Rato de Maridrina mandou uma menina com opiniões em vez de uma idiotinha desmiolada que — ela fez um gesto vulgar — sem questionar.

— Assim como você, Lia? — Jor disse com uma piscadinha, rindo quando ela jogou o líquido do caneco na cara dele.

Aren tirou a carta da mão do homem antes que fosse ainda mais danificada.

—Você não pretende enviar de verdade, pretende? — Jor perguntou.

— Falei para ela que enviaria. E, além do mais, se Silas quiser provas de que ela está viva, é melhor aceitarmos. A última coisa de que precisamos é dar a ele uma desculpa para vir conferir.

— Minta. Podemos arranjar um falsificador para manter a correspondência.

— Não. — Os olhos de Aren passaram pelas linhas de caligrafia caprichada. — Ou mandarei ou direi que decidi não mandar. Tem alguma coisa na superfície aqui que não podemos deixar que Corvus veja?

Jor a pegou de volta, lendo-a novamente, e, não pela primeira vez, Aren praguejou por ter nascido alguns minutos antes de Ahnna. Esses poucos minutos malditos que faziam com que ele fosse rei e, ela, comandante, sendo que ele teria dado qualquer coisa para que seus papéis fossem invertidos. Ele tinha nascido para lutar, caçar e ficar em volta da fogueira fazendo piadas ruins com outros soldados. Não para política, diplomacia e ter todo o bendito reino dependendo de suas escolhas.

— Pela descrição da casa, eles podem concluir que ela está em Guarda Média com você. Vão perceber pelos detalhes da selva que estamos concedendo certa liberdade de ir e vir para ela. Por falar nisso — Jor ergueu a cabeça —, o que ela estava fazendo zanzando pela ilha? Ela veio da mesma direção que você, e não era da casa...

O acaso quis que Aren tivesse chegado logo antes de Lara partir em sua exploração não autorizada pela ilha e, em vez de pedir que Lia a impedisse, ele havia decidido ver aonde sua esposa pretendia ir.

— Ela estava passeando.

Jor ergueu as sobrancelhas.

— Com que finalidade?

— Procurando pela ponte.

Todos os olhos na sala comunal se voltaram para eles, e Aren fez uma careta.

— Mera curiosidade... — Ele não sabia exatamente por que estava defendendo Lara, só sabia que as coisas que ela havia lhe dito tocaram em um ponto sensível.

Era tão fácil focar nos sacrifícios que estava fazendo como parte desse casamento que ele não tinha parado para pensar no que isso havia custado a ela. No que continuaria a lhe custar. As mesmas coisas das quais ele gostaria de proteger Ahnna e o motivo pelo qual pagaria uma fortuna a Harendell para não deixar que a irmã fosse forçada a um casamento indesejado.

— Quase foi picada por uma cobra, então imagino que não deva mais sair zanzando por aí tão cedo.

— Eu não teria tanta certeza — Lia disse. — Quando bloqueamos o caminho para os barcos, ela pareceu prestes a me dar um soco na cara. A garota pode não ser uma guerreira, mas covarde ela não é.

— Devo concordar — Jor disse. — Vou posicionar alguns guardas a mais para ficarem de olho nela quando você não estiver por perto.

Aren assentiu devagar.

— Mande a carta para a Guarda Sul para que Ahnna e nossos criptoanalistas deem uma olhada e mande um falsificador transcrever a correspondência em um papel novo. Depois envie para Maridrina. — Seu pessoal conhecia todos os códigos de Corvus. Se ela estivesse usando algum, eles o decifrariam.

— Você acha que ela é uma espiã?

Suspirando fundo, Aren considerou sua esposa, que não era nada do que ele havia esperado. Os reis maridrinianos usavam as filhas como moedas de troca, formas de garantir alianças e favores dentro e fora do reino. Lara e todas as irmãs tinham sido criadas sabendo que um casamento arranjado com ele — ou com algum outro — era parte do futuro. Tinham sido treinadas para cumprir seu dever como esposa, independentemente das circunstâncias.

Mas Lara havia deixado claro que o tratado garantia a presença dela em Ithicana, não sua submissão como esposa, e isso ele respeitava. Todas as mulheres que haviam se deitado com ele se deitaram por livre e espontânea vontade, e a ideia de passar a vida inteira com uma mulher que só estava lá por obrigação não era nada agradável. Ele preferiria uma cama fria.

—Vou dar espaço a ela. Acho que, se ela foi mandada aqui para espionar, virá até mim em busca de informações. Os maridrinianos não são conhecidos pela paciência.

— E se vier? — Jor perguntou.

— Então verei o que faço.

— E se não vier?

De certa forma, se Lara fosse mesmo uma menina inocente enviada para assegurar um tratado de paz, isso tornava a tarefa de Aren ainda mais difícil do que se revelassem que ela era uma espiã. Porque ele tinha seus próprios planos em relação à esposa maridriniana e não chegaria muito longe se ela o odiasse.

— Tentarei conquistá-la, eu acho.

Lia cuspiu a bebida ao gargalhar.

— Boa sorte com isso, majestade.

Ele abriu um sorriso preguiçoso para ela.

—Você eu conquistei.

Lia olhou para Aren como se ele fosse a criatura mais estúpida da face da Terra.

— Eu e ela não somos iguais.

No entanto, foi só quando Lara continuou a tratá-lo com frieza por uma noite, depois uma semana, depois duas, que ele começou a achar que talvez Lia tivesse razão.

12
LARA

As semanas seguintes ao naufrágio e à chacina na praia se passaram sem incidentes. Aren levantava ao amanhecer e só voltava tarde da noite, mas não a deixava sozinha. Cientes da primeira exploração não autorizada de Lara, os servos viviam de olho nela. Clara sempre parecia estar espanando os móveis ou esfregando o chão perto de Lara, o cheiro de lustra-móveis sempre forte em suas narinas. Na verdade, porém, as tempestades eram mais eficientes do que os servos em manter Lara confinada. Ventos violentos, raios e uma torrente de chuva incessante eram comuns. Moryn, a cozinheira, lhe disse que esses eram os últimos suspiros da estação e nem se comparavam aos tufões que ela veria quando a próxima estação começasse.

Embora ela estivesse desesperada para dar mais uma olhada na abertura no píer, Lara tomou o cuidado de não fazer nada para chamar a atenção, usando o tempo para vasculhar discretamente a casa em busca de alguma pista que pudesse ajudar a planejar a invasão de Maridrina a Ithicana. Mapas eram seu objetivo principal, mas ela não conseguiu encontrar nenhum. Serin tinha inúmeros documentos detalhando as ilhas que compunham o reino, sempre com uma longa linha traçada, representando a ponte, mas nenhum com muitos detalhes. Agora, Lara tinha visto com seus próprios olhos: o reino, além de não ter praias, tinha defesas na água que os ithicanianos pareciam capazes de virar e deslocar como bem quisessem, o que tornava uma invasão praticamente impossível.

O outro mistério era onde os ilhéus moravam. Nenhuma civilização de grande porte tinha sido avistada do mar, e desembarques e invasões bem-sucedidas falavam apenas de pequenas vilas, levando Serin e seu pai a acreditar que a população era pequena, violenta e incivilizada, dedicada às necessidades básicas, à defesa agressiva da ponte e não muito mais do que isso. Mas, embora estivesse em Ithicana fazia pouco tempo, Lara não estava propensa a concordar com essa avaliação.

Foi o que Aren havia dito para ela na torre. A ponte é… *Para Ithicana, ela é tudo. E Ithicana é tudo para mim.*

O tom da voz dele mostrava um sentimento sincero. Havia civis aqui. Civis que Aren queria proteger, e todo o treinamento dela lhe dizia que eles eram o ponto mais fraco de Ithicana. Restava apenas determinar onde estavam e como explorar essa informação. Então repassar isso para Maridrina.

Ela já havia enviado a primeira carta para o pai, uma missiva sem código elaborada cuidadosamente para passar na inspeção dos ithicanianos. Um teste para ver se Aren lhe permitiria se corresponder com a família antes de tentar a tarefa mais arriscada: fazer com que as informações passassem pelos criptoanalistas da Guarda Sul.

A prova de que seu marido tinha sido fiel a sua palavra veio de uma resposta do pai dela. E a carta foi entregue por ninguém menos do que o próprio rei Aren.

Pela janela, ela o viu chegar, encharcado pela última chuva torrencial, e, não pela primeira vez, se perguntou o que ele fazia durante o dia. Quase sempre ele voltava molhado, enlameado e com cheiro de suor, o rosto turvo de exaustão. Parte dela queria tentar se aproximar de Aren — havia temido ter errado em sua estratégia para ganhar a confiança dele e tê-lo afastado de vez. Mas outra parte lhe dizia ter feito a escolha certa em obrigá-lo a ir até ela.

— Chegou em Guarda Sul para você. — Ele deixou os papéis dobrados no colo dela. Havia se banhado e colocado roupas secas, mas a exaustão persistia.

— Você leu, imagino. — Ela desdobrou a carta, notando a fina imitação de Serin da caligrafia do pai e sentindo uma levíssima pontada de decepção. É óbvio que era ele quem escreveria. Ele sabia os códigos, não o pai dela. Ela deixou a carta de lado, sem vontade de lê-la naquele momento.

— Você sabe que sim. E para lhe poupar do trabalho, meus criptoanalistas fizeram o favor de traduzir o código mixuruca. A transcrição está no verso. Vou deixar a tramoia passar dessa vez porque não veio de você, mas não haverá uma segunda chance.

Lá se foi o código indecifrável de Marylyn. Virando a página, ela leu em voz alta:

— Feliz que você esteja bem, minha cara filha. Mande notícias se estiver sendo maltratada e retaliaremos.

Aren bufou.

— O que você esperava? Que ele me mandaria para me casar com você e não se importaria com o que acontecesse comigo?

— Mais ou menos. Ele conseguiu o que queria.

— Bom, agora você sabe que não é bem assim. — E agora ela sabia que tirar informações de Ithicana seria tão difícil quanto previsto. — Talvez você possa enviar uma carta para ele para reafirmar suas boas intenções.

— Não tenho tempo para manter correspondências informais com seu pai ou com... — Ele pegou a carta — Corvus, a julgar pela caligrafia.

Inferno, os ithicanianos eram bons. Lara desviou o olhar.

— Seu tempo nitidamente é precioso. Por favor, continue com o que quer que precise fazer.

Ele fez menção de virar, depois hesitou e, pela visão periférica, Lara viu que ele notou o baralho que ela havia deixado na mesa.

— Você joga?

Um misto de nervosismo e ansiedade a preencheu, o mesmo sentimento que a dominava antes de entrar no pátio de treinamento para lutar. Era um tipo diferente de batalha, mas nem por isso ela perderia.

— É claro que jogo.

Ele hesitou, depois perguntou:

— Gostaria de uma partida?

Dando de ombros, ela pegou o baralho e o embaralhou com habilidade, as cartas soltando sons agudos em suas mãos.

— Quer mesmo apostar comigo, majestade? Devo avisar que sou muito boa.

— Um de seus muitos talentos?

O coração de Lara bateu mais forte, e ela se perguntou se ele lembrava mais do que ela imaginava do encontro íntimo. Mas Aren apenas a observou por um momento, então sentou diante dela, cruzando a bota sobre o joelho.

— Você tem alguma moeda para apostar ou devo colocar meu dinheiro nos dois lados da aposta?

Ela abriu um sorriso frio.

— Escolha uma aposta diferente.

— Que tal verdades?

Lara arqueou a sobrancelha.

— Que jogo infantil. O que vamos fazer depois? Desafiar um ao outro a correr pelado pela casa?

Porque nudez estava mais próximo do que ela pensou que ele fosse sugerir. As cartas eram um truque que Mezat, sua mestra de sedução, havia ensinado às irmãs. Todos os homens, ela dizia, colocavam suas roupas em jogo de muito bom grado por uma chance de ver seios. Exceto, aparentemente, o rei de Ithicana.

— Podemos deixar os passeios sem roupa para a estação de

tempestade. É muito mais emocionante correr com trovões acertando sua bunda.

Balançando a cabeça, Lara embaralhou as cartas de novo.

— Pôquer? — Melhor escolher um jogo em que ela não perderia.

— Que tal trunfo?

— Mais sorte que habilidade.

— Eu sei — ele disse em tom de desafio. E, por bem ou por mal, ela nunca recusava um desafio, então deu de ombros.

— Como quiser. Até nove?

— Assim não tem graça. Que tal uma verdade a cada trunfo?

A mente dela disparou com as perguntas que poderia fazer. Com as perguntas que ele poderia fazer, e as respostas que ela poderia dar.

Aren pegou uma garrafa de licor amarelo-âmbar na mesinha de canto, deu um gole, depois a colocou entre eles.

— Para deixar as coisas mais divertidas.

Ela ergueu a sobrancelha.

— Tem copos no aparador, sabia?

— Dá menos trabalho para Eli assim.

Revirando os olhos, ela deu um gole. O conhaque desceu queimando pela garganta. Então ela deu as cartas, praguejando em silêncio quando ele ficou com o trunfo.

— E então?

Pegando a garrafa, Aren a olhou, pensativo, e o coração de Lara começou a bater forte. Havia mil coisas que ele poderia perguntar para as quais ela não teria resposta. Para as quais ela teria que mentir e, então, manter essa mentira viva pelo tempo que estivesse ali. E, quanto mais mentiras ela tivesse que equilibrar, maior era a chance de ser pega.

— Qual é — ele deu um gole — sua cor favorita?

Lara pestanejou, o coração acelerando e então acalmando quando ela desviou o olhar dos olhos anogueirados dele, sentindo as bochechas corarem.

— Verde.

— Excelente. Não falta por aqui, então não preciso conquistar você com esmeraldas.

Rindo baixo, Lara passou as cartas, que ele embaralhou rapidamente e distribuiu.

Ela ganhou a rodada seguinte.

— Não farei perguntas bestas — alertou, pegando a garrafa da mão dele.

Suas perguntas precisavam ser estratégicas, não feitas para revelar os segredos da ponte, mas para entender o homem que guardava esses segredos com tanto cuidado.

— Você sentiu prazer em matar aqueles invasores? Em vê-los morrer?

Aren pestanejou.

— Ainda está brava por isso, então?

— Uma quinzena não é tempo suficiente para me fazer esquecer do massacre a sangue-frio de um navio cheio de homens.

— Imagino que não. — Aren se recostou na cadeira, o olhar distante. — Prazer. — Ele disse a palavra como se a experimentasse, provando seu sabor, depois fez que não. — Não, prazer, não. Mas existe certa satisfação em vê-los morrer.

Lara não disse nada, e seu silêncio foi recompensado um momento depois.

— Sirvo na Guarda Média desde os quinze anos. Sou comandante desde os dezenove. Nos últimos dez anos, perdi a conta do número de batalhas que lutei contra invasores. Mas lembro de todas as treze vezes que chegamos tarde demais. Quando alcançamos nosso povo depois dos invasores. Famílias massacradas. E em troca de quê? Peixe? Eles não tinham nada que valesse a pena saquear. Então, saquearam suas vidas.

Lara pressionou as palmas das mãos na saia, o suor encharcando a seda.

— Por que fazem isso então?

— Eles pensam que podem descobrir formas de entrar na ponte com essas pessoas. Mas os civis não usam a ponte. Não sabem os segredos dela. Era de se imaginar que, depois de todos esses anos, nossos inimigos tivessem aprendido isso. Talvez tenham. — Seu rosto se contorceu. — Talvez só matem por prazer.

Seus dedos se encontraram quando ele passou o baralho, calor contra a pele gelada dela. Aren ganhou a rodada seguinte.

— Já que estamos fazendo perguntas difíceis... — Ele bateu o dedo no queixo. — Qual é sua pior lembrança?

Lara tinha centenas de lembranças terríveis. Milhares. Abandonar as irmãs no fogo e na areia. Erik, o homem que tinha sido como um pai para ela, tirando a própria vida diante de seus olhos porque acreditava que Lara tinha sido levada a assassinar as próprias irmãs. Ser deixada sozinha em um fosso no chão por semanas. Passar fome. Ser espancada. Ter que lutar para sobreviver enquanto ouvia os mestres dizerem que aquilo a tornaria mais forte. Para ensiná-la a resistir. Fazemos isso para proteger vocês, eles diziam às irmãs. Se precisarem de alguém para odiar, alguém para culpar, olhem para Ithicana. Para o rei deles. Se não fosse por eles, se não fosse por ele, nada disso seria necessário. Acabem com eles, e nenhuma menina maridriniana sofrerá assim novamente.

As memórias despertaram algo profundo dentro dela, uma onda de fúria e medo irracional. Um ódio desse lugar. Um ódio ainda mais profundo do homem sentado à sua frente.

Devagar, ela escondeu as emoções no seu íntimo, mas, ao erguer a cabeça, Lara percebeu que Aren tinha visto tudo isso passar pelo rosto dela.

Dê uma verdade para ele.

— Nasci em um harém em Vencia. Vivi lá com minha mãe em meio a todas as outras esposas e crianças pequenas. Depois que o tratado foi assinado, meu pai mandou que todas as filhas em idade adequada fossem levadas para o complexo para que ficassem... ficássemos protegidas de Valcotta e Amarid e de quem mais tentasse derrubar a aliança. Eu tinha cinco anos. — Ela engoliu em seco, a lembrança visual turva, mas os sons e cheiros claros como se tivesse sido no dia anterior. — Não houve nenhum aviso. Eu estava brincando quando os soldados me pegaram, e lembro de espernear e gritar enquanto me arrastavam. Eles tinham um cheiro horrível, de suor e vinho. Lembro de outros homens segurando minha mãe no chão. Ela lutando, tentando me alcançar. Tentando impedir que me levassem. — Os olhos de Lara arderam, e ela afugentou as lágrimas com um gole de conhaque. Depois outro. — Nunca mais a vi.

— Eu já não gostava do seu pai antes — Aren disse, baixo. — Agora então...

— A pior parte é que... — Ela perdeu a voz, voltada para si, tentando encontrar algo. — É que não consigo lembrar do rosto dela. Se eu a encontrasse na rua, acho que nem a reconheceria.

— Você saberia.

Lara mordeu a parte interna da bochecha, odiando que logo ele dissesse algo que a reconfortasse. *É por causa dele que você foi tirada de sua mãe. É culpa dele. Ele é o inimigo. O inimigo. O inimigo.*

Uma batida alta na porta assustou Lara, interrompendo seus pensamentos.

— Entre — Aren disse, e a porta abriu, revelando uma bela jovem armada até os dentes.

Tinha cabelo preto e comprido preso em um rabo de cavalo

alto e as têmporas raspadas, um estilo que parecia comum entre as guerreiras, e os olhos dela eram cinza-claros. Um palmo mais alta do que Lara, seus braços à mostra eram puro músculo, e a pele marcada por cicatrizes antigas.

— Essa é Lia. Ela faz parte da minha guarda. Lia, essa é Lara. Ela é...

— A rainha. — A jovem inclinou a cabeça. — É uma honra conhecê-la, majestade.

Lara inclinou a cabeça, curiosa sobre as guerreiras de Ithicana. Seu pai havia dito a Lara e suas irmãs que elas seriam subestimadas por serem mulheres, mas as mulheres ali pareciam ser tão respeitadas quanto os homens.

Lia tinha voltado a atenção para o rei e estava lhe entregando um pedaço de papel.

— Foi declarado o fim da estação.

— Ouvi as cornetas. Duas semanas antes do que no ano passado.

Lara pegou sua própria carta, fingindo estar distraída para que falassem mais. Serin havia escrito sobre o irmão mais velho dela, Rask, que era o herdeiro. Pelo visto, ele havia obtido sucesso em algum torneio, e Corvus descreveu os acontecimentos em detalhes vívidos. Não que ela se importasse, afinal, nunca teve qualquer contato com o irmão. O criptoanalista ithicaniano havia circulado as letras que formavam o código, mas não o código de Marylyn, ela notou. Relendo o documento com olhar atento, Lara conteve um sorriso enquanto desvendava a mensagem na página. Os ithicanianos eram falíveis, afinal.

A vontade de sorrir logo passou. Maridrina estava recebendo apenas frutas e verduras podres. Grãos mofados. Gado doente. Navios valcottanos partindo com os porões cheios de mercadorias melhores.

Serin havia explicado os novos termos comerciais que tinham sido negociados como parte do tratado. Tinham acabado com os impostos sobre as mercadorias que Maridrina comprasse na Guarda Norte, que então seriam enviadas para a Guarda Sul sem taxas. Aparentemente, um bom acordo para Maridrina e uma grande concessão de Ithicana. Mas na prática colocava todo o risco de deterioração das mercadorias durante o transporte na conta de Maridrina. Se os grãos comprados na Guarda Norte apodrecessem antes de chegar à Guarda Sul, seria prejuízo de Maridrina, e não de Ithicana. E nenhuma surpresa que Maridrina estivesse recebendo as piores mercadorias se quem coordenava o transporte era Ithicana. Sem perceber, Lara amassou ligeiramente a carta em suas mãos e tirou os olhos do papel ao ouvir Aren dizer:

— Acho que não há como escapar do pedido dela.

Lia concordou, então inclinou a cabeça.

— Vou deixar vocês à vontade.

Lara observou a mulher sair, se esforçando para controlar a expressão. A mensagem de Serin não a surpreendeu, mas ainda assim a enchia de fúria saber que o homem sentado tranquilamente à sua frente jogando cartas estava escolhendo prejudicar seu povo.

Cartas foram jogadas na mesa. Outra mão. Outra verdade.

Lara observou sua mão de cartas, sabendo que eram altas e que poderiam lhe render uma pergunta valiosa. Mas, quando ganhou, o que saiu foi outra coisa:

— Como seus pais morreram?

Aren se empertigou, depois passou a mão no cabelo. Estendendo o braço, tirou a garrafa da mão dela e tomou tudo.

Lara esperou. Em suas buscas frustradas por mapas, ela havia encontrado outras coisas. Objetos pessoais. Desenhos do antigo rei e da rainha. A semelhança entre Aren, Ahnna e a bela mãe era impressionante. Ela também havia encontrado uma caixa cheia de tesouros que apenas uma mãe guardaria. Dente de leite em um pote. Retratos. Bilhetes escritos em uma caligrafia infantil. Havia desenhos toscos também, com o nome de Aren rabiscado ao pé da página. Uma família muito diferente da dela.

— Eles se afogaram em uma tempestade — ele respondeu com a voz inexpressiva. — Ou, pelo menos, ele morreu. Ela provavelmente já estava morta.

A história não acabava ali, mas estava claro que ele não tinha a intenção de revelá-la. E que estava perdendo a paciência com esse jogo de azar horroroso. Mais cartas na mesa. Lara venceu outra vez.

Você mexeu com ele, ela disse a si mesma. *Ele está bêbado. Agora é hora de pressionar.*

— Como é o interior da ponte?

Os olhos dela saltaram das cartas para a garrafa vazia, para as mãos dele nos braços da cadeira. Fortes. Capazes. O toque daquelas mãos dançava em seu corpo, o gosto da pele dele em sua boca, e ela afastou esses pensamentos quando sentiu um calor nas bochechas, e em outras partes do corpo.

Ele estreitou os olhos, o torpor do conhaque evaporado.

—Você não precisa se preocupar com como a ponte é ou deixa de ser, pois nunca terá motivo para ir lá.

Aren levantou.

— Minha avó deseja conhecer você, e ela não aceita não como resposta. Partiremos amanhã ao nascer do sol. De barco. — Ele abaixou, se debruçando na cadeira dela, os músculos dos braços se destacando, como um entalhe em alto-relevo. Invadindo o espaço dela. Tentando intimidá-la como o maldito reino dele intimidava todos os outros. — Vou ser bem claro, Lara. Ithicana não detém a ponte entregando os segredos dela por uma garrafa de conhaque, então, se essa é a sua intenção, terá que ser mais criativa. Melhor ainda, poupe-nos do trabalho e esqueça que a ponte existe.

Lara se recostou na cadeira, sem romper o contato visual. Com as mãos, ela ergueu a saia do vestido, mais e mais alto, até as coxas aparecerem, vendo a intensidade do olhar dele se voltar para um alvo diferente. Erguendo a perna, ela encostou o pé descalço no peitoral dele, observando os olhos de Aren passarem do seu joelho à sua coxa e então às roupas íntimas de seda que ela usava.

— Que tal você pegar sua ponte — ela disse com a voz doce — e enfiar no cu?

Ele arregalou os olhos quando Lara esticou a perna, empurrando-o para que saísse de cima dela. Pegando seu livro, Lara puxou a saia para baixo.

—Vejo você ao amanhecer. Boa noite, majestade.

Um riso baixo encheu seus ouvidos, mas ela se recusou a erguer os olhos quando ele disse:

— Boa noite, princesa. — E saiu.

13
AREN

V̇ITEX SERPENTEAVA ENTRE OS TORNOZELOS de Aren, ronronando incessantemente, sem parecer disposto a desistir de sua busca por atenção, mesmo fazendo pelos menos dez minutos que Aren o ignorava.

A folha de papel quase em branco na mesa o provocava, os cantos dourados cintilando sob a luz da lamparina. Ele havia chegado a escrever a saudação formal para o rei Silas Veliant de Maridrina, mas nenhuma palavra além disso. Sua intenção era acatar o pedido de Lara e se corresponder com o pai dela, tranquilizar o homem sobre o bem-estar da filha. Mas, agora, com a pena em sua mão prestes a pingar no papel caro, Aren não sabia o que dizer.

Sobretudo porque Lara continuava sendo uma incógnita. Ele havia tentado entender melhor a natureza dela durante aquele terrível jogo de cartas e, depois de ouvir como ela havia sido tirada da mãe, ficou muito claro que, se era uma espiã, não era por amor ao pai. Mas isso não queria dizer que ela era inocente. A lealdade, até certo ponto, poderia ser comprada, e Silas tinha recursos.

Irritado com a redundância de seus pensamentos, Aren deixou a pena de lado. Pegando a caixa de papéis timbrados, puxou o lado falso, revelando a gaveta estreita feita para esconder documentos de olhares curiosos, e enfiou a carta para o pai de Lara ali dentro. Ele continuaria a escrevê-la quando tivesse mais certeza de que o bem-estar de Lara era algo que ele poderia assegurar.

Dando um tapinha carinhoso na cabeça do gato, ele afugentou o animal porta afora e atravessou o corredor. Eli estava polindo talheres.

— Indo para o quartel, majestade?

Era terrivelmente tentador fugir para o quartel onde ele poderia sentar em volta do fogo com seus soldados, beber e apostar de verdade, mas isso levantaria questionamentos sobre por que ele não estava passando as noites com sua nova esposa.

— Só dando uma caminhada até as falésias.

—Vou deixar uma lamparina acesa para vossa majestade. — O menino voltou ao trabalho.

Sem lanterna, Aren desceu a trilha estreita até um ponto onde a rocha exposta se projetava sobre o mar. Ondas batiam na rocha negra das falésias lá embaixo, a água recuava depressa e avançava novamente, golpeando a Guarda Média como um martelo implacável e obstinado. Feroz, ainda que pacífico de certo modo, o som relaxava os sentidos de Aren enquanto ele encarava a escuridão sobre o mar.

Resmungando, se recostou, a água acumulada nas rochas encharcando suas roupas enquanto ele virava para o céu noturno, um mosaico de nuvens e estrelas, sem nenhuma luz em qualquer direção que o distraísse do brilho delas. Seus civis sabiam que era melhor não acender luz nenhuma, especialmente na estação intermediária. O momento do ano em que as tempestades paravam de proteger Ithicana, e seu reino era foçado a depender de aço, sagacidade e sigilo.

Será que isso mudaria algum dia? Seria possível?

O papel se enrugou em seu peito. As páginas escondidas dentro da túnica eram o que o havia levado a buscar Lara essa noite. Eram ordens para matar.

Duas adolescentes de quinze anos tinham roubado um barco, aparentemente em uma tentativa de fugir de Ithicana. Elas tinham planejado ir para o norte em direção a Harendell, segundo informações tiradas de seus amigos.

A ordem para matar se referia a elas. A acusação: traição.

Os civis eram proibidos de sair de Ithicana. Apenas espiões altamente treinados tinham esse direito, sob a orientação de morrer pela própria espada antes de revelar os segredos do reino, se fossem pegos. Só os soldados de carreira em seu exército conheciam todas as entradas e saídas da ponte, mas era impossível esconder as defesas da ilha dos moradores civis, e todos sabiam sobre Eranahl. Por isso qualquer civil pego tentando fugir era açoitado. E todos que conseguissem eram caçados.

E os caçadores de Ithicana sempre apanhavam sua presa.

Quinze. Aren cerrou os dentes, sentindo o enjoo subir pelas entranhas. O relatório não dizia por que as meninas haviam fugido. Não era preciso. Aos quinze anos, elas tinham sido designadas à sua primeira guarnição. Seriam as primeiras Marés de Guerra delas, e elas não teriam escolha senão lutar. Em vez disso, arriscaram a vida para fugir. Para encontrar outro caminho. Outra vida.

E era obrigação dele ordenar a execução de ambas pela ofensa.

Seus pais raramente brigavam, mas essa lei causava gritos e portas batidas com força, sua mãe andando pelos aposentos com tanto fervor que ele e Ahnna ouviam com medo de que um de seus acessos a levasse embora, de que seu coração parasse para nunca mais bater. Fechando os olhos, Aren ouviu o eco da voz dela, gritando para o pai:

— Estamos numa jaula, numa prisão feita por nós mesmos. Por que você não enxerga isso?

— É o que mantém nosso povo seguro — seu pai retrucava aos gritos. — Baixe a guarda, e Ithicana já era. Eles vão nos destroçar na luta pela ponte.

— É impossível ter certeza. Poderia ser diferente, se tentássemos.

— Os invasores que vêm todo ano discordam, Delia. É assim que fazemos Ithicana sobreviver.

E, sempre, ela sussurrava:

— Sobreviver não é vida. Eles merecem mais.

Aren sacudiu a cabeça para afastar a lembrança. Mas ela recuou apenas um pouco, contente em assombrá-lo.

Permitir que civis entrassem e saíssem de Ithicana era pedir que todos os segredos do reino vazassem. Aren sabia disso. Mas se Ithicana tivesse alianças fortes com Harendell e Maridrina, as consequências desses vazamentos seriam muito mais palatáveis. Com as marinhas dos dois reinos apoiando as defesas da ponte, parte de seu povo teria uma chance de seguir caminhos diferentes da espada. Sair e estudar. Trazer esse conhecimento de volta para sua terra e compartilhá-lo. Significaria que ele não teria mais que assinar ordens para matar adolescentes.

Mas as gerações mais antigas eram terminantemente contra essa medida. Uma vida de guerras os tinha voltado contra estrangeiros, enchendo-os de ódio. E de medo. Ele precisava que Lara o ajudasse a mudar isso, a fazer seu povo enxergar os maridrinianos como amigos, não inimigos. Ele precisava convencer todos a lutar por um futuro melhor, independentemente dos riscos.

Porque do jeito que as coisas estavam... não poderiam continuar para sempre.

Aren pegou o papel, o rasgou e deixou que a brisa carregasse os pedaços para o mar.

Então houve um movimento nos arbustos, e Aren já estava em pé, a lâmina na mão, a tempo de ver Eli entrando na clareira. O servo parou de repente, esbaforido, e disse:

— É a rainha, majestade. Ela precisa da sua ajuda.

14
LARA

MÃOS SEGURAVAM SEUS PUNHOS, imobilizando-os na mesa. Um pano cobria seus olhos. Seu nariz. Sua boca.

Água caía, uma torrente sem fim.

Até parar.

— Por que a enviaram para Ithicana? — uma voz sussurrou em seu ouvido. — Qual é seu objetivo? O que você quer?

— Ser noiva. Ser rainha — ela engasgou, debatendo-se contra as amarras. — Eu quero paz.

— Mentirosa. — A voz fez o medo atravessar o corpo dela. — Você é uma espiã.

— Não.

— Admita!

— Não tenho nada para admitir.

— Mentirosa!

A água caiu, e ela se afogou outra vez. Sem conseguir dizer a verdade para se salvar. Sem conseguir respirar.

Havia areia entre os dedos, fria e seca. Ela não conseguia se mexer, seus punhos e tornozelos atados à cintura. Amarrada feito um porco.

Escuridão.

Ela virou para o lado, colidindo com uma parede, mais areia caindo em sua cabeça, puxando seu cabelo. Sempre para trás.

Sem saída.

Exceto subir.

Imobilizada pelo medo, ela ergueu a cabeça e viu figuras sem rosto olhando-a de cima.

Tão longe. Com os pulsos amarrados tão firmemente à pele esfolada, não havia outra saída além de subir.

— Por que veio para Ithicana? Qual é seu objetivo? Você é uma espiã do seu pai?

— Para ser rainha. — Sua garganta ardia, muito seca. Com muita sede. — Ser uma noiva de paz. Não sou espiã.

— Mentirosa.

— Não sou.

Areia a atingiu no rosto. Não apenas grãozinhos minúsculos, mas pedaços de pedra que machucavam e cortavam. Forçando-a a se retrair. A rastejar. Onze pás jogaram areia nela de todos os lados. Atingindo-a. Machucando-a. Enchendo o buraco.

Enterrando-a viva.

— Fale a verdade!

— Estou dizendo! — A areia estava batendo em seu queixo.

— Mentirosa!

Ela não conseguia respirar.

Lara estava sentada em uma cadeira, os punhos amarrados. Suas unhas cutucavam e arranhavam as cordas, sangue escorrendo pelas palmas de suas mãos. O tecido cobria seus olhos, mas ela conseguia sentir o calor das chamas.

— Eles farão coisas piores com você em Ithicana, Lara — a voz de Serin sussurrava em seu ouvido. — Muito piores. — Ele sussurrava os horrores, e ela gritava, precisando escapar. — Coisas piores serão feitas contra suas irmãs — ele cantarolou, tirando o capuz dela.

Havia fogo nos olhos dela. Queimando. Queimando. Queimando.

— Você não vai encostar nas minhas irmãs — ela gritou. — Não vai fazer nada contra elas. Não pode fazer mal a elas.

Mas era Marylyn quem segurava os carvões sob seus pés, não Serin. Sarhina, com lágrimas escorrendo, quem apertava o nó.

E era Lara quem estava queimando. Seu cabelo. Suas roupas. Sua carne.

Ela não conseguia respirar.

A mão de alguém a estava segurando, chacoalhando.

— Lara? Lara!

Lara estendeu o braço e pegou o cabo da faca, caindo em si a tempo de não apunhalar Aren no rosto.

— Você estava tendo um pesadelo. Eli me buscou quando ouviram você gritar.

Um pesadelo. Lara respirou fundo, procurando no seu âmago algum arremedo de calma. Só então viu a porta que pendia torta no batente, o trinco em pedaços espalhados pelo chão. Aren estava usando as mesmas roupas de antes, o cabelo molhado grudado à testa.

Desviando o olhar, Lara tentou pegar um copo de água, sentindo um gosto azedo na boca pelo excesso de conhaque.

— Não lembro de nada. — Mentira, considerando que o cheiro de cabelo queimado ainda enchia seu nariz.

Pesadelos que não eram sonhos, mas lembranças de seu treinamento. Será que ela havia dito algo incriminatório? Será que ele havia percebido sua tentativa de pegar a faca embaixo do travesseiro?

Aren assentiu, mas franziu a testa, sugerindo que não acreditava muito nela. Os lençóis ensopados de suor desgrudaram de sua pele enquanto ela se inclinava para fora da cama para encher o copo com a garrafa de água, sabendo que a camisola que usava mal cobria os seios e torcendo para que o vislumbre de pele o distraísse.

— Quem fez isso com você?

Lara ficou paralisada, tendo a certeza de que havia gritado algo incriminatório quando foi pega em seu estado de fuga dissociativa. Olhou para a porta aberta, calculando suas chances de escapar, mas então os dedos de Aren esfregaram as costas dela, seguindo um desenho que Lara conhecia muito bem. Cicatrizes em que sua irmã Sarhina havia passado óleo todas as noites durante anos até se transformarem em pequenas linhas brancas.

— Quem fez isso? — O calor na voz dele fez a pele dela se arrepiar.

Serin havia ordenado aquilo depois que ela havia saído escondida do complexo para olhar uma das caravanas que passava pelo deserto, inúmeros camelos e homens cheios de mercadorias para vender em Vencia. Como castigo, ela havia recebido doze chicotadas, Serin gritando o tempo todo que ela havia colocado tudo em risco. Lara nunca entendeu bem por que ele havia ficado tão furioso. Não havia nenhuma chance de a caravana avistá-la, e ela só queria ver quais mercadorias eles transportavam.

— Meus professores eram severos — ela murmurou. — Mas isso foi há muito tempo. Já tinha quase esquecido as cicatrizes.

Em vez de se acalmar, Aren apenas pareceu mais furioso.

— Quem trata uma criança assim?

Lara abriu a boca, então fechou, sem nenhuma resposta boa vindo à mente. Todas as suas irmãs haviam sofrido surras por infrações, embora nenhuma com tanta frequência como ela.

— Eu era uma criança desobediente.

— E eles pensavam que corrigiriam você na porrada? — A voz dele era fria.

Puxando o lençol para cobrir o corpo, Lara não respondeu. Não confiava em sua capacidade de responder.

— Se lhe servir de alguma coisa, ninguém vai encostar a mão

em você em Ithicana. Tem a minha palavra. — Levantando, ele pegou a lamparina. — Faltam poucas horas para o nascer do sol. Tente dormir um pouco. — Saiu do quarto, encostando a porta quebrada.

Lara ficou deitada na cama, ouvindo o barulho relaxante da chuva na janela, ainda sentindo o traçar dos dedos de Aren em sua pele. Ainda ouvindo a firmeza na voz dele dizendo que ela jamais seria ferida em Ithicana, uma promessa que contrariava tudo que ela sabia sobre o rei e seu reino. A palavra dele não significava porra nenhuma, ela lembrou a si mesma. Aren deu a palavra dele para permitir o comércio livre com Maridrina, e tudo que sua terra natal havia ganhado era carne podre.

O objetivo dela era a ponte. Encontrar uma maneira de passar pelas defesas de Ithicana e entrar na estrutura cobiçada por todos. E, naquele dia, Aren a levaria para dar uma volta pelo reino. Com sorte, ela veria como eles viajavam, de onde e como partiam seus barcos, onde seus civis ficavam. Esse era o primeiro passo rumo a uma invasão bem-sucedida. O primeiro passo para fazer Maridrina voltar à prosperidade.

Foque nisso, ela disse a si mesma. *Foque no que isso vale para seu povo.*

No entanto, por mais que respirasse fundo, ela não conseguia acalmar o batimento acelerado pulsando na garganta. Levantando da cama, ela foi até a ombreira que dava para a antecâmara. Pulando, apanhou o batente, as unhas se cravando na madeira enquanto se erguia e se abaixava, os músculos de suas costas e braços se flexionando e queimando enquanto repetia o movimento trinta vezes. Quarenta. Cinquenta. Imaginando as irmãs fazendo barras em volta dela, incentivando umas às outras ao mesmo tempo que brigavam para vencer.

Depois de pular no chão, Lara deitou no piso e começou a fazer abdominais, seus músculos ardendo ferozmente quando ela passou de cem. Duzentos. Trezentos. O deserto Vermelho era mais quente do que Ithicana, mas a umidade ali era de matar. Suor pingava de sua pele enquanto ela passava de um exercício a outro, a dor mais eficiente do que qualquer meditação para afastar os pensamentos indesejados.

Quando Clara bateu na porta com uma bandeja cheia de comida e uma xícara fumegante de café, Lara estava faminta, nem se importando se a serva notava seu rosto vermelho e suas roupas suadas.

Tomando o café, ela devorou a comida mecanicamente, depois se banhou antes de vestir as mesmas roupas que havia usado durante sua última caminhada pela selva, incluindo as botas pesadas de couro. Afivelou as facas na cintura e fez uma trança firme no cabelo. A luz começava a brilhar por trás das cortinas na janela quando Lara deixou o quarto.

Encontrou Eli varrendo o corredor.

— Ele a está esperando na entrada, milady.

Aren realmente estava esperando, e Lara parou um momento para observá-lo pela janela de vidro antes de encontrá-lo. Ele estava sentado nos degraus, os cotovelos apoiados na pedra atrás, os músculos de seus braços nus sob as mangas curtas de sua túnica, os avambraços afivelados nos antebraços. O sol nascente, pela primeira vez não obscurecido por nuvens, fazia o arsenal de armas que ele tinha no corpo cintilar, e Lara franziu a testa para seu único par de facas, desejando estar igualmente armada.

Ao abrir a porta, Lara respirou fundo o ar úmido, sentindo o gosto de sal do mar na brisa suave e o cheiro de terra molhada. Uma névoa prateada atravessou a cobertura da selva, o ar cheio do zumbido de insetos, do canto dos pássaros e dos barulhos de outras criaturas das quais ela não sabia o nome.

Aren levantou sem se dirigir a ela ou mencionar seu pesadelo, e ela o seguiu, alguns passos atrás para que pudesse observá-lo sem ser vigiada enquanto desciam a trilha estreita de lama. Ele tinha uma elegância predatória: um caçador, os olhos percorrendo o terreno, a copa das árvores, o céu; segurava o arco na mão esquerda em vez de carregar no ombro como os soldados do pai dela. Ele não seria pego desprevenido, e ela se perguntou distraidamente se ele era mesmo um bom lutador. Se, caso fosse necessário, ela conseguiria vencê-lo.

—Você está sempre com cara de quem quer matar alguém — ele comentou. — Talvez me matar.

Chutando uma pedra, Lara olhou feio para a trilha de lama.

— Não sabia que a rainha viúva ainda estava viva. — De fato, ela pensou que todos que restavam da linhagem real eram o rei e sua irmã.

— Não está. Vovó é a mãe do meu pai. — Aren virou quando algo farfalhou nos arbustos. — Foi minha mãe, Delia Kertell, quem nasceu na linhagem real. A família do meu pai tem origem plebeia, mas ele subiu na carreira militar e foi escolhido para entrar para a guarda de honra dela. Minha mãe se afeiçoou por ele e decidiu se casar. Minha avó... é curandeira, de certo renome. Embora outros usem palavras diferentes para descrevê-la, incluindo minha irmã.

— E por que exatamente ela quer me ver?

— Ela já viu você — ele disse.

Lara estreitou os olhos.

— Quando você chegou e ainda estava dormindo. Ela fez um exame para confirmar que você é saudável. O que quer agora é conhecer você. Quanto ao motivo... Ela é intrometida, e todos, incluindo eu, têm medo demais de dizer não a ela.

A ideia de uma estranha examinando seu corpo enquanto ela estava inconsciente era profundamente invasiva. Lara se arrepiou, mas disfarçou a reação dando de ombros.

— Examinando para ver se meu pai tinha enviado uma menina com sífilis para tirar sua vida?

Aren tropeçou e derrubou o arco, praguejando enquanto se abaixava para tirá-lo da lama.

— Não é o método mais rápido de assassinato, mas é eficaz. — Ela acrescentou: — E dizem que a repugnância dos últimos anos, horas e dias da vítima vale a espera.

O rei de Ithicana arregalou os olhos, mas se recuperou rápido.

— Se for assim que pretende acabar comigo, é melhor agir rápido. Creio que as pústulas e erupções cutâneas vão reduzir seu charme.

— Hum — Lara continuou, então estalou a língua, fingindo decepção. — Estava com esperanças de a demência tomar conta para me poupar da memória. Mas faremos o que for preciso.

Ele riu, o som forte e vivo, e Lara sorriu sem querer. Entraram numa clareira dominada por uma grande construção, um grupo de soldados ithicanianos relaxando sob a luz do sol.

— O quartel da Guarda Média — Aren explicou. — Aqueles doze são minha... nossa guarda de honra.

A estrutura de pedra tinha tamanho suficiente para abrigar centenas de homens.

— Quantos soldados ficam aqui?

— O suficiente. — Atravessou a clareira na direção dos que esperavam por eles.

— Majestades — um deles disse, fazendo uma grande reverência, embora houvesse ironia em seu tom, como se esses títulos honoríficos quase nunca fossem usados.

Alto e musculoso, ele tinha idade para ser pai de Aren, seu cabelo castanho e rente ficando grisalho. Lara olhou no fundo dos olhos castanhos dele, algo familiar em sua voz, e, depois de um instante, reconheceu que era a voz do homem que havia conduzido a parte ithicaniana do casamento dela.

— Este é Jor — Aren disse. — Ele é o capitão da guarda.

— É um prazer ver você de novo — ela respondeu. — Todos os soldados ithicanianos têm trabalhos paralelos, ou você é uma exceção?

O soldado pestanejou, então um sorriso se abriu em seu rosto, e ele assentiu.

— Bom ouvido, princesa.

— Memória ruim, soldado. Não sou mais uma princesa. Você mesmo se encarregou disso. — Ela passou por todos, descendo a trilha estreita em direção ao mar.

O homem mais velho riu.

— Espero que durma com um olho aberto, Aren.

— E uma faca embaixo do travesseiro — Lia acrescentou, e o grupo todo riu.

Aren riu junto, e Lara se perguntou se eles sabiam que ele ainda não havia consumado o casamento. Que, pelas leis dos dois reinos, eles poderiam seguir caminhos diferentes. Ela encarou Aren, que desviou os olhos rapidamente, dando um chute violento em uma raiz que cruzava a trilha.

Não demorou muito para chegarem à pequena angra onde escondiam os barcos, que eram de tamanhos variados. Pareciam canoas, mas tinham uma estrutura externa que os ligava a um ou dois outros cascos, o que ela imaginou que os mantivesse equilibrados nas ondas. Alguns eram equipados com mastros e velas, incluindo o par em que o grupo carregava suas armas e equipamentos. Uma pontada de medo cresceu no peito de Lara. Os barcos eram minúsculos em comparação ao navio que ela havia pegado para chegar à Guarda Sul, e os mares depois das paredes das falésias que protegiam a angra de repente pareceram mais bravios, as cristas de ondas se erguendo altas e ferozes, determinadas a submergir as embarcações frágeis.

Uma dezena de desculpas encheu a mente dela para não embarcar. Mas era para isso que estava em Ithicana — encontrar uma forma de passar pelas suas defesas —, e Aren estava prestes a revelar a informação sem que ela precisasse dar nada em troca. Seria uma tola se deixasse a oportunidade escapar.

Aren entrou no barco e estendeu a mão para ela, se equilibrando com facilidade enquanto o barco subia e descia. Lara não saiu do lugar, contorcendo os lábios enquanto sentia o olhar dele, que chegou a abrir a boca, mas ela foi mais rápida.

— Não sei nadar, se é o que está querendo saber. — Ela odiava admitir a fraqueza e, pelo discreto sorriso no rosto de Aren, ele sabia disso.

— Acho que nunca conheci alguém que não soubesse nadar.

Ela cruzou os braços.

— Está longe de ser uma habilidade necessária no meio do deserto Vermelho.

Todos os soldados se ocuparam com zelo de diversas tarefas, claramente ouvindo a conversa.

— Bem. — Aren virou para o mar. — Você viu o que ronda essas águas. Talvez se afogar não seja tão ruim assim.

— Que reconfortante. — Ela ignorou a mão dele e entrou no barco antes que perdesse a coragem.

O barco balançou, e Lara caiu de joelhos, se agarrando na beirada.

Rindo baixo, Aren ajoelhou perto dela, estendendo um pedaço de tecido preto.

— Desculpe, mas alguns segredos devem ser mantidos. — Sem esperar consentimento, ele a vendou.

Merda. Ela deveria ter imaginado que não seria tão fácil assim. Mas a visão não era a única forma de conseguir informações, então ela ficou quieta.

— Vamos — ele ordenou, e o barco saiu da praia.

Por um momento, Lara pensou que não seria tão ruim, até que eles saíram da angra, o barco empinando e dando coices feito um cavalo selvagem. O queixo de Lara bateu forte no peito, e ela se segurou ao fundo do barco, sem se importar com o que Aren ou o resto dos ithicanianos pensariam. A água respingava em suas roupas. Se emborcassem, ou se um deles a jogasse, nada em seu treinamento a ajudaria. Ela morreria.

E seria devorada.

Junto com seu pavor veio uma onda de náusea, sua boca se enchendo de sálvia ácida por mais que tentasse engolir. *Você consegue. Controle-se.* Ela cerrou os dentes, lutando para segurar a comida dentro do estômago. *Não vomite*, ela ordenou a si mesma. *Você não vai vomitar.*

— Ela vai vomitar — Jor disse.

Nesse exato momento, o café da manhã de Lara subiu rápida e violentamente, e ela se inclinou às cegas para a beira bem no momento em que o barco virou com tudo na mesma direção. Enquanto vomitava, a mão escorregou e ela caiu de cara na água, afundando até a cabeça no mar gelado, se debatendo, imaginando a água enchendo seus pulmões, nadadeiras a cercando. Dentes subindo para puxá-la.

Ela já esteve aqui antes. Afogada. Sufocada. Estrangulada.

Um velho pavor com um novo rosto.

Ela não conseguia respirar.

Mãos apanharam sua túnica, puxando-a de volta para o barco. Ela bateu em algo sólido e quente, então alguém puxou o canto do tecido que cobria seu rosto, e ela se pegou olhando no fundo dos olhos anogueirados de Aren.

— Peguei você. — Ele a segurou com tanta firmeza que poderia machucar, mas, na verdade, era quase tão reconfortante quanto estar em terra firme.

Atrás dele estava o píer da ponte com a abertura na base, tão tentadoramente próximo que o medo dela diminuiu. Mas Aren puxou a venda de volta para baixo, mergulhando-a de novo na escuridão.

Perder a visão lhe causou outra onda de náusea. Suor e água pingavam de seu rosto, sua respiração era frenética e ofegante.

Ela inspirou com dificuldade, se esforçando para encontrar o vazio calmo que havia treinado para encontrar se fosse torturada. Então um dos guardas disse:

— Poderíamos pegar a ponte. Isso é cruel.

— Não — Jor retrucou. — De jeito nenhum.

Mas Lara sentiu Aren parar. Ele estava cogitando a ideia e só aceitaria se também achasse crueldade causar todo esse terror nela à toa. Portanto, Lara deixou o medo tomar conta.

Depois disso, não havia como voltar atrás. Seu pavor era uma fera selvagem pronta para devorá-la. O peito apertou, os pulmões pararam e estrelas dançaram em sua visão.

As ondas balançavam o barco para cima e para baixo, as estacas instaladas no mar raspando o casco forrado de metal. Lara se agarrou a Aren. A força do braço dele a segurando junto ao peito e as unhas dela se cravando em seus ombros eram as únicas coisas que a impediam de enlouquecer.

Vagamente, ela ouviu o grupo discutir, mas as palavras eram um ruído fraco, tão incompreensíveis quanto uma língua estrangeira. O comando de Aren, "Vão logo de uma vez!", cortou a névoa.

Os soldados em volta dela resmungaram e xingaram. As placas de aço no casco encostaram na rocha e, um segundo depois, o subir e descer violento do mar cessou. Eles estavam dentro do píer da ponte, mas o pânico dela não diminuiu, pois ainda havia água por todos os lados. Ela ainda poderia se afogar.

O crepitar de uma tocha. O cheiro de fumaça. O barco se mexendo enquanto os soldados desembarcavam. Lara se esforçou para prestar atenção nesses detalhes, mas seu foco estava na água, no que estava à espreita no mar.

— Tem uma escada. — O queixo de Aren, áspero pela barba por fazer, roçou em sua testa quando ele virou. — Consegue erguer o braço e pegar? Consegue subir?

Lara não conseguia se mexer. Sentia como se faixas de aço apertassem seu peito, e cada respiração doía. Havia uma batida tênue e repetitiva no fundo do barco, e ela levou um tempo considerável para entender que era porque estava tremendo e sua bota batia no casco. Mas não conseguia parar. Não conseguia fazer nada além de se segurar ao pescoço de Aren, seus joelhos apertando as coxas dele com firmeza.

— Juro que não vou deixar você cair.

A respiração dele era quente em seu ouvido e, muito devagar, ela controlou seu pânico o suficiente para soltar o pescoço dele com uma das mãos, erguendo o braço para encontrar o metal frio da escada. Mas precisou de toda a coragem para soltar Aren e se pendurar na escada, estendendo os braços cegamente a cada degrau.

Aren estava com ela, envolvendo sua cintura com um braço, segurando a escada com o outro. Ele a ergueu, estabilizando-a até os pés dela encontrarem o degrau.

— Falta muito? — ela perguntou.

— Mais sessenta degraus, de onde suas mãos estão agora. Vou estar logo embaixo. Você não vai cair.

A respiração de Lara era ensurdecedora enquanto subia, degrau por degrau, seu corpo todo trêmulo. Ela nunca havia se sentido assim. Nunca teve tanto medo — nem mesmo ao olhar nos olhos da morte quando seu pai tinha ido buscar Marylyn no complexo. Ela continuou a subir, até alguém puxá-la pelos braços para a pedra firme.

— Vamos manter essa venda só mais um pouquinho, majestade — Jor disse, mas Lara nem ligava.

Havia uma superfície sólida sob suas mãos, e o chão não estava se mexendo. Ela podia respirar.

Rochas rasparam em rochas, botas bateram suavemente, então mãos fortes apanharam seus ombros. Sua venda foi tirada, e Lara ergueu os olhos para o rosto preocupado do rei de Ithicana. Ao redor deles estavam os soldados, três segurando tochas que brilhavam em tons de amarelo, laranja e vermelho. Mas, atrás, estendia-se uma escuridão mais profunda do que uma noite sem luar. Uma escuridão tão completa que era como se o próprio sol tivesse deixado de existir.

Eles estavam dentro da ponte.

15
LARA

—Você está bem, Lara?

Demorou vários segundos para ela entender a pergunta de Aren, toda a sua atenção focada na pedra cinza sob seus pés, escurecida por terra e líquen. A ponte não era feita de blocos, como ela havia pensado, mas sim de um material liso e plano. Como argamassa... só que mais resistente. Ela nunca tinha visto nada assim. O ar era bolorento e cheirava a mofo, umidade e esterco. A voz de Aren ecoava pelas paredes, perguntando como ela estava várias e várias vezes até o som desaparecer no corredor preto sem fim.

— Lara?

— Estou bem. — E estava: seu pânico havia acalmado com a solidez da ponte sob seus pés, a euforia se erguendo lentamente e tomando seu lugar. Ela havia conseguido. Havia conseguido uma maneira de entrar na ponte.

Todos a encaravam, ajeitando as armas e os equipamentos com um mal-estar óbvio. Aren havia cedido ao medo dela e, ao fazer isso, revelado um dos segredos de Ithicana. Jor, em particular, não parecia nada contente.

A expressão de Aren era inescrutável.

— Precisamos continuar andando. Não quero perder a maré quando voltarmos. — Ele franziu a testa. — Não quando estiverem transportando gado.

Gado. Comida. Segundo a carta de Serin, os melhores alimentos estavam entrando nos navios valcottanos, não nas barrigas maridrinianas.

Jor ergueu a venda.

— É melhor recolocarmos isso.

Os passos do grupo reverberavam, a mão de Lara no braço de Aren para se guiar, o vento e o mar soando ao longe. A ponte virava para um lado e para outro, subindo em inclinações suaves e descendo em declives enquanto serpenteava pelas ilhas de Ithicana. Era uma jornada de dez dias de caminhada entre a Guarda Norte e a Guarda Sul, e ela mal conseguia imaginar como era ficar trancafiada dentro da ponte por tanto tempo. Sem noção de dia ou noite. Sem chance de sair a não ser pelas bocas desse monstro gigante.

Mas havia saídas; Lara tinha absoluta certeza agora. Restava saber quantas. Como eram acessadas por dentro da ponte? Havia aberturas apenas para os pieres ou havia outras? Como os ithicanianos conseguiam achá-las?

Estrangeiros de todos os reinos, mercadores e viajantes percorriam a ponte regularmente. Estavam sempre sob escolta ithicaniana, mas ela sabia que eles não eram vendados. Serin tinha dito a ela e às irmãs que as únicas marcações na ponte eram as gravadas no chão indicando a distância entre o começo e o fim. Até onde ele sabia, não havia nenhum outro sinal ou símbolo, e os ithicanianos pareciam meticulosos na remoção de todas as marcas que tentassem colocar. Quem fosse flagrado deixando marcas era proibido permanentemente de entrar na ponte, por mais dinheiro que oferecesse.

Ela não conseguiria respostas com facilidade. Precisava ganhar a confiança de Aren e, para isso, precisava se mostrar envolvida por ele.

— Desculpe pela minha... falta de compostura — ela murmurou, torcendo para que os outros não escutassem, embora a acústica tornasse isso impossível. — O mar é... Eu não estou... — Ela se esforçou para articular uma explicação para seu medo, e o que conseguiu foi: — Obrigada. Por não me deixar morrer afogada. E por não zombar de mim com maldade.

Com a venda, Lara não tinha como julgar a reação do rei, e o silêncio se estendeu até ele finalmente responder:

— O mar é perigoso. Só a guerra tira mais vidas ithicanianas. Mas é inevitável em nosso mundo, então precisamos vencer o medo.

—Você não parece ter medo algum.

— Está enganada. — Ele ficou em silêncio por uns dez passos. —Você me perguntou como meus pais morreram.

Lara mordeu o lábio, lembrando: eles tinham se afogado.

— Fazia anos que minha mãe sofria de um problema cardíaco. Ela teve um ataque certa noite. Grave. Irreversível. Embora estivesse chegando uma tempestade, meu pai insistiu em levá-la até minha avó com a vã esperança de que ela pudesse ajudar. — A voz de Aren falhou, e ele tossiu uma vez. — Ninguém sabe ao certo, mas me disseram que minha mãe não estava nem respirando quando ele a colocou num barco e entrou no mar. A tempestade chegou rápido. Nenhum dos dois foi visto novamente.

— Por que ele fez isso? — Ela estava ao mesmo tempo fascinada e horrorizada. Não era um casal qualquer, mas o rei e a rainha de um dos reinos mais poderosos do mundo. — Se ela já estava morta, por que correr esse risco? Ou, no mínimo, por que não mandar alguém levá-la?

— Um momento de estupidez, imagino.

— Aren — Jor, atrás deles, o repreendeu. — Conte direito ou não conte. Você deve isso aos seus pais.

Lara ficou intrigada pelo tom que o guarda usou com o rei. Seu pai mandaria cortar a cabeça de qualquer um que se atrevesse a falar com ele dessa forma. Mas Jor parecia fazer isso sem medo; e de fato Lara não notou nada além de uma leve irritação do rei ao seu lado.

Aren bufou e disse:

— Meu pai não mandou outra pessoa levar minha mãe porque não era o tipo de homem que colocaria seu próprio bem-estar na frente da segurança dos outros. E se arriscou porque... Acho que porque amava tanto minha mãe que a esperança de salvá-la valia colocar a própria vida em risco.

Colocar tudo em risco pela remota chance de salvar quem se ama... Lara conhecia esse impulso porque sentiu o mesmo em relação às irmãs. E isso ainda poderia custar a vida dela.

— Romances malfadados de lado, a questão é que sei como é perder para o mar. Ter ódio dele. Medo. — Ele chutou uma pedra, fazendo-a saltitar ruidosamente. — Ele não se deixa dominar por ninguém, muito menos por mim.

Aren não disse mais nada sobre esse assunto, nem sobre qualquer outro.

Não havia nenhuma noção de tempo na ponte, e parecia que eles estavam caminhando para sempre, quando Aren finalmente parou.

Cega, Lara ficou em silêncio absoluto, confiando em seus outros sentidos enquanto os soldados se agitavam. Botas rasparam a pedra, os ecos impedindo de saber em que direção eles estavam trabalhando, mas então uma brisa passou pela mão esquerda de Lara, e por sua bochecha ao mesmo tempo, refrescando seu rosto. A abertura era na parede, não no chão.

— Os degraus são íngremes demais para descer às cegas. — Aren a colocou sobre os ombros, a mão quente em sua coxa.

O instinto fez com que ela abraçasse a cintura dele, cravando os dedos nos músculos rígidos da barriga de Aren enquanto ele se agachava. Só no último segundo ela pensou em estender o braço, passando a mão sobre a extensão de rocha sólida que devia formar a porta. Uma porta que, a menos que ela estivesse enganada, se encaixava perfeitamente na parede da ponte.

Os sons da selva ficaram mais altos enquanto eles desciam uma escada curva, então a luz suave do sol atravessou sua venda.

Aren a colocou em pé de novo sem avisá-la. Lara ficou tonta quando o sangue desceu da cabeça, a mão de Aren em suas costas, guiando-a para a frente até ela conseguir se orientar.

— Já está bom — Jor anunciou à frente deles, e a venda foi tirada.

Lara piscou, olhando ao redor, mas havia apenas selva, copas de árvores tampando até a vista da ponte.

— Não falta muito — Aren disse, e Lara o seguiu em silêncio pela trilha estreita, com cuidado.

Os guardas os cercaram, armas em punho, olhos vigilantes. Ao contrário do pai dela, que estava o tempo todo cercado pelo quadro de soldados, essa era a primeira vez desde o casamento que ela via Aren ser tratado como um rei. A primeira vez que os via protegendo-o de maneira tão agressiva. O que havia mudado? Essa ilha era perigosa? Ou por algum outro motivo? Houve um estalo nas árvores, e tanto Jor como Lia a cercaram, levando as mãos às armas. Então Lara percebeu que não era o rei que eles estavam preocupados em proteger. Era ela.

Eles rodearam a beira de uma falésia com vista para o mar, a água batendo violentamente nas rochas dez metros abaixo. Lara olhou para todos os lados procurando um lugar onde homens pudessem aportar, mas nada. Supondo que a ilha inteira fosse assim, ela conseguia entender por que os construtores haviam escolhido o lugar como píer. Era praticamente impenetrável. Mas considerando que Aren pretendia ir de barco, devia haver um jeito.

A casa apareceu do nada. Em um minuto eram árvores, trepadeiras e vegetação, no outro uma estrutura sólida de pedra, as janelas ladeadas pelas venezianas antitempestade onipresentes em todos os edifícios de Ithicana. A pedra era coberta por líquen verde e, quando eles se aproximaram, Lara concluiu que a casa era do mesmo material que a ponte, assim como todas as habitações ao longe. Construídas para suportar as tempestades letais que açoitavam Ithicana durante dez meses ao ano.

Dando a volta pela casa, ela avistou uma figura curvada trabalhando em um jardim cercado de pedra.

— Preparem-se — Jor murmurou.

— Finalmente se dignou a me agraciar com sua presença, majestade? — A velha não se levantou nem tirou os olhos das plantas, mas sua voz era clara e forte.

— Só recebi seu bilhete ontem à noite, vó. Vim assim que pude.

— Ha! — A mulher virou a cabeça e cuspiu, o catarro voando por cima da parede do jardim e batendo em um tronco de árvore. — Veio arrastando as canelas até aqui, imagino. Ou isso ou o peso da coroa está deixando você mais lento.

Aren cruzou os braços.

— Não uso coroa, como a senhora bem sabe.

— Era uma metáfora, seu tolo.

Lara levou a mão à boca, tentando não rir. Sabe-se lá como, o movimento chamou a atenção da velha, embora estivesse de costas.

— Ou meu neto se atrasou porque parou para limpar o vômito do seu rosto, princesinha?

Lara pestanejou.

— Senti seu cheiro a cem passos de distância, garota. Todos esses anos nas dunas não lhe deram estômago para as ondas, certo?

Corando, Lara olhou para as roupas, que ainda estavam úmidas da queda no mar. Quando ergueu os olhos de novo, a avó de Aren estava em pé, um sorriso sarcástico no rosto.

— É seu hálito — ela explicou, e Lara tentou não pisar no pé de Aren quando ele cobriu a boca para esconder um sorriso. A velha notou. — Um pouco de enjoo não a teria matado, seu idiota. Você não deveria ter cedido.

— Tomamos precauções.

— Da próxima vez, deixe-a vomitar. — Seu olhar se voltou para Lara. — Todos me chamam de Vovó, então você também pode me chamar assim. — Em seguida, ela apontou o dedo para um dos guardas. — Você, depene e tempere aquela ave. Vocês dois — Ela apontou o queixo para outro par — terminem de colher isso e depois lavem. E você — ela lançou um olhar ferrenho para Lia. — Tem um cesto de roupa suja que precisa de uma boa esfregada. Termine antes de ir.

Lia abriu a boca para reclamar, mas Vovó foi mais rápida.

— Quê? Você é boa demais para esfregar as roupas de uma velhota? E, antes que diga que sim, lembre que limpei a merda da sua bunda tantas vezes que perdi a conta quando você era bebê. Seja grata porque pelo menos isso consigo fazer sozinha.

A guarda alta fez careta mas não disse nada, apenas pegou o cesto e desapareceu pela encosta para buscar água.

— Imagino que Jor tenha saído para incomodar minhas alunas. —Vovó precisou comentar para que Lara percebesse com um susto que o homem os havia abandonado sem que ela notasse. — Ainda não se deu conta de que elas não estão interessadas em um velho safado feito ele.

— Suas meninas sabem se virar — Aren respondeu.

— Não era essa a questão, era? — Vovó fechou o portão do jardim, depois foi arrastando os pés na direção deles. Seu cabelo era prateado, e sua pele, enrugada, mas seus olhos eram sagazes e astutos quando se estreitaram para o neto. — Dentes!

O comando vociferado fez Lara se sobressaltar, mas, sem hesitar, Aren se curvou e abriu a boca, deixando que a avó inspecionasse seus dentes brancos e alinhados. Ela resmungou, satisfeita, e depois deu um tapinha na bochecha dele.

— Bom garoto. Agora, por onde anda sua irmã? Fugindo de mim?

— Os dentes de Ahnna estão ótimos, vó.

— Não são os dentes dela que me preocupam. Harendell já a chamou?

— Não.

— Mande-a mesmo assim. É uma demonstração de boa-fé.

— Não — Aren falou como um grunhido, o que surpreendeu Lara.

Ele não pretenderia quebrar seu contrato com o reino do norte, certo? Ainda mais se havia cumprido sua parte sem discutir.

— Ahnna não precisa da sua proteção, rapaz. Ela sabe se virar sozinha.

— Isso é entre mim e ela.

Vovó resmungou e cuspiu de novo, antes de voltar a atenção para Lara.

— Então, é essa que Silas nos mandou, hein?

— É um prazer conhecer a senhora. — Lara inclinou a cabeça com o mesmo respeito que demonstraria a uma matrona maridriniana.

— Veremos por quando tempo dura esse prazer. — Mais rápido que Lara acreditaria que uma velha consegue se mover, Vovó estendeu a mão e a pegou pelos quadris, a girou de um lado para outro antes de passar a mão nos dorsos de Lara, rindo quando a jovem deu um tapinha para afastar as mãos da idosa. — Se não é boa parideira, pelo menos é boa de levar para cama. — Ela encarou o neto. — Tenho certeza que você já notou, ainda que não tenha feito usufruto.

—Vó, pelo amor de Deus...

Erguendo a mão, Vovó deu um peteleco forte na orelha dele.

— Olha a língua, rapaz. Agora, como eu estava dizendo — ela se voltou para Lara —, seu parto será difícil, mas você dará à luz. Tem a força de vontade. — Ela passou um dedo rápido em uma cicatriz antiga no braço de Lara, resultado de uma briga de faca com um guerreiro valcottano. — E está acostumada com a dor.

A mulher era sagaz demais. E estava perto demais. Lara retrucou:

— Não sou uma égua reprodutora.

— Que bom. Não temos tempo para cavalos aqui em Ithicana. Precisamos de uma rainha que gere um herdeiro. Ao contrário do seu pai, meu neto não terá um harém inteiro para garantir que a linhagem real continue. Só. Você.

Lara cruzou os braços, irritada, embora não tivesse direito de estar. Não havia chance nenhuma de ela gerar nada. Ela já havia tomado o equivalente a um ano de tônico contraceptivo. Não haveria nenhuma surpresa em relação a isso.

— Venha comigo, vou lhe dar algo para o enjoo. Rapaz, vá arranjar mais o que fazer.

Lara a seguiu para dentro da casa. Pensou que o interior seria úmido e bolorento como a ponte, mas estava seco e quente, os painéis de madeira polida na parede refletindo as chamas da lareira. Uma parede abrigava prateleiras do chão até o teto repletas de jarros com plantas, pós, tônicos coloridos e o que pareciam ser insetos de vários tipos. Havia também algumas gaiolas de vidro, e Lara estremeceu ao ver as figuras serpenteantes se moverem dentro.

— Não gosta de cobras?

— Tenho um respeito saudável por elas.

Isso causou uma gargalhada de aprovação na senhora.

Depois de revirar as prateleiras, Vovó pegou uma raiz retorcida e entregou para Lara.

— Mastigue isso antes e durante o tempo em que estiver na

água. Vai evitar a náusea. — Lara farejou a raiz, insegura, aliviada ao descobrir que pelo menos o cheiro não era desagradável. — Mas não tenho nada para vencer o medo. Esse problema cabe a você resolver.

— Considerando que não sei nadar, acredito que meu medo da água seja tão saudável quanto meu respeito pelas cobras.

— Aprenda. — O tom curto e grosso da velha demonstrava uma intolerância a queixas que fez Lara lembrar por um breve e doloroso momento de mestre Erik.

Com um movimento brusco, Vovó abriu as cortinas que cobriam uma das janelas, deixando a luz do sol entrar, então chamou Lara para se aproximar.

—Você tem os olhos do seu pai. E do seu avô.

Lara deu de ombros.

— A cor é uma pequena prova de que sou uma verdadeira princesa de Maridrina.

— Não estava falando da cor. — Rápida como as cobras enjauladas, Vovó pegou Lara pelo queixo, os dedos apertando seu maxilar dolorosamente. — Você é uma coisinha sorrateira, exatamente como eles. Sempre procurando vantagem.

Resistindo ao impulso de se afastar, Lara encarou a idosa no fundo dos olhos, que eram anogueirados. Iguais aos de Aren. Mas o que ela viu era muito diferente do que via nos dele.

—Você fala como se conhecesse minha família.

— Eu era espiã quando jovem. Seu avô me recrutou para o harém dele. Ele tinha o hálito mais fedido dentre todos os homens que já conheci, mas aprendi a prender a respiração e pensar em Ithicana.

Lara piscou. Essa mulher havia se infiltrado no harém como espiã? O fato já era alarmante por si só, mas apenas as meninas mais belas eram trazidas para o harém do rei, e Vovó era...

— Ha, ha! — A risada de Vovó deu um susto em Lara. — Nem sempre pareci a última ameixa da fruteira, menina. No meu tempo, eu era um chuchuzinho. — Seus dedos se apertaram. — Então não pense que não sei por experiência própria como é usar um rostinho bonito para atingir seus objetivos. Ou os objetivos do seu país.

— Estou aqui para fomentar a paz entre Ithicana e Maridrina — Lara respondeu com frieza, pensando se teria que encontrar uma forma de derrubar a velha.

Embora ela estivesse confiante de sua capacidade de manipular Aren e as pessoas próximas a ele, Vovó era outra história.

— Este reino não foi construído por tolos. Seu pai a enviou aqui para causar problemas, e se acha que não estamos de olho em você, está enganada.

Uma apreensão se agitou no peito de Lara.

— Aren se importa muito com honra e vai cumprir a promessa dele custe o que custar. — Vovó estreitou os olhos. — Mas eu estou cagando para a honra. Me importo com a minha família e, se achar que você é uma ameaça ao meu neto, não pense nem por um segundo que não faço um acidente acontecer por aqui. — A idosa abriu um sorriso, os dentes brancos e alinhados. — Ithicana é um lugar perigoso.

E eu sou uma mulher perigosa, Lara pensou antes de responder:

— Ele parece mais do que capaz de cuidar de si mesmo, mas aprecio sua franqueza.

— Tenho certeza que sim. — Os olhos de Vovó pareceram sondar a alma de Lara, e não foi pouco o alívio que ela sentiu quando a velha fechou as cortinas e apontou para a porta. — Ele não vai querer perder as marés. Harendell está transportando gado, e ele odeia vacas na ponte.

Porque não estão dando dinheiro nenhum para ele, Lara pensou com amargura. Mas não pôde deixar de perguntar.

— Por quê?

— Porque foi pisoteado durante um dos envios anuais quando tinha quinze anos. Três costelas fraturadas e um braço quebrado. Mas diz que o pior foi ter que ficar comigo enquanto se recuperava.

Envios anuais? Do que essa velha estava falando? Se havia gado na ponte era unicamente por que o pai dela mandava comprar na Guarda Norte. Mais uma vez um incômodo tremulou dentro dela pelo descompasso entre o que ela sabia e o que estava vendo e ouvindo em Ithicana. Os animais deviam ser vendidos a Valcotta ou para outra nação, ela concluiu. Embarcados em navios para que não passassem por Maridrina. Ainda que, considerando os rebanhos enormes de Valcotta, ela não visse motivo para o reino importar gado.

Deixando o pensamento de lado, Lara seguiu Vovó até o quintal, onde foi cegada pela luz do sol durante alguns passos, mas, quando sua visão clareou, ela viu Aren de cara feia pendurando roupas de qualquer jeito no varal e Lia de testa franzida, agachada perto de uma bacia aos pés dele.

— Estou vendo que houve falhas na sua educação, rapaz. — Vovó olhou, zangada, para um lençol pingando.

— Estou disposto a aceitar alguns fracassos pessoais. — Aren recuou a mão, horrorizado, diante de uma calcinha enorme que Lia estava tentando dar para ele.

Vovó revirou os olhos.

— Menino imprestável. — Mas Lara percebeu o sorriso tênue que se abriu no rosto da velha enquanto Aren secava as mãos na calça.

— Pretende explicar por que me fez arrastar Lara até aqui? Presumo que não foi para uma conversa de cinco minutos.

— Ah, Lara e eu conversaremos muito nas próximas semanas, porque você vai deixá-la aqui comigo.

Lara abriu a boca, horrorizada. O treinamento não foi capaz de esconder a consternação diante dessa reviravolta.

Aren estremeceu dos pés até a ponta dos dedos, estreitando os olhos.

— Por que eu faria isso?

— Porque ela é a filha do rei Rato, e não vou permitir que perambule pela Guarda Média enquanto você está distraído com assuntos mais importantes. Aqui posso ficar de olho nela.

E quem sabe providenciar o tal acidente durante a semana.

— Não.

Vovó colocou as mãos enrugadas na cintura.

— Não foi uma pergunta, rapaz. Além disso, para que você precisa dela? Apesar de toda a prática que teve ao longo dos anos, você ainda não montou nela nenhuma vez, pelo que estou vendo. E não terá tempo para isso nos próximos dois meses, então mais vale ela ficar aqui onde pode ser útil.

Aren expirou devagar e longamente, erguendo os olhos para o céu como se buscasse paciência. Lara mordeu a língua, esperando a resposta dele. Sabendo que estaria ferrada se ele aceitasse o pedido da avó.

— Não. Não a trouxe para Ithicana para deixá-la trancada como uma prisioneira, e certamente não a trouxe para que você a usasse como criada. Ela vem comigo.

Vovó cerrou o maxilar, as unhas cheias de lama se cravando no tecido da túnica. *Ele nunca tinha dito não para ela*, Lara pensou, surpresa.

—Você puxou demais à sua mãe, Aren. São dois tolos idealistas.

Silêncio.

— Acabamos aqui. Lara, venha. — Aren deu meia-volta, e Lara correu atrás dele, quase certa de que Vovó cravaria uma faca nas costas dela em uma última tentativa de mantê-la longe do neto.

Ao longe, ela ouviu a velha gritar:

— Jor, cuide desse menino ou vou cortar suas bolas fora e dar para minhas cobras comerem.

— Pode deixar, Vovó — Jor disse com a voz arrastada, depois ultrapassou Lara e Aren a passos rápidos. — Eu andaria mais rápido. Ela não está acostumada a ouvir não como resposta.

Aren bufou, mas manteve o passo comedido.

— Eu deveria ter imaginado que era isso que ela queria. Velha controladora.

Controladora, sim, mas também astuta demais. Lara poderia estar partindo ao lado de Aren, mas ele tinha ouvido os alertas de Vovó. Se Lara não tomasse cuidado, ele poderia começar a levar esses alertas a sério.

— Não pode criticá-la por tentar proteger o neto. Ela gosta de você. — Lara se esquivou de uma árvore que abrigava uma aranha enorme.

— Quase todo mundo gosta. Sou bem charmoso, pelo que dizem.

Lara lançou um olhar de pena para ele.

— Um rei não deveria acreditar cegamente nos elogios. Sabe como bajuladores são...

— Que sorte a minha ter você agora para me dizer a verdade nua e crua.

— Prefere mentiras enfeitadas?

— Talvez. Não sei se meu frágil ego está pronto para tanta violência. Talvez meus soldados não me obedeçam se forem obrigados a me ver afogando as mágoas todas as noites.

— Tente chorar no travesseiro. Abafa o som.

Aren riu, depois olhou para a casa.

— O que ela disse para você?

Erguendo a raiz que ela havia recebido, Lara parou, constatando que Vovó desconfiava que Aren fosse recusar. O que levava à pergunta: por que ele havia recusado? O motivo, ela imaginava, era mais complicado do que um desejo de tê-la entre os lençóis.

— Aparentemente, ela não gostou nada de saber que vomito em suas botas.

Ele respondeu com um riso baixo que fez uma emoção inesperada percorrer o corpo dela. Depois, tirou o pano preto do cinto e sentiu a tensão nos ombros por reflexo conforme colocava a venda em seus olhos, seus dedos cheirando a sabão.

— Quer ir andando ou que eu a carregue?
— Andando.

No entanto, ela se arrependeria da decisão na décima segunda vez que tropeçou. Aliviado quando entraram na escuridão fria do píer, Aren segurou os ombros dela para estabilizá-la enquanto subia os degraus. Ela os contou, calculando a distância.

De volta ao interior da ponte, o grupo avançou rapidamente, em silêncio. Por isso, foi impossível não ouvir quando o som tênue de uma corneta, longo e lamurioso, atravessou a espessura da parede de pedra. Aren e os demais pararam de repente, atentos. Tocou mais uma vez, a mesma nota longa, seguida por uma série de notas breves que se repetiram três vezes em rápida sucessão antes de cessarem no meio da quarta, como se a corneta tivesse sido arrancada dos lábios do músico.

— É o pedido de ajuda de Serrith — Jor disse.
— Os civis já partiram para as Marés de Guerra? — Aren perguntou.

Marés de Guerra?

— Não. — Mesmo com a venda, Lara sentiu a tensão que percorreu o grupo estalar como uma tempestade elétrica.

— Quem está mais próximo? — Havia um tremor na voz de Aren. O indício de algo que Lara ainda não tinha visto nele: medo.

Jor pigarreou.

— Nós.

Silêncio.

— Não podemos deixá-la sozinha na ponte — Aren disse.

— Não podemos dispensar ninguém para ficar com ela, e não temos tempo para levá-la de volta à Vovó.

Lara mordeu a língua, querendo opinar, mas sabendo que se daria melhor se não falasse nada.

— Não temos alternativa. Teremos que levá-la conosco. — As mãos de Aren roçaram na face dela enquanto ele tirava a venda. — Siga nosso ritmo. Fique em silêncio. E, quando a luta começar, saia do caminho.

Torcendo para que ele interpretasse o entusiasmo dela por medo, ela assentiu uma vez.

— Está bem.

O grupo saiu correndo.

16
LARA

LARA TEVE DIFICULDADES PARA ACOMPANHAR os ithicanianos, o ar parado fazendo seu peito arder enquanto o grupo corria pela ponte. Foi por sorte que ela conseguiu notar quando Lia colocou o pé em um marcador de quilômetro, a boca se movendo em silêncio enquanto começava a contar os passos.

Lara acompanhou a contagem de Lia, decorando o número quando a mulher ergueu a mão e parou de repente. Jor a apoiou sobre os ombros enquanto os outros preparavam seus equipamentos. Nenhum deles disse nada, e Lara ficou nas sombras, observando Lia erguer as mãos para pressionar o que parecia uma pedra lisa. Houve um estalo alto, então, com esforço, ela empurrou um alçapão articulado no teto da ponte.

Mais uma entrada.

Triunfo percorreu o corpo de Lara enquanto o ar frio entrava, soprando os fios soltos de seu cabelo enquanto Jor e Aren erguiam os outros soldados pela abertura. Então Jor subiu, e restaram apenas ela e Aren.

— Se um dia você revelar alguma dessas coisas para alguém, eu mesmo mato você. — Sem esperar resposta, ele segurou Lara pela cintura e a ergueu.

Jor pegou os braços dela, puxando-a para o alto da ponte antes de abaixar para puxar Aren também, os dois fechando o alçapão.

Mas Lara teve dificuldade para se concentrar no que os homens estavam fazendo, porque se viu sobre uma ponte em meio às nuvens.

Uma neblina úmida havia voltado a cair sobre Ithicana enquanto eles estavam dentro da ponte, e a névoa ventava e rodopiava, soprando suas roupas antes de se afastar em movimentos circulares violentos. Lá embaixo, o mar batia em um píer, uma ilha ou talvez as duas coisas — ela não sabia dizer. Não conseguia ver mais do que poucos passos para cada lado, e era como estar em um mundo completamente diferente. Como estar em um sonho que ficava à beira de um pesadelo.

— Tenha cuidado — Aren alertou, pegando a mão dela. — É escorregadio, e estamos em um ponto alto. Você não sobreviveria à queda.

Ela o seguiu em uma corrida lenta, todos se esforçando para manter o equilíbrio na superfície lisa enquanto a ponte descia em direção ao próximo píer, que Lara conseguia enxergar vagamente. Mas antes de chegarem, os guardas agacharam como se seguissem um sinal invisível, Aren puxando-a para baixo junto.

Quando encostou as mãos na pedra úmida, Lara avistou um marcador de quilômetro, as engrenagens de sua mente girando enquanto uma estratégia de invasão começava a se formar.

Jor estava com uma luneta e a virava de um lado para outro antes de parar.

— Navio de guerra de Amarid. — Ele passou a luneta para Aren, que olhou uma vez e praguejou.

— É melhor esperarmos reforços — Jor continuou, pegando a luneta de volta e rastejando para o outro lado da ponte. Olhou na mesma direção que o restante dos soldados. A névoa rodopiou, revelando, só por alguns segundos, uma ilha. — Quando eles estiverem com a tripulação em terra firme, estaremos em menor número.

Ninguém disse nada, e foi então que os ventos mudaram de direção. Com eles, vieram os gritos.

—Vamos agora — Aren ordenou.

Nenhum dos guardas discutiu. Um deles prendeu um cabo a uma argola de metal grosso instalada na ponte, a outra ponta fixada a um parafuso pesado encaixado em uma arma parecida com uma besta. Então ele a entregou para Aren.

— Quer fazer as honras, majestade?

Aren pegou a arma e ajoelhou na pedra.

—Vamos — ele murmurou. — Me deixem ver.

Os ventos pararam, e parecia que ninguém estava respirando. Lara cravou os dedos na pedra, observando e esperando, a ansiedade fazendo seu coração disparar. Então o vento soprou na direção deles, afastando as nuvens, e Aren abriu um sorriso.

Ele soltou a flecha com um zunido alto, gemendo com a força do coice. A flecha voou em direção à ilha, levando o cabo fino, e, com um estrépito audível mesmo de longe, a seta se cravou em uma das árvores.

O soldado que tinha dado a arma para ele puxou e deu um nó na parte frouxa do cabo. Em seguida, sem demonstrar nenhum medo, vestiu uma luva pesada, prendeu um gancho no cabo e se pendurou. Lara observou com fascínio o homem sair em disparada suspenso pelo fio sobre o mar aberto, indo cada vez mais rápido até estar em terra firme. Então ele ergueu a mão da luva e diminuiu a velocidade, pousando como um gato no mato.

O restante dos soldados seguiu rapidamente, mas quando Lara olhou para trás para espiar, viu que Aren não prestava a mínima atenção neles; estava misturando pós em um pequeno balão. Acrescentou água à mistura, depois, com muito cuidado, prendeu o artefato em uma flecha com um pouco de barbante e disparou no navio ancorado lá embaixo.

Segundos depois, uma explosão estremeceu o ar, e o navio ficou visível através da névoa enquanto chamas subiam pelos cordames.

— Isso os manterá ocupados.

Pendurando o arco no ombro, ele pegou um gancho e uma luva como os outros haviam feito.

—Vou precisar que você se segure em mim.

Sem dizer uma palavra, Lara colocou os braços em volta do pescoço dele e as pernas em volta da cintura. Um calor subiu pela barriga quando ele a pressionou com força junto ao corpo.

— Não grite. — Ele encaixou o gancho na linha e saltou.

Lara quase não conseguiu conter o grito, agarrada a ele enquanto desciam, cortando o ar em uma velocidade inacreditável. Lá embaixo, a rebentação batia contra as falésias da ilha, e ela conseguia distinguir os escaleres voltando de uma pequena angra em direção ao navio em chamas para auxiliar seus camaradas. O vento rugia em seus ouvidos, até eles pairarem sobre a selva verde.

— Segure-se firme — ele disse em seu ouvido, então a soltou, erguendo uma das mãos enluvadas para apanhar o cabo, diminuindo a velocidade até estarem pendurados em segurança sobre os demais.

Lara soltou, caindo entre eles, e, de propósito, cambaleou e caiu de bunda enquanto Aren pousava ao seu lado com a graça de um predador. Em um movimento treinado, ele pegou uma máscara de couro idêntica às que todos os guardas usavam e a colocou sobre o rosto.

— Fique aqui — ele sussurrou. — Fique escondida e tome cuidado com as cobras.

Então eles se foram.

Lara contou até cinquenta, depois foi atrás, com as facas nas mãos. Ela se moveu com cuidado, confiando que a passagem deles teria afugentado quaisquer cobras. Não era difícil determinar a direção que seguiram; era só seguir os gritos.

Uma batalha se travava em uma vila, os interiores das casas de pedra em chamas, inúmeros mortos e moribundos jazendo nas trilhas entre elas. Alguns estavam armados, mas a maioria, não. Famílias. Crianças. Todos abatidos pelos soldados amaridianos que agora lutavam contra Aren e seus guardas. Atrás de uma árvore, Lara observou o rei de Ithicana partir para cima dos outros homens com um facão na mão e uma adaga na outra, deixando apenas cadáveres atrás de si. Ele lutava como se tivesse nascido para isso, destemido mas inteligente, e ela não conseguia tirar os olhos dele.

Até que gritos da praia chamaram sua atenção. Abandonando seu posto, Lara recuou na direção do som, seu estômago se revirando enquanto avistava os soldados amaridianos subindo a trilha na direção da aldeia. O navio tinha sido completamente engolido pelas labaredas, o que significava que aqueles homens estavam desesperados e sem nenhuma rota de fuga. E Aren e seus guarda-costas estavam em desvantagem, de três para um. A menos que quisesse que Amarid fosse o reino a assumir o controle da ponte, ela precisava equilibrar essa proporção.

Escolheu um ponto logo atrás da fresta entre duas rochas gigantescas pelas quais os soldados teriam que passar.

Dois soldados fizeram a curva, parando surpresos ao vê-la em seu caminho.

— É ela. A garota maridriniana.

Lara esperou que eles avançassem para cima dela, uma vez que aqueles homens eram inimigos de Maridrina tanto quanto de Ithicana. Eles, porém, não saíram do lugar, olhando para ela como se não soubessem ao certo o que fazer.

— Não era para você estar aqui.

Lara deu de ombros.

— Azar o seu, imagino. — Então atirou as facas em rápida sucessão.

Os soldados caíram, as lâminas cravadas na garganta. Outros três vieram, e Lara pegou a espada de um dos mortos e se lançou à frente, perfurando a barriga de um homem enquanto desviava da lâmina de outro, arrancando a perna dele com um movimento só. O camarada dele apontou a espada para Lara, que aparou, depois o chutou no joelho e cravou a lâmina em seu peito na hora que ele caiu.

Pegou a arma deste e atacou um terceiro soldado, fazendo-o recuar antes de cortar a mão dele. O homem gritou, o sangue esguichando sobre o rosto dela enquanto ele colidia com os soldados que vinham atrás.

Era gritaria e caos. Homens tropeçando nos corpos de seus companheiros enquanto tentavam passar pelo desfiladeiro estreito, Lara matando-os e mutilando-os conforme fosse conveniente, para impedir que eles entrassem na batalha e sobrecarregassem Aren e seus soldados.

Mas quando um par de flechas voou por sobre sua cabeça, ela correu para dentro da mata, escondendo-se na vegetação rasteira enquanto o restante dos soldados amaridianos passava rapidamente. Depois que eles se foram, ela pegou suas facas de arremesso e as embainhou para usar uma das armas mais pesadas dos amaridianos. Cortando gargantas pelo caminho, Lara subiu a trilha até a vila.

Havia sangue por toda parte. Corpos por toda parte. Vários integrantes da guarda de honra haviam caído, e Lara sentiu um aperto no peito enquanto procurava por Aren entre os que restavam.

Ela o encontrou lutando contra um homem enorme que empunhava uma corrente. As roupas de Aren estavam ensanguentadas, seus movimentos normalmente pungentes agora lentos e descuidados. O guerreiro amaridiano atirou a corrente com força, e Lara se crispou quando a arma acertou Aren nas costelas, fazendo-o se curvar. Por instinto, ela foi na direção deles, a faca na mão, pronta para intervir, mas Aren levantou atacando e acertou um soco na cara do grandalhão, depois cravou a faca nas tripas dele. Os dois caíram um em cima do outro.

Antes que Aren conseguisse levantar, outro soldado amaridiano avançou, prestes a pegá-lo de costas e exposto.

Sem pensar, Lara se jogou entre eles, cravando a faca embaixo do esterno do homem, apontada para cima, mirando o coração do soldado.

O peso dele a derrubou. Além de ficar sem ar pelo impacto, o soldado moribundo vinha caindo em cima dela, tremendo e se debatendo. Com o cabo da espada pressionando sua barriga e o peso do peito largo do homem esmagando seu rosto, ela não conseguia sair nem respirar.

Até que o peso foi aliviado abruptamente.

Lara arfou, desesperada por ar, antes de ficar de quatro no chão, observando Aren passar, sem necessidade, a faca no pescoço do homem morto. Com as mãos molhadas pelo sangue do outro homem, Aren a pegou pelos braços e a puxou para perto.

—Você está bem? Está machucada? — Ele estava verificando as roupas de Lara, o sangue do marinheiro morto felizmente escondendo o das vítimas que ela fez no caminho.

— Estou — ela ofegou, finalmente conseguindo respirar. — Você, não. — Um corte no antebraço de Aren sangrava muito, mas ela desconfiava que não fosse o pior.

— Não é nada. Fique atrás de nós. Fora do alcance. — Ele tentou empurrá-la para trás de uma das casas da vila, mas ela se segurou em seus ombros, desesperada para mantê-lo longe da batalha. Se ele morresse, tudo teria sido em vão.

Aren hesitou, e Lara afundou o rosto no ombro dele, certa de que ele a empurraria para o lado e retornaria à batalha. Mas ele estava ferido e exausto, e isso não acabaria bem. Pânico subiu pela garganta dela, que sussurrou a única coisa que talvez fizesse ele ficar:

— Por favor. Não me deixe.

As mãos deles estavam quentes em suas costas, os dois encharcados do sangue de seus inimigos.

— Lara... — Sua voz estava aflita, e ela sabia que ele estava olhando para os corpos de seu povo. Que estava vendo seus guarda-costas lutando e cedendo diante do inimigo.

Você pode lutar.

Você pode lutar por ele e salvar essas pessoas.

Lara chegou a cogitar, mas não precisou tomar essa decisão porque na hora chegaram reforços.

Inúmeros soldados ithicanianos entraram na vila, e os guarda-costas de Aren recuaram, rodeando Lara e o rei enquanto os outros abatiam os amaridianos, matando os feridos sem dó até só restarem gemido e choro dos aldeões.

Aren só a soltou quando tudo terminou.

A fumaça fez os olhos de Lara arderem quando ela olhou ao redor. Quando viu, pela primeira vez, a guerra com seus próprios olhos. Não eram apenas soldados mortos, mas civis desarmados caídos no chão. Corpos inertes de crianças.

Acha que será diferente quando seu pai vier? Acha que ele terá piedade?

Os aldeões que haviam fugido começaram a voltar, em sua maioria crianças mais velhas com bebês no colo e de mãos dadas com crianças menores. Algumas começaram a chorar ao ver os corpos abatidos de seus pais. Mas muitas simplesmente ficaram paradas, os rostos perdidos e sem esperança.

— Ainda acha que aqueles marinheiros amaridianos mereciam piedade? — Aren perguntou baixo atrás dela.

— Não — ela sussurrou enquanto caminhava até o ithicaniano ferido mais próximo, rasgando pedaços de tecido da própria túnica enquanto ajoelhava. — Não acho.

17
AREN

AREN ENCAROU A BACIA, A ÁGUA se avermelhando lentamente enquanto lavava a crosta de sangue em suas unhas. O seu sangue. O sangue de seus inimigos.

O sangue de seu povo.

A água tremia, e ele tirou as mãos da bacia bruscamente, secando-as em uma toalha limpa que havia sido deixada para ele. Todas as partes do seu corpo doíam, principalmente as costelas, onde o grandalhão o havia acertado com a corrente. Vovó lhe disse que nada tinha sido quebrado, mas sua barriga já exibia um hematoma forte, e ele sabia por experiência própria que o dia seguinte seria pior. Mas teria aguentado mil vezes essa dor se significasse chegar antes a Serrith. Vinte minutos antes. Dez. Cinco. Até um segundo antes poderia ter lhe possibilitado salvar ao menos um dos aldeões que tinham sido mortos naquele dia.

— Enviaram o chamado para reunir o conselho em Eranahl. Todos estarão lá ao anoitecer.

Jor estava atrás dele, o curativo enrolado na cabeça escondendo o corte fundo que havia sofrido no combate. E foi Lara em pessoa — quem diria? — que tinha suturado. Involuntariamente, Aren olhou para a esposa ajoelhada entre os feridos, obedecendo em silêncio a Vovó e suas alunas. Seu cabelo cor de mel estava escurecido pela crosta de sangue impregnado, assim como as roupas, mas, em vez de diminuir sua beleza, isso apenas a fazia parecer mais forte. Como uma guerreira. Doze horas antes, ele teria rido só de pensar.

Agora, não mais.

Jor seguiu seu olhar, dando um suspiro profundo quando viu quem ele estava admirando.

— Ela teve acesso a uma quantidade problemática de informações.

— Não tinha como evitar.

— Não deixa de ser um problema por isso.

— Ela salvou minha vida.

Jor hesitou por alguns instantes e então perguntou:

— Será mesmo?

— Eu estava caído e um deles chegou por trás. Ela entrou no meio e acertou uma faca nele. — Toda vez que fechava os olhos, Aren via Lara embaixo do brutamontes amaridiano, numa poça de sangue. Lembrava do pavor da certeza de que todo o sangue era dela. — Coloca um pouco em xeque a teoria de que ela está aqui para me assassinar, não acha?

— Talvez ela queira fazer isso com as próprias mãos — Jor respondeu, mas não parecia convencido.

Lara ergueu a cabeça, como se tivesse percebido a atenção deles. Aren virou o rosto, antes que seus olhares se cruzassem, e avistou a pilha de amaridianos mortos. Ele tirou o desgraçado do topo, a faca que Lara havia arrumado em algum lugar cravada com precisão no coração dele.

Sorte, ele disse a si mesmo. Mas seus instintos diziam o contrário.

— Precisamos ficar ainda mais atentos a ela agora — Jor disse. — Se os maridrinianos souberem onde ela está e vierem atrás, a cabeça dessa mocinha vai estar cheia de segredos sobre a ponte que podem nos causar problemas.

— Está sugerindo o quê?

— Estou sugerindo que ela talvez não valha o transtorno. Acidentes acontecem. Cobras sobem nas camas. Os maridrinianos não poderiam nos responsabilizar...

— Não.

— Então continue fingindo que ela está viva. — Jor havia entendido mal a recusa de Aren. — Arranje um falsificador para as cartas que enviarmos ao pai dela. Eles não precisam saber.

Aren virou para o homem que cuidava dele desde criança.

—Vou dizer só uma vez para nunca mais repetir. Se alguém fizer mal a ela, perderá a cabeça. Isso vale para você, vale para Aster e vale para minha avó também, caso ela pense que ignoro os métodos dela. Entendido?

Sem esperar resposta, Aren foi até as piras que haviam sido montadas às pressas perto da aldeia, o ar pesado pelo cheiro de óleo encharcando a madeira. Dezenas de corpos, grandes e pequenos, estavam dispostos em fileiras uniformes, e os sobreviventes estavam ao redor, alguns chorando, outros com um olhar vazio.

Alguém passou uma tocha para ele, e Aren encarou as chamas bruxuleantes, sabendo que deveria dizer alguma coisa. Mas qualquer palavra que pudesse oferecer àquelas pessoas que tinha a obrigação de proteger — que não havia conseguido proteger — soaria vazia e sem sentido. Ele não podia prometer que não aconteceria de novo, porque aconteceria. Não poderia prometer vingança, porque, mesmo se seu exército já debilitado conseguisse invadir Amarid, ele não se rebaixaria a ferir civis amaridianos apenas porque a rainha deles era uma vaca vingativa. Ele poderia dizer que pretendia enviar de volta para a soberana deles uma caixa cheia de cabeças e dos restos chamuscados na bandeira do navio, mas de que adiantava? Isso não traria os mortos de volta.

Então, não disse nada, apenas se inclinou à frente para encostar a tocha na madeira encharcada de óleo. Chamas se espalharam pelos galhos, o ar se aquecendo, e não demorou para que seu nariz se enchesse do cheiro horrível de cabelo queimado. Sangue chamuscado. Carne cozida. Seu estômago revirou, e ele trincou os dentes, querendo fugir, mas se obrigando a se manter firme.

— Os navios de Eranahl chegaram — Jor disse. — Precisamos começar a embarcar os sobreviventes ou perderemos o clima bom.
— Como se para enfatizar, uma gotícula de chuva caiu na testa de Aren. Depois outra, e mais outra.

— Dê um momento a eles. — Aren não conseguia tirar os olhos de uma mãe que estava perto demais das chamas estalando. Nessa manhã, ela devia ter acordado pensando que, à noite, estaria a caminho da segurança de Eranahl com a família, e agora ela faria a viagem sozinha.

— Aren...

— Dê um minuto a eles, porra! — A hostilidade de seu tom atraiu olhares, e ele deu as costas para as chamas.

Passou pelos feridos que Vovó e suas alunas estavam preparando para a viagem e desceu a trilha para a angra onde os navios aguardavam.

Ao fazer a curva, ele avistou a dezena de soldados inimigos mortos que tinha sido puxada para a beira da trilha e franziu ao perceber um homem com uma lâmina amaridiana cravada no peito. Recuando, Aren examinou os cadáveres com mais atenção.

A maioria de seus soldados lutava corpo a corpo com facas e facões necessários para atravessar a vegetação densa da selva ou lâminas largas forjadas com o intuito de abrir feridas grotescas. Mas quase todos os corpos ali tinham ferimentos infligidos por armas mais finas, usadas por Amarid, muitos inclusive ainda estavam com as facas de vinte centímetros cravadas no corpo.

Eles foram mortos pelas próprias armas.

Aren deu alguns passos para trás para examinar o cenário, passando os olhos pelas poças de sangue misturadas a chuva, criando charcos cada vez maiores. Esses homens foram mortos por pessoas que estavam aqui e os pegaram de frente, não pelo reforço do rei que chegou por trás.

Mas quem foram essas pessoas? Todos os guardas de Aren estavam com ele na vila, assim como os civis que sabiam lutar.

Os pelos da nuca de Aren se arrepiaram. Levando a mão à lâmina na cintura, ele deu meia-volta. Mas encontrou Lara parada no meio da trilha.

Ela observou a mão dele na arma e ergueu a sobrancelha, mas, por motivos que não soube precisar, Aren não conseguiu soltar o cabo. Ela havia matado aquele soldado com uma lâmina amaridiana...

Mas seu único ferimento visível era um arranhão na bochecha. Não bastasse o fato de que mulheres maridrinianas eram proibidas de lutar, a própria ideia de que ela pudesse fazer tudo isso sozinha era uma absoluta loucura — nem os melhores guerreiros dele seriam capazes de fazer tudo isso sozinhos.

— Para onde eles vão? — A voz dela cortou seus pensamentos.

— Existem lugares mais seguros. — Ele não entendeu por que estava sendo tão evasivo se agora ela já sabia demais.

Mas uma coisa era saber sobre a ponte. Outra era saber sobre Eranahl.

Sem a ponte, Eranahl não existe, a voz de seu pai sussurrou em seu ouvido. *Ithicana não existe. Defenda a ponte.*

— Se existem lugares mais seguros, por que não manter os civis lá?

Havia motivos práticos. Manter todos os civis ithicanianos dentro de Eranahl o ano todo era impossível, mas não foi isso que ele falou.

— Porque seria como mantê-los em jaulas. E meu povo é... livre. — A palavra entalou na garganta, subitamente compreendendo, como um tapa na cara, aquilo pelo qual sua mãe lutava. Pois o que Ithicana era senão uma grande prisão, proibindo que seus nativos saíssem?

Lara ficou imóvel, a cabeça inclinada e os olhos sem piscar, como se a resposta dele tivesse se infiltrado no fundo de seus pensamentos, sem deixar espaço para mais nada.

— A liberdade deles parece ter um preço alto.

— A liberdade sempre tem um preço. — Qual seria o preço de permitir ao seu povo a liberdade do mundo?

— Sim. — A palavra pareceu embargar na garganta dela, e ela balançou a cabeça uma vez, os olhos se dirigindo aos homens mortos que cercavam a trilha.

Aren a observou com atenção, buscando em seu rosto algum sinal de que ela era cúmplice nessas mortes de alguma forma, mas ela parecia apenas perdida em pensamentos.

— É melhor descer para a angra. Os barcos estão esperando.

Tirando os olhos dos cadáveres, Lara caminhou na direção dele, em silêncio como qualquer ithicaniano enquanto atravessava a encosta escorregadia. Seu coração palpitou e bateu mais forte, no mesmo ritmo de quando ele entrava em batalha ou tentava fugir de uma tempestade. A emoção que Aren, embora soubesse que não deveria, buscou durante toda a sua vida.

Lara parou na frente dele. Seu cabelo estava molhado pela chuva. Ele precisou de todo o autocontrole para não arrumar um cacho solto grudado na bochecha dela.

— Quando os barcos estiverem cheios, vou partir para uma... reunião. Você ficará com minha avó até eu voltar para te buscar.

Lara franziu a testa, mas, em vez de discutir, segurou a mão dele, a pele dela febril de tão quente. Então, com uma força surpreendente, ela a empurrou para baixo, voltando a embainhar a lâmina de Aren.

— Esperarei perto do mar. — Sem dizer mais nenhuma palavra, ela passou sobre a poça e desceu a trilha que dava para a praia.

18
LARA

Marés de Guerra.

É como os aldeões da ilha Serrith haviam chamado. Os dois meses mais frios do ano, quando os mares Tempestuosos ficavam calmos o bastante para que os inimigos de Ithicana atacassem.

E, nesse ano, as Marés de Guerra haviam chegado antes.

Tão antes que os aldeões ainda não haviam sido evacuados para o lugar misterioso onde passavam a estação, e devia ser por isso que a marinha amaridiana havia se arriscado duas vezes em uma tempestade tardia. Pois um único local podia ser bem protegido, mas vários pequenos postos civis eram outra história.

Era a melhor época para atacar, o lado frio e estratégico de Lara pensou. Quando o exército de Ithicana seria obrigado a dividir esforços entre proteger dezenas de pequenas vilas e proteger a ponte. E, se fosse necessário, ela sabia que Aren daria prioridade à vida de seu povo. Ficou estampado no rosto dele quando as cornetas tocaram, o pânico e o desespero. A disposição de arriscar tudo para salvá-los. E a prostração em seus olhos quando viu a vila massacrada e soube que haviam fracassado.

Eles não são responsabilidade sua, ela lembrou a si mesma com ferocidade. Você deve lealdade à Maridrina. Aos civis de sua terra natal que sofriam com o monopólio de Ithicana sobre o comércio. Às crianças maridrinianas que não tinham nada para comer além de vegetais podres e carne rançosa, isso quando tinham. Era o mesmo que Ithicana cortar o pescoço delas.

Diante disso, ela voltou a pensar em como transmitir informações sobre Ithicana. Embora pudesse codificar mensagens breves em suas cartas ao pai, ela não se atrevia a tentar incluir nenhum dos detalhes que havia descoberto sobre a ponte. Se os criptoanalistas pegassem, ela teria sorte se conseguisse sair de Ithicana viva, e tudo que tinha feito teria sido em vão. Aren sabia onde ela estava e o que havia descoberto. Seria fácil para eles reforçarem suas defesas, e não haveria como pegá-los de surpresa.

Não, ela precisava reunir as informações e enviar todas de uma vez. A questão era como fazer isso.

Por instinto, sabia que o único caminho era pelo rei de Ithicana. Pensou na caixa de cosméticos, onde estava escondida a tinta que Serin lhe dera. Ela não apenas precisava convencer Aren a escrever uma missiva para seu pai como também precisava roubar a carta por tempo suficiente para escrever a sua; isso sem falar em reconstruir o selo sem que ninguém notasse que havia sido violado.

— Pare de tramar e ajude Taryn com os pratos, sua preguiçosa.

A voz de Vovó arrancou Lara dos pensamentos. Ela olhou feio para a velha.

— Quê?

— Você não ouviu ou não entendeu? — Vovó estava com as mãos na cintura, uma cobra grande enrolada no pescoço e nos ombros. O animal ergueu a cabeça para observar Lara, que sentiu um calafrio. — Esta ilha é minha — a avó de Aren vociferou. — E, na minha ilha, se você quiser comer, tem que trabalhar. De pé. — Ela bateu as mãos bruscamente.

Lara levantou, imediatamente irritada por ter obedecido, mas voltar a sentar seria infantil.

— Fora.

Furiosa, ela saiu para o ar da manhã, avistando Taryn sentada perto de um tanque, com água ensaboada até os ombros. A jovem era a única guarda de Aren que ficou com ela — a pessoa que tirou o palito menor; ela havia prontamente puxado o braço de Lara, que seguiu, vendada, de volta pela ponte até Gamire, a ilha da Vovó. Um grupo de soldados desconhecidos foi atrás delas em silêncio. Lara achou que fosse o motivo da relutância de Taryn, ou, talvez, que a soldada estivesse desapontada por não acompanhar Aren em qualquer que fosse a missão; mas, depois de passar uma noite na casa de Vovó, o verdadeiro motivo ficou claro.

A bruxa velha era uma megera odiosa e tirânica, e Lara não fazia ideia de como conseguiria não matar aquela mulher maldita durante o sono.

— Você vai se acostumar depois de um tempo. — Taryn mergulhou um prato na bacia fumegante. — A maioria de nós já ficou sob os cuidados dela pelo menos uma vez, isso ajuda. — Soltando o prato, a mulher ergueu a camisa para revelar cicatrizes ovais que cobriam a maior parte de suas costas. — Caí na água durante uma batalha e um tubarão me pegou. Se não fosse por Vovó, eu estaria morta.

Um corte de faca, espada ou flecha... era um tipo de ferimento que Lara conseguia entender, mas aquilo...

— Criaturas medonhas.

— Nem tanto. — Taryn soltou a camisa e voltou para o prato. — Eles foram treinados para comer gente, mas preferem outras coisas.

Pegando o prato molhado e secando-o com uma toalha, Lara pensou nos marinheiros amaridianos sendo arrastados para o fundo. A mancha de sangue subindo.

— Se você diz.

Puxando o rabo de cavalo escuro e comprido para trás, Taryn

sorriu, revelando dentes brancos e alinhados que deviam agradar muito Vovó.

— São criaturas inteligentes. Tem alguns que ficam com a gente sempre, mas a maioria fica aqui só durante as Marés de Guerra. Isso, mais o clima, é o que faz Vovó saber quando a estação de tempestade está começando ou acabando. Os pescadores notam os números.

Será que o pai dela e Serin sabiam disso? Lara contorceu os lábios, considerando a informação. Um dos riscos de atacar no começo da estação calma era que não havia formas de prever exatamente quando ela começaria.

— Eles sempre se reúnem nos lugares onde os invasores mais atacam, como a Guarda Média. — Taryn passou um pano dentro de uma caneca lascada e a entregou para ela. — Existem mitos que dizem que são os guardiões do povo de Ithicana, e por isso é proibido fazer mal a eles a menos que seja absolutamente necessário. — Ela riu. — Mas é só um mito. Eles vêm para comer e não veem diferença entre nós e nossos inimigos. Caiu na água é peixe.

Lara estremeceu, colocando o copo seco em uma bacia limpa com o restante.

— Parem de conversa-fiada — Vovó vociferou ao longe. — Tem outras tarefas esperando.

Taryn revirou os olhos.

— Quer dar uma escapada?

— É possível escapar da Vovó?

Uma piscadinha.

— Pratiquei bastante.

Fiel à sua palavra, depois que os pratos foram limpos e guardados, Taryn conseguiu uma tarefa em uma vila que Lara nem sabia que existia. Ela observou os ithicanianos trabalhando entre casas de pedra ou mandando crianças voltarem às tarefas.

— Por que a vila não foi evacuada?

— Não precisa. A ilha Gamire é segura.

Encontre os civis. Lara lembrou das palavras de Serin, e os pelos de sua nuca se arrepiaram quando duas crianças passaram por ela carregando sacos de aveia. Voltou a contemplar a vila. Havia grupos de homens destripando peixes, mas ela sentiu o cheiro de pão assado, de carne vermelha na grelha e o aroma tênue de limão, embora não tivesse visto nenhuma árvore frutífera por ali. Tudo era importado e vinha pela ponte.

— Quem mora nas outras ilhas... aonde eles vão durante as Marés de Guerra? — ela perguntou, porque deixar de perguntar seria mais suspeito. E porque estava muito curiosa sobre onde poderia ser esse lugar misterioso.

— Cabe ao rei contar isso para você — Taryn olhou para ela de soslaio. — Ou não contar, se for o caso.

— Ele não é muito aberto.

Dando de ombros para mudar o rumo da conversa, Taryn guiou Lara por uma trilha estreita pela selva. Elas caminharam até a brisa subir e o cheiro de sal encher o ar, as ondas batendo ruidosamente nas falésias. Lara só viu o quebra-navios quando o soldado que o tripulava se movimentou. Os olhos dele brilharam de alegria ao reconhecer Taryn, mas se endureceram ao ver Lara.

—Vamos substituir você pela próxima hora — Taryn disse. — Use esse tempo com sabedoria e vá buscar um pouco daquela carne de que eu senti cheiro.

Depois que o soldado partiu, ela disse:

— Não leve para o lado pessoal. Quase todos acima de uma certa idade perderam um ou dois entes queridos para a guerra contra Maridrina. Mesmo depois de quinze anos de paz, é difícil para eles não verem você como um inimigo.

Eu sou o inimigo, Lara pensou.

—Você não?

— No começo, sim. — Os olhos cinza de Taryn se voltaram para longe. — Até você salvar a vida do meu primo.

— Primo? — Lara piscou, olhando para a jovem musculosa com outros olhos. — Aren é seu primo?

—Vejo que está surpresa. — Dando um risinho, Taryn disse: — Meu pai era irmão do pai de Aren, o que torna Vovó minha avó também, caso você ainda não tenha percebido.

Não tinha, mas talvez devesse. A guarda não era exatamente da realeza, mas muito próxima. E não havia nada nela que sequer indicasse isso. Taryn usava os mesmos equipamentos comuns que o resto dos guardas, morava no alojamento do quartel, cozinhava e limpava com seus camaradas. Além das armas, que eram de qualidade, não havia nada nela que sugerisse fortuna ou privilégio. Para onde ia todo o dinheiro? Lara se perguntou, lembrando dos inacreditáveis números de rendimento que tinha visto nos documentos da mesa de Aren. Quando criança, ela acreditava que Ithicana devia ter palácios de ouro cheios de tudo que tomavam de Maridrina e de outros reinos, mas até agora todo o luxo que ela tinha visto era modesto.

—Você poderia não ter feito nada e deixá-lo morrer, mas arriscou a vida para salvá-lo. Um inimigo não faria isso.

Se você soubesse... Lara sentiu um frio na barriga, seu café da manhã não caindo mais tão bem.

Pegando uma luneta, Taryn observou o oceano, dando a Lara a oportunidade de examinar o quebra-navio. A catapulta era grande, feita de madeira sólida e aço e montada em uma base parafusada ao solo rochoso. Havia várias alavancas e engrenagens e, em cada lado, dois equipamentos menores. Atrás havia uma pilha irregular coberta por uma lona verde-cinza, que devia ser dos projéteis.

Erguendo a ponta da lona, Lara viu uma pedra que devia pesar mais de vinte quilos. Não parecia tão grande a ponto de ter causado o estrago que ela vira em Guarda Média, mas com a força certa... Ela virou as costas para o quebra-navio e deu de cara com Taryn.

A mulher sorriu.

— Atiramos Aren, uma vez.

— Como é?

— Eu e Lia. Mas foi ideia dele, para você não nos achar duas idiotas. — Taryn deu um tapinha na máquina. — A gente devia ter uns doze ou treze anos, e ele teve a brilhante ideia de ver até que altura a gente conseguiria voar, achou que seria muito divertido. Mas foi o único que experimentou.

— Deu... certo?

— Ah, ele voou bem. Mas não esperava que fosse doer tanto. — Ela riu. — Felizmente, havia um barco de pesca nas proximidades para tirá-lo de lá. Vovó nos fez arrastar pedras por semanas como castigo, e isso depois de Jor sair gritando atrás de nós de um lado para outro da ilha.

— Ele teve sorte de não ter morrido.

E como a vida de Lara teria sido diferente se ele tivesse morrido? Ou será que ela sequer teria uma vida? Ela conseguia imaginar com facilidade seu pai recebendo a notícia da morte precoce do príncipe de Ithicana, se virando e exterminando em seguida todos os envolvidos no plano que dependia do Tratado de Quinze Anos.

Taryn sorriu.

— Dá para dizer isso sobre metade das coisas que ele faz. — Ela deu mais um tapinha na arma. — Quer experimentar?

Com um riso surpreso, Lara disse:

— Agora estou vendo o objetivo de me trazer até aqui.

— Não você. Uma pedra.

— Ah. — Lara observou a máquina com outros olhos. — Sim. Sim, eu gostaria.

Era uma máquina incrível, capaz de ser operada por um único

indivíduo, mas, considerando o peso das pedras, Lara ficou contente por estarem em duas. Ela girou a base em silêncio, e várias manivelas permitiam ajustá-la para mudar a distância do projétil. As catapultas menores, pelo que ela aprendeu, eram feitas para marcar a distância, todas finamente calibradas.

—Vamos tentar acertar aquele tronco flutuante.

Sob o olhar atento de Taryn, Lara lançou pedrinhas na direção da madeira flutuante até acertar.

— Muito bem, majestade. Agora vamos ajustar a pedra grande na mesma distância. — Taryn virou as manivelas e deu um passo para trás. — Agora faça as honras.

Com as mãos suadas de entusiasmo, Lara assumiu a maior manivela e a puxou. A catapulta foi ativada com um estrondo tremendo, e as duas deram a volta pela máquina para ver a rocha disparar no céu e cair na madeira flutuante.

Taryn deu um soquinho no ar.

—Você afundou seu primeiro navio!

Houve uma comoção atrás das duas, e o soldado que elas haviam liberado correu até lá.

— Invasores?

— Testes. — A voz de Taryn era calma. — Sua majestade ordenou que todos os quebra-navios fossem testados. Este parece estar funcionando bem. — Taryn acenou para Lara. —Vamos continuar, majestade?

Lara escondeu um sorriso.

— Claro.

Elas passaram o dia rodando pela ilha e testando os quebra-navios, então voltaram à vila para o jantar, que comeram em volta de uma fogueira com quase todos os aldeões presentes. Taryn lhe disse que era em honra às vidas perdidas na ilha vizinha de Serrith. Lara comeu espetinhos de carne e vegetais grelhados, bebeu a cerveja espumosa de uma caneca que não parecia esvaziar nunca, e aqueceu as mãos nas chamas enquanto a brisa da noite esfriava.

Os aldeões estavam desconfiados no começo, e Lara ficou um pouco de lado, ouvindo histórias dos mitos de Ithicana, de serpentes e tempestades que defendiam as ilhas cor de esmeralda. Da antiga ponte, que, segundo as lendas, não tinha sido construída, mas sim brotado da terra como um ser vivo. As palavras foram e voltaram até as crianças pegarem no sono no colo dos pais e serem aconchegadas sob cobertas de lã. Então, instrumentos foram trazidos, tambores, violões e gaitas, a música acompanhando homens e mulheres que cantavam e dançavam, Taryn participando com uma voz soprano surpreendentemente linda. Eles insistiram que Lara se juntasse à cantoria, mas ela recusou, alegando ter uma voz péssima, mas era sobretudo porque queria observar. E escutar. E aprender.

Quando a festa foi acabando, casais saindo de mãos dadas na escuridão, os mais velhos formando rodinhas para fofocar, reclamar e fumar um cachimbo juntos, Taryn finalmente colocou a mão no ombro de Lara.

— É melhor voltarmos antes que Vovó venha nos procurar.

Guiadas pela luz tênue de uma lanterna, elas subiram pela trilha estreita, os barulhos selvagens e agitados da floresta ao redor.

— Eu não queria ser soldada, sabia?

Lara olhou de canto de olho para Taryn.

— Não estou surpresa. Você tem mais cara de pescadora.

Taryn deu uma gargalhada, mas seu tom ficou sério.

— Eu queria ir para uma das universidades de Harendell para estudar música.

As universidades de Harendell eram famosas em todos os reinos, ao norte e ao sul, mas Lara estranhou porque a ideia de uma ithicaniana querendo estudar lá era... impossível.

— Mas os ithicanianos nunca saem, certo?

— Porque é proibido. — Taryn balançou a mão. — Ah, tem os espiões que saem, claro, mas não é a mesma coisa. É uma vida falsa em que você não é você mesmo, e eu não suportaria isso. Seguir meu sonho como outra pessoa... — Ela perdeu a voz. — Nunca falei para meus pais porque sabia que eles queriam que eu treinasse para ser uma guerreira e depois fosse indicada ao conselho de Aren. Mas contei para minha tia Delia.

A mãe de Aren, Lara pensou. A rainha.

— Minha tia acreditava que a forma mais segura de ganhar confiança era mostrar confiança. — Taryn tirou Lara do caminho de alguma coisa rastejante que passou por elas. — Todos apoiaram o tratado para acabar com a guerra contra Maridrina, mas ninguém apoiou a inclusão de uma cláusula de casamento. Ninguém queria que Aren casasse com uma forasteira, muito menos uma maridriniana. Mas tia Delia acreditava que era a única forma de termos paz com nossos vizinhos. A única forma de as pessoas pararem de ver um inimigo quando sentássemos à mesa para negociar.

Mentira, a voz de Serin gritou na cabeça de Lara. *Sendo gentil para fazer você revelar o que não deve.* Mas Lara silenciou a voz.

— Se ela acreditava que esse casamento impediria os maridrinianos de ver Ithicana como um inimigo, ela estava enganada.

Taryn fez que não.

— Ela não queria mudar as visões do seu reino. Queria mudar do nosso.

A conversa foi interrompida, pois haviam chegado à casa da Vovó, e a velha estava parada no batente, de olho nelas.

— As filhas pródigas a casa tornam.

— Estávamos ocupadas, Vovó.

— Ocupadas bebendo, pelo cheiro.

Um comentário um tanto hipócrita considerando que Lara também sentia o cheiro de álcool no hálito da velha, e via uma garrafa e um copo pela metade na mesa atrás dela.

— Vou para a cama — Lara disse, sem vontade de ser repreendida, mas Vovó agarrou seu braço com firmeza. Com a outra mão, estendeu um saco que se contorcia e chiava. — Primeiro vá alimentar as cobras.

Lara observou o saco com repulsa. Não porque tivesse alguma aversão em particular a camundongos, mas porque estava exausta de receber ordens daquela bruxa velha como se fosse uma criada. Ela queria sair às escondidas naquela noite para dar uma olhada no píer da ponte, mas Vovó provavelmente pretendia ficar acordada vigiando.

— Não.

Vovó ergueu as sobrancelhas.

— Não? A princesinha é boa demais para alimentar os animais de uma velha?

Lara fechou o punho por reflexo. Então olhou as prateleiras em cima das gaiolas de cobra, e uma ideia começou a se formar.

— Tenho medo de camundongos — ela mentiu, se afastando do saco que Vovó estendia para ela.

— Supere.

Lara foi forçada a pegar o saco para não deixar que os camundongos se espalhassem por todos os lados. Xingando a velha mentalmente, Lara tirou um camundongo do saco pela cauda, destrancou com cuidado uma das jaulas e jogou o animal lá dentro antes de passar para a próxima.

Todas as cobras eram venenosas. Taryn tinha contado que Vovó extraía o veneno delas e o usava para criar antídotos e remédios para várias doenças naturais. Havia dezenas de frascos de líquidos nebulosos sobre as jaulas e, mais acima, inúmeras outras plantas e remédios, todos identificados. Entre uma jaula e outra, Lara observou os conteúdos, sorrindo ao encontrar o que buscava.

Soltando o saco de camundongos que se contorciam, Lara gritou:

— Ai, levei uma mordida!

— De qual cobra? — Vovó perguntou, em pânico.

— Não foi de cobra — ela choramingou, enfiando o dedo na boca para criar uma ferida realista. — De camundongo!

— Caramba, menina! — Vovó apanhou o saco, mas era tarde demais. Os camundongos restantes estavam correndo pela casa. — Taryn, apanhe esses bichos antes que eles entrem na minha despensa.

Lara gritou, subindo em uma cadeira enquanto os roedores aproveitavam a liberdade. Mas, no segundo que Vovó virou as costas, ela pegou um pequeno frasco das prateleiras.

— Pegue, pegue!

Taryn estava seguindo os camundongos obedientemente, mas havia bebido tanto naquela noite que seus movimentos estavam lentos demais, os roedores desviando com facilidade até ela começar a pisar neles com as botas pesadas. Lara aproveitou o momento para tirar a rolha do frasco.

— Não é para matar! — Vovó estava segurando dois camundongos pelo rabo e os enfiando no saco. — As cobras não vão comer se eles estiverem mortos! — Ela pulou para cima de outro camundongo, e Lara virou para o lado e despejou uma dose generosa do frasco no copo de Vovó, novamente grata pelo gosto ithicaniano por bebidas fortes.

— Peguei um! — Taryn jogou o camundongo de volta na sacola.

Lara colocou a rolha no frasco e o enfiou de volta na prateleira certa, depois ficou parada na cadeira, observando, sem fazer nada, enquanto as outras duas caçavam os camundongos.

Murmurando baixo, Vovó começou a alimentar as cobras ela mesma, depois segurou a mão de Lara, examinando a pequena ferida que sangrava.

— Idiota. Tomara que inflame.

Soltando a mão da mulher, Lara olhou feio para ela.

—Vou para a cama. — Lara bateu as botas imperiosamente enquanto se dirigia para a caminha que tinha sido montada para ela, e conteve um sorriso quando, pelo canto do olho, viu Vovó virar o copo.

Agora era esperar.

19
LARA

Menos de uma hora depois, o gemido de Vovó cortou o silêncio da casa escura. A velha levantou da cama e saiu cambaleante pela porta. Levantando depressa, Lara foi até a estante de frascos, pegando outro que havia notado antes. Pingando uma gota no dedo e colocando sob o nariz de Taryn, pediu desculpas em silêncio pela dor de cabeça que causaria na manhã seguinte quando a mulher que roncava baixo inalou a substância.

Lara saiu e ficou sob um círculo de luz de lamparina. Uma brisa suave esvoaçou seu cabelo trazendo um cheiro de selva e chuva, as estrelas visíveis apenas entre as nuvens que se dissipavam. Lara pegou a lamparina, aumentou a chama o máximo possível e foi até o pequeno barracão onde ficava o sanitário.

Sorriu com os sons que vinham de dentro, depois espiou a escuridão ao redor. Como previsto, um ithicaniano alto apareceu.

— Posso ajudar em alguma coisa, majestade? — Enganchou o polegar no cinto.

— Ah! — Lara se sobressaltou, depois levou a mão até a boca como se tivesse levado um susto. — Bem, eu precisava... — Apontou para o sanitário bem no momento que um peido alto ecoou lá dentro, seguido de um gemido de agonia.

Lara poderia estar deslocada em Ithicana, mas, quando o assunto eram narcóticos, ela se sentia em casa. Vovó estava exatamente onde deveria.

O guarda arregalou os olhos sob a luz da lamparina.

— Certo. — Ele nitidamente estava tentando não rir. — Entendi. Talvez você possa...

— O matinho vai servir. — Lara riu baixo, empurrando a lamparina para ele. — Pode segurar isso para mim?

Depois de fazer xixi atrás de uma árvore, Lara voltou ao guarda e pegou a lamparina. Erguendo-a, notou como ele estreitou os olhos e piscou diante do brilho.

— Acha que ela vai ficar bem? — Lara apontou para a casinha.
— Não deveríamos...?

— Não! — A ideia de interromper Vovó no banheiro era algo que ele claramente não queria arriscar. — Tenho certeza de que ela vai ficar bem.

— Tomara. — Lara abriu um sorriso encantador, depois voltou para casa.

Vovó cagaria por horas, mas ficaria bem pela manhã. Depois de apagar a lamparina, ela a pendurou no gancho e entrou.

Mas não fechou a porta completamente.

Contou até cinco e abriu de novo, encontrando apenas escuridão. Seus olhos não tinham se ajustado depois da luz forte da lamparina, mas isso significava que os olhos do guarda também não. Movendo-se às cegas, Lara deu a volta na casa e esperou até conseguir distinguir as sombras das árvores, depois agachou, rastejando em silêncio ao redor do jardim da Vovó até chegar à selva.

As árvores nessa ilha não eram tão densas quanto as de Guarda Média, o luar tênue e a luz das estrelas que entravam através das folhas permitiam que Lara avançasse em um trote lento pela trilha em direção ao píer da ponte. Qualquer som que ela fizesse era disfarçado pela brisa do oceano, mas ela parava de tempos em tempos para tentar ouvir sons de perseguição. Não ouviu nenhum.

O cheiro tênue de rocha molhada chegou até ela, estranho mas familiar: o odor peculiar da pedra da ponte. Movendo-se com mais cautela, caso houvesse guardas, ela subiu devagar pela trilha até, por entre as árvores, discernir a sombra grande do píer que se erguia noite adentro. Uma sombra que se estendia para o norte e para o sul: a ponte.

Escolhendo um caminho entre as árvores, Lara buscou sinal de guardas, mas não encontrou nada, então seguiu para o pé do píer. Era construído pela combinação de rocha natural e pedra da ponte, e sustentava a ponte cerca de seis metros acima do nível do solo. O terreno ao redor era rochoso, então não havia nenhum caminho óbvio que levasse à entrada que ela sabia que ficava ali. Lara passou a ponta dos dedos ao longo da pedra, vasculhando a base em busca do contorno da porta, mas logo desistiu. Havia arranhões e marcas demais, e ela não tinha muito tempo. Então jogou seu próprio peso contra a pedra na esperança de que abrisse.

Nada.

Praguejando, foi até a parte do píer que era de pedra natural. Tirando as botas pesadas e as escondendo em uma sombra, começou a escalar. Foi subindo, as costas e os ombros ardendo pelo esforço. Chegou à base da ponte, apalpando a lateral e sorrindo ao encontrar estriações lineares na pedra que serviam de apoios para as mãos na escalada. Com os dedos doloridos, Lara subiu com dificuldade pela lateral da ponte, rolando quando chegou ao topo.

A escuridão aveludada se estendia sob ela em um mar noturno infinito, cortada apenas por alguns pontinhos de luz do interior da ilha. Movendo-se devagar, Lara passou os dedos pelo centro da ponte, sabendo que, em algum momento, encontraria um marcador de quilômetro semelhante ao lá de dentro.

Suor escorreu pelas suas costas, seu relógio interno lhe dizendo que ela precisava voltar à casa de Vovó, mas Lara insistiu até achar. Então voltou rapidamente para o píer, contando os passos com cuidado.

Mas ouviu vozes na direção oposta.

— Malditos idiotas. O que eles tinham na cabeça para parar todo um destacamento mercantil em cima de Gamire durante a noite?

Era Jor. Ele e sabe-se lá quantos outros estavam em cima da ponte com ela.

Com o coração batendo forte e sentindo um frio na barriga, Lara rastejou até a beira e espiou. Lá embaixo, um grupo saiu das árvores, um deles carregando um jarro com uma substância que emanava um brilho fraco.

— Eles não sabem que estão em cima de Gamire, Jor. — A voz de Lia. — Essa é a questão.

— Não deixa de ser um pé no nosso saco.

Lara virou para a ponta oposta do grupo lá embaixo, depois desceu para o lado com cuidado, os dedos tremendo pelo esforço.

— Vocês dois já terminaram aí em cima?

A voz de Aren. Uma das mãos de Lara escorregou, e ela levou um susto, ficando pendurada apenas pela outra até conseguir se segurar de novo.

— Demos uma olhada. Tem um grupo de mercadores acampado bem embaixo de nós, e o alçapão superior está perto demais para entrarmos sem ser vistos. É uma caminhada de cinco quilômetros para um lado ou para o outro para chegar ao próximo alçapão e, com esses ventos fortes, eu não recomendaria. Ninguém está a fim de passar a noite amarrado ao topo da ponte sob a chuva forte.

Aren soltou um suspiro exaurido.

— De barco, então.

— Por águas turbulentas. Tomara o remédio de Vovó acalme o estômago de sua linda esposa para a viagem. Mas acho que ela pode precisar de algo mais forte para resolver esse maldito pânico.

— Deixe Lara em paz. — Aren não parecia achar graça. — Ela

foi criada no deserto e não sabe nadar. Cair na água é um medo digno.

— Sim, claro. — Jor murmurou, e Lara aproveitou o som para descer mais.

Quando estava a três metros do chão, saltou, os pés descalços fazendo pouco barulho quando caiu no chão e rolou, dando cinco passos largos até estar entre as árvores, fora do campo de visão deles. Lama se acumulou entre os dedos dos seus pés enquanto ela dava a volta, observando Aren colocar as mãos no píer, uma sobre a outra, e apertar duas vezes. Um clique baixo, e um painel de rocha se abriu. Ele entrou.

Lá em cima, Jor e Lia tinham enrolado uma corda por dentro de uma das muitas argolas instaladas na ponte e estavam descendo para o píer um ao lado do outro. Lia estava puxando a corda pela argola quando Aren saiu e disse:

— Tem alguém dormindo bem na porta.

— Como eu disse — Jor respondeu. — Idiotas.

— É a vida. Vamos. — Aren desceu a trilha em direção à casa de Vovó. Para buscá-la, ela percebeu.

Merda. Lara esperou até eles terem saído antes de voltar a subir para o píer e tirar as botas do esconderijo. Seria uma corrida insana para voltar à casa de Vovó antes deles sem ser vista, mas ela não podia sair sem dar uma olhada lá dentro. Apertando com as mãos duas vezes no mesmo lugar que Aren havia apertado, Lara deu um sorriso quando a porta abriu.

Ela achou que estaria completamente escuro lá dentro, mas a escada curva que subia estava iluminada por outros jarros incandescentes. Subindo três degraus por vez, ela passou a mão pela parede de pedra lisa. Sabendo que havia o risco de ser pega, mas julgando que valia a recompensa, Lara pressionou as mãos contra ela duas vezes.

Clique.

Ela se assustou com o som, depois abriu uma fresta, o bloco pesado se movendo nas dobradiças silenciosas. Realmente havia um homem dormindo na frente dela, e seus roncos provavelmente eram tudo que impedia os soldados ithicanianos mascarados do lado de dentro de ouvir o barulho.

O batente precisava ser demarcado para que os soldados de seu pai pudessem encontrá-lo pelo lado de dentro. Mas ela sabia que os ithicanianos vasculhavam a ponte em busca de qualquer sinal de adulteração, então tinha que ser algo que eles não notariam.

Sua mente repassou os anos de lições de Serin, sabendo que precisava encontrar uma solução imediata, senão Aren chegaria à casa de Vovó antes dela e não a encontraria lá.

Teve uma ideia. Sacando uma faca, Lara fez um ferimento superficial no antebraço, depois guardou a lâmina. Cobrindo os dedos de sangue, ela traçou a borda da porta com cuidado. Quando estivesse seco, não seria perceptível na pedra. Mas, se espirrassem a substância certa, o sangue reagiria.

Não havia tempo para fazer mais nada.

Fechando a porta com cuidado, Lara desceu a escada a passos largos e fechou a porta na base. Depois, correu o mais rápido que se atrevia, os pés descalços raspando em raízes e rochas. Não teria como se mover tão depressa em suas botas ithicanianas pesadas sem fazer barulho.

À frente, ela discerniu a luz suave do jarro que Aren carregava e diminuiu o passo, chegando o mais perto deles que conseguia. Lara considerou ultrapassá-los por cima das árvores, mas não teria a menor chance de não ser ouvida. Não no escuro, nesse ritmo.

A casa de Vovó surgiu à frente.

Pense em um plano, ela gritou consigo mesma mentalmente ao ver Aren rodear a casa. Abrir a porta. Ele voltou em um instante, gritando:

— Onde ela está?

Calçando as botas, Lara atravessou as árvores e saiu para a clareira, caminhando na direção de Aren.

— Estou bem aqui, pare de gritar.

Ele a encarou, assim como os guarda-costas dele e o guarda incumbido de vigiar a casa. Vovó escolheu bem esse momento para abrir a porta da casinha vestindo apenas camisola e botas.

— O que — Aren questionou — você estava fazendo vagando pela floresta no meio da noite?

A voz de Serin ecoou em sua cabeça: *quase todos mentem para não passar vergonha. Ninguém mente para passar vergonha, e por isso é mais difícil levantar suspeitas.*

Lara olhou para o chão, sabendo que estava com o rosto suado e vermelho, o que daria mais credibilidade à sua mentira.

— Não estava me sentindo bem, e o sanitário estava... — ela apontou para Vovó — ocupado.

Aren se voltou para a avó.

—Você está doente?

— Caganeira. Vou sobreviver.

— Deve ter sido algo que comemos. — Lara apertou a barriga como se sentisse dor. — Ou talvez alguma sujeira daqueles camundongos que você me fez pegar.

— Camundongos? Você a fez dar comida para suas cobras? — Balançando a cabeça, Aren encarou o guarda. — Onde você estava?

— Aqui. Não a vi sair. Estava vigiando.

— Não muito bem, pelo jeito.

— Tentei ser discreta. — Lara retrucou, chutando a terra. — Agora, se já acabaram de me interrogar, gostaria de voltar a dormir.

Aren soltou um longo suspiro.

— O quê? — Lara cruzou os braços e olhou para ele.

— Uma frota de trinta navios amaridianos está rondando a costa de Ithicana. Tem uma rajada de vento soprando que pode nos dar um pouco de tempo, mas Guarda Média está sob meu comando, e preciso voltar para preparar nossas defesas.

— Eles pretendem invadir?

— Provavelmente. — Ele suspirou. — Você pode voltar conosco ou ficar aqui com Vovó durante as Marés de Guerra. A escolha é sua.

— Quero voltar para Guarda Média. — Não havia chances de Lara passar mais um dia com aquela mulher horrorosa. Sem falar que, a julgar pelos olhos semicerrados de Vovó, a velha não se deixou enganar completamente por sua farsa. Sem dúvida, amarraria Lara à cama toda noite e triplicaria a guarda. E, como precisava levar adiante seu plano de seduzir Aren, Lara acrescentou: — Quero ir com você.

Aren franziu a testa e desviou o olhar.

— Não podemos ir pela ponte. Há um destacamento mercantil a caminho da Guarda Sul acampado sobre o píer para passar a noite, e não dá para entrar sem sermos vistos. Teremos que ir de barco.

Lara engoliu em seco a queimação no estômago, ouvindo os ventos soprarem com mais força. *Controle seu medo*, ela comandou. *Há muito a ganhar se você mantiver a cabeça no lugar.*

— Vou conseguir — ela murmurou.

Aren se voltou para Taryn, que esfregava as têmporas.

— Não foi seu melhor momento, soldada. Jor se responsabilizará pelo seu castigo quando chegarmos em casa.

— Desculpe, majestade — Taryn disse, e Lara sentiu um breve momento de culpa que foi logo contido.

Aren guiou Lara pela mão no escuro, Jor à frente e Taryn, grogue, atrás, carregando algo volumoso que batia em seus ombros enquanto corria.

Os ventos ficavam mais fortes a cada segundo, porém, mais barulhenta que eles, a rebentação que batia nas paredes das falésias encheu os ouvidos de Lara, e seu coração retumbou violentamente sabendo que eles pretendiam velejar naquelas ondas. O suor escorreu como cascatas pelas suas costas quando chegaram ao topo da falésia, o mar nada visível na escuridão, a lua e as estrelas cobertas pelas nuvens.

Começou a chover.

Uma garoa fria ensopava seu cabelo e escorria pelo dorso de sua túnica enquanto ela observava os soldados posicionados na ilha se esforçando para erguer o que parecia uma escada enorme de madeira. A ponta estava amarrada a cordas, e o peso exigiu o esforço de oito pessoas para descê-la pela falésia até a escuridão lá embaixo.

— Tem um grande afloramento rochoso lá embaixo — Aren gritou no ouvido dela. — Vamos descer, depois andar pela água até uma ilhota onde nossos barcos estão atracados. A maré está baixa, mas a água vai estar na altura dos seus joelhos.

— Vamos! — Jor estava na escada e descia em direção ao mar bravio, seguido por Lia.

— Vou na frente. Depois você, depois Taryn.

Lara assentiu em silêncio, sem conseguir falar por conta dos dentes batendo. Aren desceu, mas, quando Lara segurou os degraus, seus dedos estavam dormentes, braços e pernas tremiam. Ela precisou de toda a força de vontade para ir atrás dele.

Se eles conseguem, você também consegue. Ela repetiu o mantra, seus lábios se mexendo em silêncio, as mãos escorregadias de suor, a chuva açoitando seu corpo enquanto onda após onda batia no afloramento lá embaixo. Finalmente, as mãos de Aren envolveram sua cintura, equilibrando-a nas rochas viscosas. Taryn desceu logo depois e, quando fez o chamado, houve um rangido enquanto os soldados voltavam a erguer a escada.

Lara não conseguia ver nada. Nada. Mas água rugia ao seu redor. Um passo na direção errada e já era. A ideia a fez cair de joelhos, seus dedos se agarrando às rochas.

— Não temos tempo para engatinhar — Aren gritou. — Vai ser muito pior se acabarmos presos aqui quando a maré voltar.

Ela levantou com os joelhos bambos e a respiração ofegante. Deu um passo de cada vez, deixando-se guiar por Aren.

— Jor assinalou o caminho. — Aren ergueu a mão dela, usando-a para apontar, porque ela não conseguia ver nem a silhueta dele na escuridão.

Lá.

Via vagamente pontos de algas cintilantes de tantos em tantos passos. Seu coração acalmou, e ela seguiu em frente, ganhando confiança aos poucos.

— Tem um trecho de cerca de três metros aqui que está submerso. Você vai ficar até os joelhos, mas a corrente é forte, então se segure em mim.

— Odeio você por me obrigar a fazer isso.

Aren riu, o que a irritou a ponto de fazê-la dar o primeiro passo.

As botas de Lara se encheram de água, a corrente puxando suas pernas na direção oposta enquanto ela avançava. Ela se segurou no cinto de Aren, sentindo a mão firme de Taryn em seu ombro.

Passo.

Passo.

Ela tropeçou em uma rocha e cambaleou, dando um soluço ao recuperar o equilíbrio.

Passo.

Passo.

Uma enorme onda bateu em suas costas, e ela caiu no mar, com as pernas para cima. Ficou com água até a cintura, e somente a mão no cinto de Aren a mantinha firme. O grito dela cortou a noite, frenético, desesperado e primitivo, então o rei a levantou.

— Pronto! Está tudo bem. O pior já passou.

— No segundo em que eu estiver em terra firme, vou estripar você feito um porco! — Ela odiava sentir medo, e a única coisa forte o suficiente para afugentar a emoção era a raiva. — Vou sufocar você durante o sono!

Ouviu várias risadas diferentes, a de Jor a mais alta de todas.

— E ela finalmente mostra suas verdadeiras intenções.

Aren bufou.

— Talvez seja melhor controlar sua mordacidade até estar em um lugar onde eu não possa te jogar no mar. — Então ele saiu batendo os pés para o outro lado da ilhota.

Taryn pegou Lara pelo cotovelo, ajudando-a a subir.

— Só vai levar uma hora para chegarmos à Guarda Média. — Ela colocou um cordão na mão de Lara. — Pedi que um dos aldeões fizesse isso para você. Se acontecer alguma coisa, vai manter você flutuando até um de nós a puxar de volta para o barco.

Lara enrolou nas mãos a alça curva que era presa a um barril. Um pequeno gesto, mas uma gentileza enorme. Lara não merecia.

— Obrigada.

Os ithicanianos a colocaram em um dos barcos, e ela se encolheu, segurando o barril com uma das mãos e a beira da embarcação com a outra. Eles soavam despreocupados, como se aquela fosse uma viagem que pessoas em sã consciência fariam em circunstâncias normais.

O barco subiu e desceu sobre as ondas, e o estômago de Lara fez o mesmo, mas ela não conseguia soltar a mão por tempo suficiente para pegar no bolso a raiz da Vovó. Estava ocupada vomitando na água quando o grupo ficou em silêncio, as mãos ainda em cordas, lemes e linhas.

— Lá estão eles — Lia disse.

Jor praguejou baixinho.

— Tomara que essa tempestade aumente e os jogue no fundo do mar.

Lara ergueu o olhar turvo. Balançando ao longe, estavam dezenas, ou melhor, centenas de luzes. E o vento trazia o som de música e cantoria.

Navios.

A frota amaridiana.

— Deveríamos botar fogo em alguns deles — Lia gritou. — Só para estragar essa festa.

Em uníssono, todas as cabeças se voltaram para Aren. Com as unhas cravadas na borda do barco, Lara esperou a resposta dele.

— Continuem rumo à Guarda Média. — Sua voz era baixa.

— Mas poderíamos afundar alguns — Lia argumentou. — Temos os materiais.

— Guarda Média — Aren repetiu. — Eles não atacaram, e nós não vamos provocá-los.

— Mas eles vão atacar! Você sabe que, assim que o tempo virar, eles vão atacar!

— Quando atacarem, lutaremos. Como sempre.

Não havia emoção na voz de Aren, mas Lara conseguia sentir a frustração e a raiva dele emanando em ondas.

— Ou podemos detê-los agora. — Lia não estava disposta a desistir.

— Eles estão fora de nossas águas e não demonstraram nenhuma agressividade. — Aren se remexeu, inquieto, passando o joelho pelas costas de Lara. — Se atacarmos sem sermos provocados, Amarid terá motivo para declarar guerra contra nós. Agora são só alguns navios, uma incursão. Com isso podemos lidar. A força total da marinha de Amarid contra nós é bem diferente. Ithicana não provoca conflitos; não temos condições de fazer isso. Agora, levem-nos de volta à Guarda Média.

Sem dizer uma palavra, todos começaram a se movimentar, e os barcos recuperaram velocidade, disparando pelas ondas. Mas Lara não conseguia tirar os olhos das luzes da frota que ficava para trás, o discurso de seu pai naquele jantar fatídico virando e se revirando em sua cabeça. Desde que ela se entendia por gente, Ithicana detinha o poder sobre o comércio, criando e destruindo reinos como se fosse um deus sombrio.

Ela havia acreditado nisso. Havia acreditado sem questionar. Mas as palavras de Aren... não eram palavras de um governante todo-poderoso. Muito pelo contrário. Eram palavras do líder de um reino que lutava para sobreviver.

20
AREN

Aren esfregou os olhos, que pareciam ter sido enchidos de areia e deixados ao sol de verão por uma semana. Suas costelas latejavam, suas costas doíam, e as palmas de suas mãos estavam cheias de bolhas depois de usá-las por tantos dias. O pior era o dente que Aren tinha certeza de que havia ficado frouxo quando Lara sem querer bateu na cara dele depois de quase cair no oceano. Ele torceu para que se resolvesse sozinho, ou ele ouviria um sermão da Vovó.

— Mais prontos, impossível. — Jor deu um gole longo em um cantil prateado que tirou do bolso e estendeu para seu rei do outro lado da fogueira. — Você está com cara de quem precisa disto aqui.

Ele provavelmente precisava mesmo, mas recusou o cantil. Com Lara enjoada, seu grupo havia voltado à Guarda Média pouco antes do amanhecer, e o dia todo havia sido de preparação para o inevitável ataque amaridiano. Agora, havia pouco a fazer além de vigiar o clima. Com os ventos ainda fortes, era improvável que os inimigos tentassem embarcar, mas uma tempestade fraca como essa não duraria. E sem dúvida não bastaria para levar os barcos de volta à segurança dos portos amaridianos.

— Vou fazer a próxima patrulha.

Jor ergueu a sobrancelha.

— Você já fez seu turno.

— Preciso me mexer. Sabe que ficar sentado me deixa maluco.

— Está uma chuva fria. Você vai se arrepender dessa decisão no meio da ilha.

— Arrependimento — Aren disse, pegando seu manto — tem sido minha especialidade.

—Você está bem reclamão hoje.

Coçando a bochecha com o dedo do meio, Aren ergueu a mão para cumprimentar o soldado que tinha acabado de chegar da patrulha do perímetro.

— É melhor eu ir com você. Vai que você desiste no meio do caminho e foge para o conforto do seu casarão chique.

— Eu não contaria com isso.

A chuva torrencial estava mesmo gelada, o vento soprando o capuz do manto de Aren até ele desistir de cobrir a cabeça. Eles caminharam em silêncio por um bom tempo, mais concentrados em manter o equilíbrio sobre as rochas escorregadias e a lama enquanto atravessavam as falésias com vista para o mar. Não foram poucos os soldados que haviam morrido naquela queda e, apesar da série de dias horríveis que ele andava tendo, Aren não queria se tornar mais um.

Quando chegaram ao primeiro mirante, os dois contemplando as águas tempestuosas, Jor disse:

—Você estava certo em se manter firme ontem.

—Talvez.

Aren lembrou da reunião em Eranahl, dos rostos severos dos comandantes da Guarda que chegavam cortando caminho pelos civis que desembarcavam de seus navios, crianças chorando por toda parte e bagunças de provisões. A evacuação mais desorganizada da história recente, ele ouviu inúmeros murmurarem. Estava inclinado a concordar.

— É dever do conselho questioná-lo. Eles viviam pressionando sua mãe, principalmente a respeito disso. Ela aprendeu a saber quando estavam dando bons conselhos e quando estavam falando por medo; quando se manter firme e quando ceder.

Aren pegou sua luneta, observando a escuridão em busca de luzes no horizonte que marcassem algum navio.

— Acha que eu estava certo em relação a isso?

O único som era o do vento soprando e das ondas quebrando.

— Não sei. Não acho que exista escolha certa nesse assunto, Aren. Todos os caminhos levam à guerra. — Jor se inclinou para trás, apoiando-se nas mãos. — Mas o que está feito está feito, pelo menos no que diz respeito à batalha diante de nós. Agora, se me der licença, preciso mijar.

O homem mais velho desapareceu em silêncio na selva e, então, nem tão silenciosamente assim, fez o que tinha que fazer. Aren continuou agachado nas rochas, com as mãos nos bolsos para esquentá-las. Com a evacuação praticamente concluída, seu povo havia atendido ao chamado anual para a guerra. Todos entre quinze e cinquenta anos estavam em suas guarnições ou a caminho; a exceção eram famílias com crianças pequenas, que enviavam apenas um dos pais. Os corpos capazes lutavam. Os incapazes cumpriam outras funções, fosse de vigia, enviando sinais, organizando materiais ou controlando a tarefa complexa de garantir que todas as centenas de postos estivessem devidamente tripuladas. Ithicana não tinha civis durante as Marés de Guerra. Tinha um exército.

Um exército que estava furioso por Amarid tê-los pegado de calças curtas em Serrith. Uma ilha que, aliás, ficava sob a vigilância de Aren.

Ele repassou a reunião do conselho das Marés de Guerra repetidamente em sua cabeça, vendo uma centena de coisas que poderia ter feito diferente. Dito diferente.

— Soube que vossa majestade sofreu grandes perdas em Serrith. — A voz da comandante Mara ecoou em sua cabeça. — Já foram duas as vezes que Amarid o pegou de surpresa, e as Marés de Guerra acabaram de começar. A bela maridriniana deve causar muitas distrações.

Todos na sala se remexeram, incomodados. O foco da indireta era Lara, não as mortes. Eles sabiam que era um pesadelo defender Serrith, porque a proximidade entre a ponte e a praia possibilitava que embarcações se escondessem sob a estrutura enquanto soltavam lanchas de desembarque, tornando os quebra-navios inúteis. Eram necessários homens preparados para rechaçar um ataque e, mesmo assim, com a névoa forte, os soldados tinham só poucos minutos — o tempo que levava para os escaleres chegarem à praia — para montar sua defesa, o que teria sido suficiente se o homem de vigia não tivesse dormido no posto. Um erro que o soldado havia pagado com a vida.

— Soube que ela estava com você quando o ataque aconteceu. Na ponte.

Era impossível manter isso em segredo. Ainda mais agora, com todos os civis de Serrith em Eranahl. A fofoca corria mais rápido do que uma tempestade em Ithicana. A única salvação era que Aster estava atrasado para a reunião. Se o velho comandante soubesse o que Lara tinha visto, uma de suas veias estouraria.

— Nunca foi minha intenção manter Lara trancada a sete chaves. Vocês sabem disso.

Mas também não tinha sido intenção dele levá-la para dentro da ponte ou deixar que visse como o exército dele a usava para combater os inimigos. Mas, diante do pânico dela no barco, arfando e tremendo sem controle... Ele não tinha conseguido suportar. Não estava disposto a admitir isso na frente de todos aqueles homens e mulheres endurecidos pela guerra cujo respeito ele precisava conquistar.

— Saber de suas intenções não é o mesmo que concordar com

elas. Os maridrinianos são ratos. Se deixarmos um à solta, logo Ithicana estará toda infestada.

— Os maridrinianos são nossos aliados — Ahnna disse no extremo oposto da grande réplica de Ithicana, pousando a mão com um ar protetor sobre a ilha de Guarda Sul.

Mara fez uma careta.

— Os maridrinianos são, no máximo, nossos parceiros comerciais, Ahnna. Pagamos por essa paz. Não é uma aliança.

Mas poderia ser, Aren pensou antes de intervir.

— Eles nos deram quinze anos de paz a troco de nada, Mara. Provaram seu compromisso com o tratado e, agora, é hora de fazermos o mesmo.

— Mas a que custo? — Mara apontou para o meio do mapa, onde as miniaturas de navios representavam a frota inimiga à espreita.

Os amaridianos sempre foram os piores invasores de Ithicana, sobretudo porque eram concorrentes na mesma atividade: comércio entre os continentes. Os navios mercantis amaridianos corriam os maiores riscos, fazendo a travessia de norte a sul mesmo durante a estação de tempestade, traficando mercadorias que Ithicana não queria em seus mercados. Maridrina sempre fez grande uso dos serviços deles. Até agora. E a rainha amaridiana claramente pretendia demonstrar seu descontentamento com esse fato.

— Quando os termos forem negociados com Harendell, estes controlarão a marinha de Amarid — disse Aren.

Pois, embora Amarid pudesse comprar a briga com Ithicana, com seu enorme vizinho a coisa mudava de figura.

— Harendell já mandou buscar Ahnna?

Aren sentiu sua irmã gêmea incomodada atrás dele.

— Não.

— Começaram as negociações comerciais?

— Ainda não. — Suor escorria pelas costas de Aren, que precisou se esforçar para não ranger os dentes. — O que não surpreende. Eles vão esperar para ver se a paz se mantém no sul antes de começar a fazer demandas.

— Isso não me cheira a paz. — O comandante Aster entrou na sala atraindo todas as atenções. — Me cheira a guerra.

Entregou a Aren uma carta dobrada e selada com uma cera cor de ametista estampada com o emblema valcottano de cajados cruzados.

— Cruzei com o mensageiro na ponte e pensei em entregar isso em mãos.

Quer dizer que pensou em me fazer ler isto na frente de todos, Aren retrucou mentalmente, rompendo a cera com mais força do que o necessário. Leu as primeiras linhas e se esforçou para não fazer careta enquanto baixava o papel sobre a réplica de Guarda Média. A imperadora de Valcotta era uma mulher sensata. Os valcottanos eram um povo sensato. Mas ambos odiavam Maridrina de uma forma quase religiosa. E o sentimento era recíproco.

— E então? — Mara questionou ao mesmo tempo que Aster perguntou:

—Valcotta declarou guerra contra nós?

Com os olhos na página, Aren leu:

— À sua majestade real, Aren Kertell, rei de Ithicana, governante dos mares Tempestuosos e mestre da ponte.

Todos na sala pareceram prender a respiração, e ele sabia por quê. Até aquele momento, a imperadora sempre havia se dirigido a ele como Querido Aren, filho amado de minha amiga, Deus a tenha. O uso de seus títulos não era um bom sinal.

Ele continuou:

— Há muito tempo, Valcotta e Ithicana são amigas...

— Amigas que invadem quando o clima está bom — Jor murmurou à esquerda de Aren.

— Amigos brigam — Aster disse. — Pode continuar, majestade?

Aren tossiu.

— Há muito tempo, Valcotta e Ithicana são amigas, e nos entristece imensamente saber que vocês decidiram trair essa amizade aliando-se a Maridrina contra nós.

Alguém na sala soltou um assobio baixo, mas Aren não tirou os olhos do papel.

— Parte nosso coração saber que nossa querida amiga Ithicana agora fornece suprimentos para os ataques injustos de nossa inimiga imortal. E jogaremos em vocês a responsabilidade por todos os nossos mortos.

Ninguém disse nada.

— Forte é nosso desejo de manter a amizade com Ithicana, mas essa desfeita não pode passar sem resposta. Quando vier o mar calmo, empregaremos nossas frotas para bloquear nossa inimiga, Maridrina, e impedir que ela chegue a seus mercados na ilha de Guarda Sul até essa aliança ofensiva acabar.

Ele não conseguiu ler o resto, pois Aster e Mara desataram a rir, grande parte da sala imitando-os.

— A sorte está do nosso lado, afinal — Aster finalmente disse. — Silas se achou tão esperto. Pensou que havia conseguido tirar o que menos queríamos dar, mas nem ele nem Maridrina o terão.

Aren não tinha rido na hora e definitivamente não estava rindo agora. Um graveto se partiu, e ele foi tirado de seu devaneio por Jor voltando das rochas, ainda afivelando o cinto.

— Os ventos estão ficando mais fortes. A tempestade vai cair com força antes de dar seu último suspiro. Amarid terá que arrefecer os ânimos por uns dias antes de cair matando. — O velho soldado sorriu para Aren. — É um momento oportuno para passar um tempo com sua linda esposa. Ela está começando a se afeiçoar a você, pelo que notei.

—Você chegou a todas essas conclusões enquanto cagava?

— É quando penso melhor. Agora vá. Vou terminar a patrulha.

Levantando, Aren lançou os olhos para sua casa, depois balançou a cabeça. Lara deveria ser o primeiro passo rumo a um futuro melhor para Ithicana. Mas com Amarid prestes a travar guerra e Valcotta fazendo de tudo para destruir o tratado, um futuro melhor não parecia mais um sonho.

Parecia ilusão.

21
LARA

LARA APOIOU O QUEIXO NOS ANTEBRAÇOS, um olho na luz suave ao leste e o outro nos ithicanianos agrupados na clareira em frente ao quartel. Água da chuva pingava pela sua nuca, mas, depois de três noites espiando do teto da enorme estrutura de pedra, agora ela mal notava a umidade sem fim.

A população de Guarda Média estava quatro, senão cinco, vezes maior nos últimos dias, homens e mulheres chegando de barco para se juntar às fileiras. Eram civis — ou, pelo menos, tinham sido até as Marés de Guerra começarem —, mas parecia um equívoco chamá-los assim, uma vez que entravam na rotina eficiente de Guarda Média com uma tranquilidade treinada. Até os mais jovens, que não deviam ter mais de quinze anos, aparentavam chegar completamente treinados.

Mesmo assim, os oficiais superiores — que eram todos soldados de carreira da Guarda Média — os faziam realizar exercícios após exercícios, dia e noite, sem deixar nada para o acaso.

E, de tudo que acontecia na calada da noite, Lara era testemunha.

Sair às escondidas da casa de Guarda Média não era muito difícil, apesar do número de guardas que Aren havia posicionado em volta. Primeiro porque ela havia ganhado certa confiança deles depois de salvar a vida de Aren durante a batalha na ilha Serrith, e portanto não desconfiavam mais de intenções nefastas da parte dela. Segundo porque as nuvens de tempestade deixavam as noites escuras, dando a cobertura perfeita para que ela escapasse. E, terceiro, porque os ithicanianos estavam distraídos pelo que viam como uma ameaça muito maior do que uma jovem se banhando em uma fonte termal:

Os amaridianos.

A frota se mantinha perto da costa de Ithicana, embora não tivesse havido nenhum ataque desde Serrith. Eli, a fonte de grande parte das informações de Lara, tinha lhe dito que era improvável que fizessem alguma movimentação antes do tempo melhorar. As águas eram rasas e cheias de rochas e bancos de areia, sem falar nas famosas defesas artificiais de Ithicana, e os ventos imprevisíveis e a má visibilidade não formavam um cenário ideal para o ataque durante o mau tempo.

Mas a tempestade não duraria para sempre, e a Guarda Média fervilhava com a expectativa das batalhas iminentes, o que era bom para os propósitos de Lara.

Ela já estava com a cabeça cheia do que havia aprendido durante sua aventura fora da Guarda Média com Aren, e as últimas três noites haviam proporcionado ainda mais. No lugar onde ficava empoleirada, havia aprendido muito sobre a patrulha da ponte, por dentro e por fora, a localização dos sentinelas nas ilhas ao redor e os sinais que usavam para se comunicar com a Guarda Média, que pelo visto funcionava como um posto de controle central para essa região. Ela havia conhecido os explosivos que usavam para destruir os navios inimigos, disparados por flechas ou lançados por quebra--navios e, se a história que tinha ouvido fosse verdadeira, às vezes plantados à mão na calada da noite.

Ela os havia observado treinar, trabalhando sob a chuva, iluminados apenas pela luz fraca de lamparinas para evitar a atenção de quem estava na água. Corpo a corpo, com lâminas, e com arcos, os piores dentre eles eram no mínimo proficientes. Os melhores... bem, ela não iria querer enfrentar os melhores a menos que fosse necessário. Suas armas eram todas de boa qualidade, todos armados até os dentes, a guarnição estocada com equipamentos de sobra.

Guarda Média era apenas uma peça do quebra-cabeça, mas se servisse de parâmetro, Serin e os outros mestres estavam assustadoramente certos quando diziam a Lara e suas irmãs que Ithicana era impenetrável.

Já quanto ao resto do que haviam aprendido sobre Ithicana... Lara não parava de se questionar. Se questionar sobre o que era verdade e o que era mentira. Questionar aquela narrativa em que todos se diziam vítima, e nenhum dos lados confessava nenhum crime.

Alguém estava mentindo.

Ou todos estavam mentindo. Tirando uma mecha de cabelo molhado do rosto, Lara desejou, não pela primeira vez, ter podido passar um tempo fora do complexo. Tudo que sabia tinha vindo de livros e de seus mestres. Tirando o combate, ela era como uma acadêmica que estudava o mundo mas nunca saía da biblioteca. Era uma limitação, e ela havia apontado isso para Serin inúmeras vezes, testando a paciência dele.

"Não vale o risco", ele retrucava. "Bastaria uma escorregada sua, e tudo pelo qual trabalhamos, lutamos, viria abaixo. O seu desejo por uma viagenzinha vale o risco de perder a única chance que Maridrina tem de escapar do jugo de Ithicana?" Ele nunca esperava resposta, apenas estapeava a bochecha dela e dizia: "Lembre-se do seu propósito".

Mestre Erik havia lhe dado uma resposta diferente quando ela insistiu. "Seu pai é um homem que precisa de controle, baratinha", ele disse, passando uma lâmina por uma pedra de amolar. "Aqui, ele consegue controlar todas as variáveis, mas lá fora..." — ele apontou a arma para o deserto — "o verdadeiro controle foge do poder de um rei. Sua vida é como é por necessidade, minha menina. Mas não será assim para sempre."

Suas palavras a haviam enfurecido na época — uma não resposta vaga, na opinião infantil dela — mas agora... Agora Lara se perguntava se não haveria algo mais profundo ali.

Agora ela se perguntava se a variável que seu pai queria tanto controlar era ela.

A porta principal do quartel abriu e fechou, e Lara prestou atenção quando um vulto alto saiu do prédio com o capuz erguido para se proteger da chuva. Apesar da mesma roupa de todos os soldados, ela soube por instinto que era Aren. Algo no caminhar dele. Na postura dos ombros. No ar de orgulho que ele emanava quando observava as tropas. E algo mais que ela não conseguia identificar...

Ela sabia que seu pai e Serin haviam mentido sobre o rei de Ithicana — embora entendesse o motivo. Era muito mais fácil apunhalar um demônio pelas costas do que trair um homem cujas ações e escolhas eram motivadas pelo desejo de fazer o certo pelo seu povo. Mas ela também sabia que sua terra natal e Ithicana estavam em conflito, e o que salvaria uma condenaria a outra. O bem-estar de seu povo era prioridade, sua missão de dar a eles aquilo que garantiria seu futuro. E, por isso, Aren nunca poderia ser nada para ela além do inimigo.

O rei se aproximou para falar com a mulher que liderava o treinamento dos soldados, e Lara se inclinou para ouvir. Ao fazer isso, um galho escorregou do telhado do quartel, caindo com um baque suave no chão.

Aren virou, levando uma das mãos à arma afivelada na cintura, a outra baixando o capuz.

Lara ficou paralisada. Vestida de preto, estava camuflada na escuridão do telhado. A menos que alguém erguesse uma lanterna para investigar um barulho.

Com a ponta do pé, Aren cutucou o galho e as folhas caídas. Lara desejou em silêncio que ele desviasse o olhar. Não é nada. Apenas folhagem jogada pelo vento. Acontece centenas de vezes por dia. Mas, ao mesmo tempo, ela entendia o sexto sentido que dizia a ele que alguma coisa não estava certa.

— Tragam uma lanterna. E uma escada. Acho que temos cobras no telhado de novo.

Com a pulsação quase explodindo, Lara recuou devagar, os dedos apertando a pedra escorregadia de seu poleiro. Ele ouviria o menor dos barulhos, mas, se ela não se movesse rápido...

Uma trombeta soou ao longe, e os ithicanianos — incluindo Aren — pararam o que estavam fazendo e viraram na direção da água. Outra trombeta, mais perto dessa vez, e Aren acenou bruscamente com a cabeça.

— Os amaridianos estão se movimentando. — Ele começou a gritar ordens, mas Lara não poderia se dar ao luxo de ficar para escutar.

A aurora estava se aproximando, e ela precisava da cobertura da noite para voltar para casa sem ser vista. E tinha que estar lá dentro quando o sol nascesse, ou sua ausência seria percebida.

Na parte de trás do quartel, ela saltou, segurando no galho de uma árvore que precisava muito ser podada. Ela foi subindo de árvore em árvore, depois desceu no meio da selva. Pelo caminho que havia estabelecido na sua primeira noite, chegou à trilha que subia para a casa, se movendo o mais rapidamente que ousava se movimentar na terra lamacenta.

Gorrick e Lia estavam vigiando o exterior e, em silêncio, ela rodeou até encontrar um lugar fora da vista dos dois, depois escalou a parede, rastejou pelo teto e desceu para o pátio. Entrando pela janela entreaberta, rapidamente limpou a terra das botas e das roupas, voltando a colocar tudo no guarda-roupa, onde poderiam secar sem ninguém ver.

Alguém bateu à porta e sacudiu a maçaneta.

— Majestade? Está amanhecendo.

Taryn. Aquela mulher era um maldito relógio. Desde o suposto fracasso dela em vigiar Lara na casa da Vovó, Taryn estava decidida a se redimir monitorando Lara como um falcão. Dormia no corredor em frente da porta de Lara — dormiria na mesma cama que ela, se Lara não tivesse comentado delicadamente que os roncos de Taryn eram tão barulhentos quanto as tempestades.

Se não respondesse, era provável que Taryn arrombasse a porta.

— Já vou!

Colocando um roupão e enrolando uma toalha no cabelo, Lara abriu a porta.

— Tem alguma coisa errada? Ouvi trombetas.

— Amarid — Taryn respondeu vagamente, depois estreitou os olhos. — Por que tem lama no seu rosto?

— Estava tirando agora. Certas lamas são boas para a pele. Limpam os poros.

— Lama? — Taryn franziu a testa, em dúvida, depois fez que não com a cabeça, passando a mão cansada sobre os olhos e entrando no quarto para dar uma olhada geral. — Falei para não deixar a janela aberta. Você está pedindo para acordar com uma cobra embaixo das cobertas.

— Acabei de abrir — Lara mentiu. — Estava abafado aqui dentro.

Taryn olhou embaixo da cama.

— A tempestade passou, então pode sair para pegar um ar fresco. — Depois ela puxou a coberta e praguejou, dando vários passos para trás. — Eu avisei!

Uma pequena cobra, preta com listras amarelas, estava enrolada no meio da cama, sibilando furiosamente para elas. Murmurando, Taryn saiu do quarto e gritou para Eli, que apareceu logo depois com uma vara comprida com um laço de corda na ponta. Ele habilmente apanhou a criatura, o laço apertando o pescoço do animal, depois saiu tão depressa quanto tinha chegado, levando a cobra.

Pelo visto, Lara precisava acrescentar à sua rotina a verificação de cobras no quarto quando voltava de uma missão de reconhecimento.

Mas não havia muito mais a descobrir no telhado do quartel. Ou em Guarda Média, aliás. Era impossível invadir a menos que seu pai conseguisse colocar alguém lá dentro. Idealmente, essa pessoa seria Lara, mas ela pretendia estar muito longe quando Maridrina invadisse, pois sua vida estaria ameaçada tanto pelos soldados de seu pai quanto pelos ithicanianos. Ela, portanto, precisava encontrar outro ponto de entrada para seu pai explorar.

— Vou pregar essa janela. — Taryn deu um passo para o lado para que a tia de Eli pudesse entrar com a bandeja do café da manhã. — Ou então começar a trancar Vitex aqui dentro com você à noite.

A ideia de dormir sob o olhar do gato enorme fez Lara se arrepiar.

— Vou manter fechada. Prometo.

Sentando à mesa, Lara encheu dois pratos de comida e chamou Taryn para se juntar a ela, as duas dando grandes goles nos cafés fumegantes. Elas tinham ficado cada vez mais próximas, Taryn era uma companhia agradável que fazia Lara lembrar das irmãs.

— Amarid já atacou?

— Ainda não. Eles sabem que não têm mais o elemento surpresa, então vão procurar pontos fracos.

— Aren está...

— Ele estará na água, cuidando para que não haja nenhum ponto fraco. Por quê? — Taryn sorriu. — Está com saudade?

Lara deu uma risadinha que poderia ser interpretada como sim ou não, mas as engrenagens giravam em sua cabeça. A ausência de Aren significava que não haveria ninguém em Guarda Média para lhe dizer não.

— Queria pedir uma coisa para ele...

— Ah, é?

— Quero me acostumar com a água.

Taryn parou de mastigar um pedaço de presunto e engoliu na hora.

— As Marés de Guerra não são exatamente o momento ideal para sair velejando sem rumo, Lara.

Lara deu um chute leve nela por baixo da mesa.

— Eu sei. Estava pensando que poderia ficar em um barco na angra. Dessa forma, talvez, até o fim das Marés de Guerra, vou ter me acostumado com a água a ponto de me arriscar sem sujeitar todos ao meu vômito.

Taryn deu outra mordida na carne, com a testa franzida.

— Tem muita movimentação agora...

— Tem algum outro lugar que funcione melhor? Não quero atrapalhar. — E, se houver outro ponto de embarque na ilha, talvez um ponto com menos defesas, isso poderia mitigar a necessidade de encontrar outra entrada para a ponte.

— Nenhum lugar com uma praia de verdade.

Lara suspirou, decepcionada.

— É que me sinto presa. Quero ver mais de Ithicana, mas, com meu enjoo e meu... medo, parece impossível.

Presa como Taryn se sentia. Limitada pelas circunstâncias em relação aos lugares aonde poderia ir e ao que poderia fazer. Lara observou as palavras tocarem a mulher, que baixou o garfo, o olhar distante enquanto refletia.

— Acho que podemos tentar por uma hora e ver se alguém reclama.

Lara sorriu.

—Vou lavar o resto dessa lama do rosto, então podemos ir.

Três horas depois, as duas sentaram em uma canoa que balançava, Lara tentando acompanhar os acontecimentos na angra enquanto, de tempos em tempos, se debruçava na borda para esvaziar as tripas.

Taryn a havia levado para outro edifício, não muito longe do quartel, cheio de uma grande variedade de embarcações que não estavam sendo usadas. Ela havia escolhido uma canoa pequena em que caberiam apenas as duas, tão velha que mal parecia em condições de navegar. Ninguém sentiria falta dessa embarcação em particular. Enquanto elas desciam para a praia, Lara considerou, em silêncio, se poderia levá-la secretamente em sua fuga no futuro.

Ela apoiou os antebraços na beira da canoa, observando a corrente que protegia a embocadura da angra subir para que as embarcações pudessem transportar mercadorias do píer para a costa. Engradados de comida, suprimentos e armas, todos vindos de Harendell. Havia jaulas de galinhas cacarejantes, três porcos vivos e uma dezena de cortes de carne, os movimentos dos ithicanianos escondidos pela névoa densa.

Parecia que as trombetas sinalizadoras nunca paravam de tocar. Sons reverberantes que transmitiam inúmeras mensagens diferentes, a julgar pelas reações variadas que provocavam, e não era algo que poderia ser imitado por um soldado maridriniano não treinado. Lara suspeitava que seu pai fosse precisar alistar músicos caso quisesse usar essa forma de comunicação a seu favor. Dando um gole em um cantil de água, ela esfregou a têmpora latejante enquanto ouvia as notas, tentando memorizar melodias e reações, embora pudesse levar dias, talvez semanas escutando e observando para encontrar sentido nelas.

A canoa tinha virado de costas para as falésias que protegiam a angra do oceano, mas o chacoalhar da água chamou sua atenção, e quando Lara virou, viu uma série de barcos entrando, com Aren no meio.

E Aren também a viu no mesmo instante.

Lara observou a troca de palavras entre ele e Jor, depois a embarcação deles mudou de curso para ir ao encontro delas. Levantando, Aren se segurou no mastro quando os dois barcos ficaram lado a lado.

— Imagino que haja uma explicação interessante para isso...

Taryn levantou, fazendo a canoa balançar, e o estômago de Lara balançou junto.

— Sua majestade acredita que a exposição vai curá-la de seus enjoos.

— Está funcionando?

Taryn apontou para o cardume de peixinhos que rodeava o barco, e Lara sentiu suas bochechas corarem quando os dois riram dela. Então, Aren disse:

— Vá descansar um pouco, Taryn. Vou assumir por um tempo.

O coração de Lara palpitou quando Aren sentou diante dela. Ele esperou até o outro barco estar quase na praia antes de perguntar:

— Por que exatamente você se voluntariou para esse sofrimento?

Lara olhou para o fundo da canoa com uma pequena rachadura por onde entrava um pouco de água.

— Porque, se eu não aprender a dominar o mar, nunca vou conseguir ir a lugar nenhum com você.

— Dominar? — Ele se inclinou para a frente, e ela involuntariamente encarou os lábios dele, ficando corada ao lembrar dos beijos que trocaram.

— Talvez "tolerar" seja uma palavra melhor — ela murmurou, notando um arranhão feio na parte interna do antebraço de Aren.

— Você se machucou.

— Não é nada. Me meti em uma briga com uma rocha, e a rocha saiu ganhando.

Em parte estava com medo de se aproximar do rei, já consciente de que, na presença dele, parava de ver e ouvir o que acontecia ao redor. Mas Lara disse a si mesma que Aren também era uma das chaves de Ithicana, e ela não podia fugir disso.

— Deixe-me dar uma olhada.

Ele se ajeitou e se aproximou, desafivelando a greva que protegia a parte de trás do braço.

—Viu? Não é nada de mais.

— Precisa de um curativo mesmo assim.

Não precisava. Os dois sabiam disso. Mas isso não a impediu de pegar o pulso dele. Nem o impediu de dar a ela bálsamo e um rolo de tecido. O barco balançou em uma série de ondas maiores, o joelho de Aren batendo na lateral da coxa dela, fazendo uma onda de calor subir por sua perna, enchendo-a de uma sensação que definitivamente a distraía.

Obrigando-se a manter a atenção no ferimento, Lara tirou pedacinhos de rocha, passou bálsamo nos pontos sensíveis, depois envolveu o curativo com cuidado, mas era impossível não notar como a respiração dele soprava os fios de cabelo errantes na testa dela. A maneira como os músculos do antebraço dele flexionavam quando ele se mexia. A forma como a outra mão dele roçou em seu quadril quando ele se segurou na lateral da canoa.

—Você é experiente nas artes da cura.

— Qualquer idiota consegue enrolar um curativo em um braço.

— Estava falando mais sobre o que fez em Serrith.

Lara deu de ombros, amarrando o curativo.

— Todas as mulheres maridrinianas devem ser capazes de remendar os maridos. Recebi o treinamento adequado.

— Treinar pontos em um tecido não é a mesma coisa que passar agulha e fio na pele ensanguentada de uma pessoa. Quase desmaiei na primeira vez que tive que fazer isso.

Lara sorriu e desfez o nó do curativo, insatisfeita.

— Mulheres não podem se dar ao luxo de serem frescas, majestade.

— Você está fugindo da pergunta, majestade. — A voz dele era leve, provocativa, mas ela sentiu um tom de seriedade no fundo, como se ele estivesse procurando uma mentira.

— Eu e minhas irmãs treinávamos nos servos e guardas sempre que havia um ferimento. Nos cavalos e camelos também.

Essa era a verdade. O que ela não contou era que seu verdadeiro treinamento foi de tentar salvar a vida dos guerreiros valcottanos que ela e suas irmãs combatiam no pátio de treinamento. Tinha sido uma forma perversa de aprendizado. Em um momento, tentar tirar a vida de um homem. No outro, tentar salvá-la. Para então tirar novamente.

— É uma habilidade útil para se ter por aqui. Isto é, se você estiver disposta.

Afivelando a greva sobre o curativo, o dorso da mão dela roçou na palma da mão de Aren, e ele a segurou. Ela perdeu a linha de raciocínio.

— Ajudarei como puder. Eles são meu povo agora.

A expressão dele se suavizou.

— São mesmo.

Os dois se sobressaltaram quando algo bateu bruscamente no casco da canoa. Quando levantou o rosto, Lara viu Jor em pé no barco perto deles com um remo na mão.

— Está pronto?

— Para o quê?

O homem mais velho lançou um olhar incrédulo para ele.

— As trombetas, Aren. Amarid está indo para o sul.

Lara não tinha ouvido nenhuma trombeta tocar. Não tinha visto a outra canoa se aproximar. Não tinha notado coisa nenhuma enquanto enfaixava aquele braço. E, pelo visto, Aren também não.

Ele pulou na outra embarcação, fazendo as duas balançarem, e, então, eles partiram em direção à entrada da angra. Lara os encarou, e, por fim, gritou:

— Como vou voltar para a praia?

—Você tem um remo — ele respondeu, um sorriso desvairado no rosto enquanto o vento bagunçava seu cabelo. — Faça bom proveito!

Dali em diante, formou-se uma rotina em que Lara e Taryn desciam depois do café da manhã para flutuar na água, fizesse chuva ou sol. A princípio, era um sofrimento, os balanços incessantes para cima e para baixo faziam a cabeça de Lara girar e seu estômago se revirar, mas aos poucos o enjoo foi começando a passar, assim como a onda de medo que ela sentia ao sair da terra firme para entrar no barco.

As invasões eram incessantes, e a música das trombetas era tão constante que parecia uma canção de guerra infinita. Aren e seus soldados estavam o tempo todo se movimentando, rechaçando os invasores, reforçando defesas e garantindo que os inúmeros postos avançados e estações de vigia estivessem bem abastecidos. Muitas vezes, suas excursões se transformavam em confrontos, os barcos voltando cheios de pessoas feridas, e o resto abatido e exausto.

Os mais graves iam para as dezenas de curandeiros posicionados em Guarda Média, mas os que precisavam apenas de pontos ou curativos eram deixados no barco de Lara. Com frequência, ela precisava atender Aren, e apenas nesses momentos Taryn saía do lado dela.

— Estou começando a me perguntar — ela disse, segurando uma sanguessuga para aplicar no inchaço da bochecha dele e sorrindo ao vê-lo se retrair por causa da criatura —, se você está tentando se machucar de propósito ou se é apenas inepto.

Ele se crispou quando ela tirou outra sanguessuga do pote.

— Tem uma terceira opção?

— Fique parado. — Lara aplicou a sanguessuga como os curandeiros haviam ensinado, admirada pelo resultado quase instantâneo e recolhendo as criaturas inchadas que caíam nas mãos dela ao terminarem.

Além dos materiais, os curandeiros haviam insistido que dessem um barco melhor para ela, devolvendo a pequena canoa para a doca seca. Lara vinha saindo à noite, às escondidas, para ir lentamente com a embarcação até o esconderijo que havia escolhido perto das falésias, levando diversos materiais roubados, para facilitar sua fuga quando chegasse o momento.

— Você parece estar se dando melhor com a água.

— O enjoo passou. Mas acho que talvez seja diferente no mar aberto, onde as ondas são maiores.

— Talvez um dia possamos testar essa teoria.

Um dia. Ou seja, não tão cedo. Foi difícil se controlar para não fechar a cara, porque ela estava ficando sem ideias para conquistá-lo. Tinha conquistado o desejo dele, isso estava claro pela forma como ele olhava o decote frouxo de sua túnica. Conquistar a confiança, porém, estava se revelando um desafio maior.

Ela havia pensado, por um tempo, que era porque ainda não haviam consumado o casamento. Que talvez ele precisasse desse passo para lhe entregar as chaves metafóricas do reino, mas ela já havia descartado essa teoria. Julgando pelos comentários descontraídos

dos soldados, Aren não era inexperiente com mulheres, então seria preciso mais do que habilidades na cama para fazer com que ele caísse de amores por ela.

E seria preciso mais do que uma paixonite para fazer com que ele confiasse nela.

Afinal, Aren podia até se apaixonar por ela, mas amava seu povo acima de tudo. E só confiaria em Lara se acreditasse que ela era tão leal ao povo de Ithicana quanto ele.

— Não sei se essa sanguessuga merece tanta atenção. — A voz de Aren arrancou Lara de seus pensamentos, e ela balançou a cabeça, percebendo que estava observando a criatura rastejante que se contorcia em sua mão por tempo demais.

— Elas acabaram de devolver esse seu rostinho bonito para você, então talvez seja bom tratá-las com respeito.

Aren sorriu e Lara percebeu o que havia dito. Com todos os outros, ela era estratégica, mas Aren a deixava nervosa. As coisas escapuliam quando ele estava por perto.

— Vai chover hoje à noite. Pensei que poderia aproveitar a oportunidade para um jantar decente em casa. Com você.

O rosto dela queimava, o coração batia desenfreado no peito.

— Hoje?

Ele desviou o olhar.

— Minha capacidade de prever o tempo tem limites. Mas, sim, hoje parece promissor.

Aceite!, uma voz dentro dela gritou. Faça o que precisa ser feito. Mas a sós com ele... Lara não sabia ao certo o que aconteceria. Ou, melhor, sabia e queria evitar a todo custo.

Não porque não quisesse beijá-lo, porque definitivamente queria.

E não porque não quisesse que Aren tirasse suas roupas, porque, nossa, já havia imaginado isso, e não apenas uma vez.

Era justamente por querer isso tudo que precisava evitar a situação. Traí-lo já estava se mostrando uma tarefa difícil demais.

Trombetas soaram e, dessa vez, o ritmo não era musical, mas um clangor reverberante e ansioso que cortou seus ouvidos. Aren se empertigou, sua expressão atenta.

— O que é isso? — ela questionou.

— Aela.

— Quem?

— É uma das ilhas sob a guarda de Kestark. Está sendo atacada.

— Kestark?

— A guarnição ao sul. — Seus olhos estavam distantes, escutando. — Mas o posto avançado de Aela está pedindo o auxílio de Guarda Média.

Soldados já estavam descendo à praia, colocando barcos na água. Outras trombetas soaram, e o rosto de Aren empalideceu.

— O que está acontecendo?

— O quebra-navios deles emperrou. — Ele levantou, fazendo sinal para os guardas, que remavam com força na direção deles. — O posto avançado será massacrado. Amarid tomará a ilha, e será um pesadelo tirá-los de lá.

A mente de Lara acelerou, decidindo seguir um plano que se formava na cabeça dela naquele momento. Então pegou a mão de Aren.

— Me leve com você. Se eles estiverem feridos, eu posso ajudar.

— É para isso que servem os curandeiros.

— Cinco estão em outros lugares, dois estão feridos. Restam apenas cinco para você levar. Não é o suficiente para cuidar de um massacre.

— Outros virão.

O barco estava a poucos metros. Lara tinha segundos para convencê-lo.

— E quantas pessoas morrerão até eles chegarem? — Ela entrelaçou seus dedos nos dele com força. — Eu posso ajudá-los.

A indecisão ricocheteou pelo rosto de Aren, então ele assentiu.

— Siga ordens. Sem discutir. — O outro barco chegou, e ele puxou Lara e sua caixa de materiais. — Vamos!

Remos os levaram na direção da abertura, a corrente já levantada, o oceano coberto de cristas brancas. Bravio e imprevisível. Um arrepio de medo desceu pela espinha de Lara enquanto ela sentava no fundo do barco.

— Hora de colocar seu experimento à prova — Aren disse enquanto eles passavam pelas falésias monumentais, a embarcação subindo e descendo no momento em que chegaram ao mar aberto.

— A Aela! — Jor vociferou. — Vamos dar a esses amaridianos um gostinho do aço da Guarda Média!

— A Aela! — Os soldados nas outras embarcações ecoaram o grito e, atrás deles, trombetas soaram sobre a água.

Não a reverberação musical de um sinal, mas um toque violento de fúria.

Um grito de guerra.

22
LARA

Os barcos mal pareciam tocar a água enquanto deslizavam sobre o mar, um vento batendo forte vindo do norte e enchendo as velas. O coração de Lara estava na garganta, mas, com a náusea sob controle, ela conseguiu estudar a ponte enquanto eles seguiam a grande extensão da estrutura cinza rumo ao sul, os olhos identificando os batedores em cima dela e os vislumbres de lunetas nas ilhas de cada lado.

— Quanto tempo até chegarmos a Aela? — ela gritou em meio ao vento.

— Não muito — Aren respondeu. — As equipes de Guarda Média mais próximas já estarão lá.

O tempo parecia passar rápido e ao mesmo tempo devagar. Mil detalhes encheram a mente dela enquanto seu coração entrava no ritmo acelerado e constante que precedia uma batalha. *Você não está aqui para lutar*, ela disse a si mesma. *Está aqui para observar, fingindo ajudar os curandeiros, nada mais*. As palavras não ajudaram muito a acalmar sua ansiedade.

Quando cercaram a enorme torre cárstica de calcário, todos os ithicanianos tiraram as máscaras dos cintos e as vestiram. As armas em punho. Os olhos atentos.

Então ela viu.

Era um navio maior do que todos que ela já tinha visto, uma monstruosidade gigantesca de três mastros da altura da ponte. Ela notou a bandeira amaridiana e inúmeros soldados correndo pelo convés. Mais adiante, meia dúzia de escaleres se movia na direção da praia estreita, onde uma batalha já estava sendo travada, a areia ensopada de sangue.

Ela logo viu o que fez os amaridianos escolherem a ilha Aela, além do embarque relativamente fácil que a praia oferecia. Havia um píer na costa ocidental, a ponte se curvando para dentro da ilha antes de voltar para o mar. E, se os ithicanianos estavam lutando tanto para defendê-la, ela apostava que aquele píer tinha uma abertura na base.

— Há quantos homens naquele navio?
— Quatrocentos — Jor respondeu. — Talvez um pouco mais.
— E nós?

Ninguém respondeu.

Aren puxou a mão dela.

— Está vendo a linha de rochas e árvores? — Ele apontou. — Vamos levar você e os outros curandeiros para trás dela. Você ficará lá, esperando os feridos, entendeu?

— Sim.

Ele apertou a mão dela com mais força.

— Mantenha o capuz erguido para que os amaridianos não a reconheçam. E, se as coisas derem errado, vá com os outros curandeiros. Eles sabem como bater em retirada.

E ela apostava que a retirada era por dentro da ponte. Mas confirmar essa informação não valia a vida de Aren.

Seu coração não batia mais em ritmo constante, mas sim como uma fera selvagem e caótica.

— Não deixe tudo dar errado — ela sussurrou. — Preciso que ganhe isso.

Mas Aren já estava gritando ordens.

— Derrubem aqueles escaleres. O restante, para a praia!

Os barcos cercaram o navio enorme, o ar cheio de flechas disparadas de ambos os lados. Aren ajoelhou no barco perto dela, esvaziando uma aljava nas costas dos amaridianos que entravam nos escaleres, os corpos caindo na água. Os dedos de Lara coçaram para pegar uma arma, para lutar, mas ela se forçou a se encolher no barco, recuando toda vez que uma flecha acertava a madeira grossa.

Então eles passaram pelo navio.

Quatro embarcações ithicanianas desviaram do bando, saltando pela rebentação para bater nos escaleres cheios de soldados que se dirigiam à costa. Madeira se lascou e rachou, homens caindo na água. Os ithicanianos embarcaram nos escaleres com uma elegância letal, lâminas cintilando, o sol fazendo os jatos de sangue faíscarem.

O restante dos barcos se dirigia à carnificina na praia. Havia corpos por toda parte, a areia mais vermelha do que branca. Uns vinte ithicanianos mantinham o inimigo na linha-d'água, usando o acesso estreito e o terreno mais elevado a seu favor, mas já estavam recuando, cedendo ao massacre amaridiano.

Eles precisavam se apressar, ou a ilha seria perdida.

Os barcos da Guarda Média baixaram as velas, navegando sobre as ondas enquanto se lançavam sobre a praia. No último segundo, Aren pegou a mão de Lara.

— Pule! — ele gritou.

Lara saltou, as botas se afundando na areia, o impulso quase a fazendo cair estatelada. Então correram na direção dos amaridianos, que agora estavam espremidos entre as duas forças.

Gritos cortaram o ar, corpos e membros caindo na areia. O fedor de sangue e tripas abertas era opressivo. Lara apertou a caixa de materiais, mantendo-se atrás de Aren enquanto ele subia a colina, passando por cima das vítimas no caminho. As armas dos soldados caídos cobriam a areia, e todos os seus instintos falavam para ela pegar uma. Para ela lutar.

Você não pode, ela ordenou. *A menos que não tenha escolha.*

Mas a guerreira dentro dela se rebelou contra a restrição, tanto que, quando um soldado passou pela linha ithicaniana, ela bateu a caixa de materiais na cara dele, observando com satisfação o homem cambalear para trás, a ponta da lâmina de Aren atravessando seu peito.

O rei de Ithicana usou um pé para tirar o cadáver de sua arma, o couro da máscara dele sujo de vísceras. Pegando a mão dela, Aren a puxou para correr, desviando dos poucos amaridianos que estavam de joelhos, suplicando para viver.

— Não tenham piedade! — ele gritou, depois puxou Lara para trás de vários pedregulhos.

Uma ithicaniana mais velha, o rosto abatido, as roupas ensopadas de sangue, estava fechando as pálpebras de um rapaz com o corpo marcado por várias feridas mortais. Três outros soldados jaziam no chão, os ferimentos enfaixados, os rostos tensos de dor.

A curandeira ficou surpresa ao ver o rei.

— Explique para Lara o que precisa que ela faça — Aren disse a ela. Em seguida, voltou para a rocha, gritando: — Taryn, bote aquele quebra-navio para funcionar e afunde aquele desgraçado!

Os curandeiros de Guarda Média apareceram, suas escoltas já tendo os abandonado.

— O que quer que eu faça? — Lara perguntou.

— Espere trazerem os feridos. O que você tem de materiais? Estou com poucos.

Lara entregou a caixa para ela, depois subiu por trás de um dos pedregulhos para assistir à batalha que se desenrolava lá embaixo. Seu sangue gelou com a visão.

Aren estava na praia com cerca de cem ithicanianos, mas, à frente, a água estava cheia de escaleres. Dezenas, todos lotados de soldados fortemente armados, e outros ainda aguardavam o desembarque no convés do navio. Havia centenas de homens. E nenhuma maneira de detê-los.

Os ithicanianos disparavam contra os que estavam na linha de frente, mas não demorou para ficarem sem flechas, sem restar nada para fazerem além de esperar.

A curandeira velha havia subido perto dela, o rosto carregado ao avaliar a cena.

Lara cravou as unhas na rocha.

— Não vamos conseguir vencer. Não com esses números.

— Já ganhamos batalhas piores. Mas esta vai nos custar.

Seria uma vitória mesmo se todos estivessem mortos?, Lara pensou.

Isso deve ter transparecido em seu rosto, porque a velha suspirou.

— Vossa majestade já viu uma batalha?

Lara engoliu em seco.

— Não igual a esta.

— Eu diria para se preparar, mas é impossível. — A velha segurou a mão de Lara. — Esse momento vai mudar você. — Então ela desceu para se juntar aos curandeiros de Guarda Média.

Caiu um silêncio perturbador sobre a cena, e os únicos sons eram o barulho da rebentação e um ou outro grito de dor dos feridos abandonados na praia até o fim da batalha. Tão silencioso. Silencioso demais.

Então os primeiros escaleres chegaram à praia, e tudo mergulhou em caos.

As duas forças colidiram, o ar se enchendo de gritos e berros, o choque de metal contra metal e armas contra carne.

Várias hordas de barcos entraram na praia, as embarcações pesadas esmagando e matando amaridianos e ithicanianos, a linha-d'água uma massa cheia de humanos. Os marinheiros tentavam recuar para o navio para buscar outros soldados, mas os homens de Aren se lançavam contra os marinheiros, abatendo todos. Puxando os barcos para a areia.

Mesmo assim, outros vinham.

Os ithicanianos lutavam com uma eficiência feroz, mais bem treinados e armados, mas em menor número. Lutavam até ser impossível ficar de pé, sendo feridos diversas vezes até caírem na praia ou serem puxados pelas ondas, já carregadas de sangue e corpos.

E o inimigo não parava de vir.

Era a oportunidade perfeita para sair de fininho. Para olhar o píer da ponte e avaliar se poderia usá-lo em sua estratégia, mas o corpo dela permanecia enraizado no lugar.

Você precisa fazer alguma coisa. A voz se ergueu das profundezas da mente de Lara, incessante e tenaz. *Faça alguma coisa. Faça alguma coisa.*

Mas o que poderia fazer? Não havia feridos atrás das pedras para ela cuidar, e só haveria quando a batalha acabasse. Ela poderia pegar uma arma e lutar, mas essas não eram as mesmas circunstâncias de Serrith. Nessa loucura, ela não teria como virar a maré.

Faça alguma coisa.

Olhou para os feridos que sangravam na praia, afogavam-se nas ondas. E, quando deu por si, estava correndo pelas pedras.

Lara era a mais rápida entre suas irmãs — feita para correr, mestre Erik sempre dizia. E, naquele momento, correu como nunca.

Suas coxas ardiam conforme descia a praia, movendo os braços, os olhos fixos no alvo. Parando perto de uma jovem que havia levado duas flechas nas costas e uma na coxa, Lara agachou, a pegou nos ombros e correu de volta para seu posto nas pedras.

Cercando-os, Lara depositou a soldada ferida com cuidado no chão à frente dos curandeiros surpresos.

— Ajudem-na.

Então correu de novo para a praia.

Era preciso escolher os que tinham chance de sobreviver. A essa altura, a maioria dos que estavam mais acima da praia estava desenganada, olhos inexpressivos encarando o céu cinza.

Por isso, ela foi se aproximando da batalha.

Os soldados em condições lutavam sobre os corpos caídos. Amaridianos e ithicanianos, ambos emaranhados no caos de braços e pernas, mãos mortas parecendo segurar os tornozelos para derrubar os inimigos sob as ondas carmesim que empurravam e puxavam a carnificina.

Quase todos no chão estavam mortos. Fosse pelos ferimentos originais ou por terem sido esmagados e afogados, mesmo assim Lara rondou por trás da linha ithicaniana, a água enchendo suas botas enquanto procurava.

— Para trás — alguém gritou para a rainha, que ignorou, avistando um homem, mais jovem do que ela, se afogando enquanto tentava sair da batalha, ondas engolindo a cabeça dele, botas pisando em suas costas.

Lara mergulhou e puxou a mão do homem com força para tirá-lo da água.

Alguém chutou as costelas dela.

Outra pessoa pisou na parte de trás de sua perna, e ela gritou.

Estavam caindo em cima dela, enterrando-a na areia, mas o menino estava olhando para ela, e ela, para ele, se recusando a soltá-lo.

Centímetro por centímetro, ela foi puxando-o para trás, depois alguém agarrou seu cinto e a tirou da água junto com o soldado.

— O que está fazendo?

A voz de Aren; seu rosto escondido atrás da máscara.

Virando para trás, ela viu um amaridiano erguendo uma clava. Pegou uma pedra e atirou com força, esmagando a cara do soldado.

— Lute — ela gritou para Aren, depois levantou com dificuldade.

Segurando o menino ferido embaixo do braço, ela o arrastou para a praia, para fora do perigo. Depois mergulhou de novo na carnificina.

Os ithicanianos viram o que ela estava fazendo e tentaram lhe dar brechas para agir. Chamavam seu nome quando alguém caía e, quando não podiam parar de lutar, protegiam-na.

E o inimigo continuava avançando.

Forçando-os a subir para a areia.

Passo a passo, os ithicanianos recuaram, e Lara uivou de fúria, porque todas as pessoas que ela havia puxado para a praia corriam o risco de ser pisoteadas novamente. Seu corpo gritava de dor e exaustão, uma cãibra na barriga enquanto os pulmões arquejavam para abastecer seu coração trovejante.

Então um estrondo familiar ecoou pela ilha e algo grande passou voando.

O barulho de madeira lascada e gritos chegaram do alto-mar, e Lara viu um enorme buraco na lateral do navio. Alguém havia consertado o quebra-navios.

Outro estrondo e, dessa vez, o projétil atingiu um dos mastros, despedaçando-o e jogando-o para o lado, as cordas e velas tombando no convés.

Outro estrondo, e mais um buraco se abriu no casco, água entrando a cada onda.

A arma não parou. Pedras eram atiradas no navio, então Taryn se voltou contra os escaleres, acertando-os com uma precisão mortal.

Os amaridianos começaram a entrar em pânico, desfalcando as fileiras enquanto lutavam para salvar a própria pele. Não havia como bater em retirada, e os ithicanianos não tinham piedade.

— Por Ithicana! — alguém vociferou, e o coro percorreu a praia até abafar todos os outros barulhos enquanto os soldados se posicionavam em volta do rei, avançando.

Por isso, não havia ninguém para ouvir quando Lara sussurrou "Por Maridrina" e voltou a mergulhar no caos.

23
AREN

Aren encontrou Lara agachada perto de uma poça de maré, lavando o sangue das mãos e dos braços. Sua roupa estava encharcada de sangue e, quando ela ergueu o rosto, ele notou linhas vermelhas em suas bochechas no ponto em que ela havia ajeitado os fios de cabelo soltos da trança.

Seus soldados estavam comentando sobre ela e, pela primeira vez, não a chamavam de maridriniana inútil que não prestava para nada além de sexo. Aquele dia havia mudado isso. Ela havia corrido para a praia repetidas vezes para puxar ithicanianos feridos para uma zona segura, sem parecer se preocupar com a própria vida enquanto amaridianos avançavam no combate, a batalha tensa e desesperada.

E, depois da vitória, ela havia tratado os feridos com rapidez e eficiência, estancando ferimentos e amarrando torniquetes, ganhando tempo até que os curandeiros chegassem. Salvando vidas, um soldado por vez, o rosto firme de determinação.

Naquele dia ela havia ganhado o respeito de Ithicana.

E o dele.

—Você está bem? — Aren agachou para molhar as mãos.

Ele já tinha feito isso antes, mas sua pele ainda estava pegajosa e suja.

— Cansada. — Ela sentou, olhando para os cadáveres que flutuavam em meio aos escombros do navio estilhaçado, a água ainda carmesim. — Quantos morreram?

— Quarenta e três. Outros dez não devem sobreviver a esta noite.

Lara fechou os olhos, depois abriu.

— São tantos.

—Teriam sido mais se você não tivesse me convencido a trazê--la. Ou se não tivesse ignorado minhas ordens. — Ele não acrescentou que havia passado boa parte da batalha com medo de que ela acabasse morta na areia, com uma espada amaridiana nas costas.

— Sinto que não fiz nada no quadro geral — ela murmurou.

— Acho que os homens e mulheres cujas vidas você salvou discordam.

—Vidas que salvei. — Ela balançou a cabeça. — É melhor eu voltar para ajudar.

Aren segurou seu punho enquanto ela se levantava, os dedos envolvendo os ossos finos, que pareciam delicados demais para terem feito o que ela fez.

— Precisamos ir.

— Ir? — Manchas de raiva surgiram nas bochechas de Lara. — Não podemos deixá-los assim.

Ele também não queria abandonar a praia ou os feridos, mas a defesa do reino era uma máquina finamente calibrada com milhares de peças diferentes. Tirar uma do lugar, mesmo que por poucas horas, colocava todo o mecanismo em risco e, no momento, sua peça estava muito deslocada.

— Tirei números significativos da defesa de Guarda Média e das ilhas ao redor. Precisamos voltar.

— Não. — Ela se soltou. — Menos de dez soldados aqui estão ilesos. Não podemos deixá-los desprotegidos. E se os amaridianos atacarem de novo?

Pelo canto do olho, Aren conseguia ver sua guarda perto dos barcos, Jor lançando um olhar incisivo para ele. Várias das outras equipes de Guarda Média estavam prontas na praia, esperando sua ordem para partir.

— Não há navios amaridianos no horizonte, e os reforços já estão a caminho. Chegarão em menos de uma hora.

— Não sairei daqui até eles chegarem.

Ela cruzou os braços, e ocorreu a Aren que talvez tivesse que arrastar essa mulher que todos os soldados daquela praia estavam tratando como heroína para o barco se quisesse partir; não era exatamente a imagem que gostaria de passar para eles.

Bufando, Aren tirou uma faca do cinto e ajoelhou na areia, traçando uma linha serpenteante para representar a ponte.

— A defesa da ponte é dividida em seções lideradas pelos comandantes da Guarda, cada uma com uma subdivisão do exército ithicaniano sob seu comando. A guarnição da Guarda Média está aqui — ele fez um buraco na areia — e a guarnição de Kestark está aqui. Quatro navios amaridianos estavam fazendo movimentos para atacar aqui. — Ele fez quatro buracos ao sul da ilha Kestark.

— Os curandeiros podem precisar da minha ajuda — Lara interrompeu. — Então talvez seja bom ir direto ao assunto.

— Já chego lá — ele resmungou, torcendo para que uma explicação complexa a convencesse a partir em vez de gerar perguntas. — Kestark moveu suas reservas para reforçar os lugares que tinham mais chances de serem atacados, ao mesmo tempo que os amaridianos atacaram aqui na ilha Aela. Kestark não podia correr o risco de recuar suas reservas ou voltar a empregar as equipes que compunham a rede de defesa por aqui — ele fez um círculo —, por isso pediram a ajuda de Guarda Média. Mas agora Guarda Média está sem a maior parte de suas reservas, então, se houver algum ataque aqui — ele fez outro círculo —, não conseguiremos chegar a tempo de ajudar.

Lara encarou o desenho, nitidamente confusa. Então apertou as têmporas com os dedos.

— Pelo amor de Deus, Aren, nada disso justifica abandonar esses soldados. — Ela começou a recuar, mas ele a puxou de volta.

— Escute. Os quatro navios amaridianos que pensamos que atacariam recuaram, provavelmente porque viram que não seria uma luta fácil, e foram para o leste, onde nossos batedores não enxergam. Então agora haverá uma onda de sinais, com equipes se movendo uma posição para norte e oeste a fim de permitir que as equipes de Kestark cheguem mais perto de nós para fornecer reforço. Como eu disse, eles chegarão em menos de uma hora.

— Certo. — Ela virou as costas e subiu pela faixa de areia até onde os feridos estavam.

— Mulher insuportável — ele murmurou, e um assobio chamou sua atenção.

Jor gesticulou para dois barcos de Kestark se aproximando por uma rajada violenta de vento com cheiro de chuva. O rei queria que Lara visse os barcos, mas ela já estava longe.

Resmungando alguns palavrões, ele foi até a água.

—Vão vocês. Quero todos de volta à Guarda Média antes que essa tempestade comece.

Seus soldados saíram da praia imediatamente, mas a atenção dele estava em Lara caminhando entre os feridos, agachando-se vez ou outra para falar com alguns. O vento forte soprava os fios soltos de seu cabelo, a luz do sol poente fazendo-o brilhar como fios de mel. Seus soldados abriam espaço para ela, inclinavam a cabeça para ela. Demonstravam respeito.

A imagem se justapôs com aquela dela subindo a estrada da Guarda Sul no braço do pai, vestida de seda e com os olhos esbugalhados: o retrato de uma rainha que ele temia que Ithicana nunca iria aceitar. Ele descobriu que estava enganado.

— E quando você vai partir, majestade? — Jor perguntou, aproximando-se dele. — Quando sua mulherzinha disser que é hora de ir?

—Vamos quando a rainha de Ithicana disser que é hora de ir.

O mais velho riu baixo, depois apertou o ombro dele.

O primeiro dos barcos de Kestark chegou à costa, e Aren reconheceu o comandante Aster quando o homem o encarou, enchendo-se de apreensão.

— Majestade. Não sabia que você viria.

— A vantagem de estar na guarnição de Guarda Média. Onde eu deveria estar.

Aster empalideceu, e com razão. Se estava chegando agora significava que não estava na guarnição de Kestark, nem mesmo com o grosso de suas forças rechaçando o ataque antecipado. E Aren sabia exatamente por quê.

— Como você pode ver, comandante, as coisas não correram bem para Ithicana hoje. Aela é um ponto fraco, seu posto avançado estava com poucos homens, e o quebra-navios não era recalibrado desde a estação de tempestades, tornando todos aqui alvos fáceis para um navio cheio de amaridianos.

— Nossas inspeções atrasaram, majestade — Aster interrompeu. — A estação começou cedo...

— O que não explica por que você mobilizou um exército de forças para o sudeste e deixou a extremidade norte exposta. Tem alguma explicação para isso?

— Eram quatro navios de guerra. Precisávamos estar prontos para defender...

— Para defender uma série de ilhas que não seriam alvo nem se os amaridianos avançassem com vinte navios! — Aren rosnou.

— Se você tivesse prestado atenção, saberia. Então acho que estava distraído quando deu a ordem.

— Eu não estava distraído, majestade. Comando Kestark desde que você era um moleque.

— E mesmo assim... — Aren apontou para as várias fileiras de homens mortos com os olhos vidrados para o céu. Então se inclinou para a frente. — As evacuações foram finalizadas, o que significa que sua linda esposa e seus filhos estão seguros em Eranahl, dando a você todo o tempo do mundo para foder sua amante na casa que sei que você construiu para ela a oeste daqui.

O maxilar de Aster ficou tenso, mas ele não negou. Não poderia negar diante da própria guarda pessoal que estava perto de seus barcos, escutando tudo. Então olhou para trás de Aren.

— O que ela está fazendo aqui?

Aren viu Lara às suas costas, com uma oficial sobrevivente — uma menina de apenas dezoito anos — no ombro. Quando ele ia defender a presença de Lara, a menina foi mais rápida.

— Com todo o respeito, comandante, mas muitos outros estariam mortos se nossa rainha não tivesse vindo.

Lara não disse nada, mas encarava Aster de cima a baixo com os olhos azuis frios e fulminantes. Então encarou Aren e assentiu.

— Chega de erros, comandante. — Aren pegou o braço dela e deu um passo na direção do barco onde sua guarda pessoal esperava. — E faça um favor a todos e mantenha seu pau dentro da calça e seus olhos no inimigo durante o restante das Marés de Guerra.

— Meus olhos estão no inimigo. Bem aí do seu lado.

Perdendo a calma, Aren virou e deu um soco na cara de Aster, que apagou. Então se voltou para a jovem soldada.

— Você acabou de ser promovida a comandante interina de Kestark até outro ser escolhido. Avise-me se alguém lhe der trabalho.

Lara ajudou Aren e sua guarda a tirar o barco da água, depois subiu, sentando no lugar de sempre, onde menos atrapalharia os demais na pequena embarcação. Aren sentou perto, mas não havia espaço para conversa, todos forçados a remar com força para passar pela arrebentação, o vento contra eles.

A chuva estava chegando com força do norte, raios dançando pelo céu cada vez mais escuro, e a embarcação subia e descia nas ondas crescentes a cada minuto que passava. Lara estava de costas para ele, mas Aren conseguia sentir o medo que emanava dela, os dedos brancos enquanto apertava a beira do barco. Ela manteve a compostura até uma rajada estranha soprar a vela. Lia e Gorrick puxavam os cordames com o próprio peso, e isso era a única coisa que os impedia de virar. O movimento arrancou um grito gutural dela. Lara tinha se lançado na batalha desarmada, mas o mar... era o que a aterrorizava. E Aren se recusou a sujeitá-la a isso.

— Precisamos sair da água! — ele gritou para Jor, cuspindo um bocado de água do mar quando uma onda os banhou.

Jor fez sinal para o barco que carregava o restante de sua guarda, depois observou os arredores e apontou.

Com as velas baixas, eles navegaram com força para um dos inúmeros pontos de embarque escondidos por toda Ithicana.

A chuva caiu como um dilúvio, tornando impossível ver um palmo à frente enquanto eles serpenteavam entre duas torres de calcário em uma angra minúscula com falésias por todos os lados. Do alto de uma das falésias, duas vigas pesadas de madeira se estendiam sobre a água, cordas com ganchos pendurados em cada uma delas. Lia saltou, pegando um dos ganchos e prendendo-o na argola instalada na popa do barco.

Aren passou o remo para Lara, que estava pálida.

— Se chegarmos perto demais das paredes, empurre o barco para o outro lado.

Ela assentiu, empunhando o remo de madeira como uma arma. Atrás dele, Taryn esperou até o barco virar para o ângulo certo, então pulou, segurando uma corda pendurada na falésia e escalando rapidamente até o topo.

— Aren, venha aqui ajudar. — Jor e Gorrick haviam tirado o pino que prendia o mastro e estavam com dificuldade para deslocá-lo da base.

Aren pulou um banco, depois apanhou o mastro e acrescentou sua força ao esforço. O mastro saiu exatamente quando uma onda violenta ergueu o barco, jogando Gorrick com o mastro na água.

Aren se estatelou com a bunda no chão, e apenas Jor ficou em pé, balançando a cabeça, indignado.

— Por que isso nunca fica mais fácil? — Ele se abaixou e tirou a outra linha do barco, enquanto Aren ajudava Gorrick na água a bater o mastro lateral.

Uma eternidade exaustiva depois, eles finalmente puxaram o segundo barco para a costa com o guincho, amarrando-o, o grupo rodeando a curva na pedra onde o abrigo esperava.

Era uma bênção como o interior do edifício de pedra estava seco e sem vento. Depois de designar dois dos homens para vigiar primeiro, Aren fechou a porta de madeira com mais força do que o necessário. Inevitavelmente, olhou para Lara, que estava no centro da sala segurando a sacola de materiais.

— Existem muitos lugares como esse? — Ela deu uma volta pelo lugar.

Não havia muito para ver. Beliches de madeira e corda cobriam duas paredes. Engradados de materiais estavam empilhados contra a terceira, e na quarta praticamente só tinha a porta. Seus guardas estavam colocando as botas e túnicas para secar, depois se dedicaram às armas, que precisavam ser afiadas e lubrificadas.

— Sim. — Ele tirou a própria túnica e a jogou em um beliche.

— Mas, como você notou, são um pé no saco de usar no meio de uma tempestade.

— A tempestade vai afundar o restante da frota amaridiana? — ela perguntou, e os guardas riram baixo, lembrando o rei de que todos estavam ouvindo.

— Não. Mas eles vão para mar aberto em vez de correrem o risco de serem empurrados para um banco de areia ou alguma rocha. Isso vai nos dar um pouco de alívio.

Ela ergueu a sobrancelha.

— Não é lá essas coisas.

— Ora, ora — Jor disse. — Não seja tão rápida em desprezar os confortos de um abrigo. Ainda mais um abrigo de Guarda Média. — Ele foi até um dos engradados, abrindo a tampa e olhando dentro. — Sua majestade tem bom gosto, por isso garante que todos os lugares onde pode passar a noite estejam bem abastecidos.

— Você está reclamando? — Aren sentou no beliche de baixo e apoiou as costas na parede.

Jor tirou uma garrafa empoeirada.

— Vinho aguardentado amaridiano. — Ele o estendeu para perto da lanterna na única mesa e leu o rótulo. — Não, majestade, definitivamente não estou reclamando.

Tirando a rolha, Jor serviu uma dose nas canecas de metal que Lia pôs na mesa, dando uma para Lara. Ele ergueu uma caneca.

— Um brinde aos vinicultores de Amarid que fazem a melhor bebida do mundo, e aos seus compatriotas mortos, que apodreçam nas profundezas dos mares Tempestuosos. — Então o velho soldado pigarreou. — E aos nossos mortos, que o Grande Além lhes dê céus limpos e marés calmas e infinitas mulheres com peitos perfeitos.

— Jor! — Lia cutucou seu braço. — Um bom número de nossos mortos eram mulheres. Tenho certeza de que pelo menos algumas gostavam de homens. Que ao menos elas sejam cercadas de...

— Paus perfeitos? — Olhos surpresos se voltaram para Lara, que deu de ombros.

— O que na vida mortal falta o Grande Além oferece — Jor entoou, e Aren jogou a bota em cima dele.

Lia ergueu as mãos.

— Pessoas morreram. Demonstrem respeito.

— Eu estou respeitando eles. Desrespeitá-los seria brindar a seu sacrifício com esse lixo. — Jor tirou uma rolha de vinho maridriniano obscuro do engradado. A garrafa fez um barulho de chocalho, e ele lançou um olhar incrédulo para ela, observando o que parecia ser uma pedra no fundo. — Já não basta ser ruim, precisam colocar pedras dentro? — Ele olhou para Lara. — É algum teste estranho para a resistência dos estômagos maridrinianos de que nunca ouvi falar?

Todos sorriram com sarcasmo, até Gorrick vociferar:

— A Ithicana! — todos repetiram, erguendo as taças.

Enquanto Aren bebia o vinho, que era muito bom, ele ouviu Lara murmurar "A Ithicana" e dar um pequeno gole de seu copo.

Enchendo os copos de novo, Aren levantou.

— A Taryn, que massacrou nosso inimigo. E a nossa rainha — ele empurrou Lara —, que salvou nossos camaradas.

— A Taryn! — todos gritaram. — À sua majestade!

O vinho desapareceu em questão de minutos, pois, apesar da descontração, aquele dia havia deixado uma marca. Era como eles lidavam — fingindo não se importar, mas Aren sabia que Jor arranjaria um tempo para sentar com cada um deles, ajudando-os a aceitar o que haviam presenciado. E o que haviam feito. Ele era capitão da guarda por um motivo.

Lara estava abraçada ao próprio corpo, tremendo apesar do vinho. O vento e a chuva tinham sido mais frios do que o normal em Ithicana, e as roupas dela estavam ensopadas. Aren percebeu que ela, observando as outras mulheres só de calça e camisa de baixo, levou a mão ao cinto.

O coração dele palpitou e disparou enquanto ela o desafivelava, colocando-o de lado junto com as facas de casamento maridriniano que costumava usar. Então Lara desatou os laços da túnica no pescoço e tirou a vestimenta.

O abrigo ficou em completo silêncio por um segundo, depois se encheu do barulho excessivamente alto de armas sendo limpadas e conversa-fiada, todos olhando para qualquer lugar menos para a rainha.

Aren não conseguia fazer o mesmo. Enquanto as outras mulheres usavam tecidos básicos grossos, as roupas de baixo de Lara eram da mais fina seda cor de marfim, que ainda por cima estava ensopada, praticamente transparente. A curva de seus seios ficava marcada no tecido, seus mamilos rosados rígidos pelo frio. Aren pensou que não havia nada que o Grande Além pudesse oferecer que fosse mais perfeito do que ela.

Percebendo que estava com o olhar vidrado, Aren virou o rosto de repente. Pegou uma coberta fina dobrada na beira do beliche e entregou a Lara, tomando o cuidado de manter os olhos no rosto dela.

— Daqui a pouco fica mais quente aqui, com todos os corpos... digo, pessoas. Em breve. Daqui a pouco fica mais quente.

Lara colocou a coberta em volta dos ombros com um sorriso acanhado, mas a alegria dela diante da falta de jeito de Aren se desfez assim que viu Jor examinando uma de suas facas.

Ele havia desembainhado uma das armas cravejadas de joias e estava testando o gume.

— Afiada. — Ele a usou para raspar a cera de um queijo redondo harendelliano. — Pensei que eram apenas cerimoniais.

— Achei prudente torná-las úteis de certo modo — Lara respondeu, atenta.

— Nem tão úteis assim. — Jor pesou a arma, o cabo encrustado de pedras preciosas a tornando pesada e difícil de manejar, embora a lâmina parecesse bem-feita. — Poderíamos vender isso por uma fortuna no norte e lhe arranjar algo que você conseguisse usar.

Lara estava inquieta como se só quisesse estender a mão e pegar a faca de volta, então Aren fez isso por ela, limpando o queijo da lâmina na lateral da calça antes de devolvê-la.

— Obrigada — ela murmurou. — São presente do meu pai. As únicas coisas que ele me deu.

Aren queria perguntar por que isso importava. Por que ela se importava com algo que estivesse relacionado àquela criatura gananciosa e sádica que lhe dera a vida. Mas não perguntou. Não com todos ouvindo.

Jor pegou a garrafa de vinho maridriniano.

— Tempos desesperados. Tempos desesperados. — Então tirou a rolha e serviu, algo caindo no seu copo de metal com um respingo. — O que temos aqui?

— O que é? — Lia perguntou.

— Parece que o prêmio de um contrabandista se perdeu. — O velho soldado ergueu algo vermelho que cintilou sob a luz da lamparina, então o jogou para Aren. — Algum comprador em Guarda Norte vai ficar muito insatisfeito com sua compra de vinho.

Aren ergueu o rubi grande. Ele não era nenhum especialista em pedras preciosas, mas, a julgar pelo tamanho e pela cor, valia uma pequena fortuna. Um contrabandista muito descontente, sem dúvida. Enfiando a pedra no bolso, ele disse:

— Isso deve cobrir os impostos que a pessoa estava tentando sonegar.

Todos riram e devoraram as provisões, esgotados e famintos depois de um dia de combate, de remo e de quase morte, mais interessados em enfiar comida goela abaixo do que em conversar. Lara sentou perto de Aren no beliche, equilibrando sobre os joelhos um prato de carnes curadas, queijos e um pequeno copo de água.

Suas mãos delicadas e seus dedos tinham uma variedade de cicatrizes antigas, cortes e linhas, e o nó de um dos dedos era ligeiramente maior, sugerindo que havia se quebrado em algum momento. Não eram as mãos que se esperaria de uma princesa maridriniana, mas, embora ele já tivesse se questionado sobre o tipo de vida que ela havia levado no deserto para ganhar aquelas cicatrizes, agora tinha pensamentos muito diferentes sobre elas.

Sobre como seria a sensação de segurá-las.

Sobre como seria a sensação de ser tocado por elas.

Sobre como seria a sensação de...

— Apaguem as luzes! — Jor anunciou. — O vento me diz que essa tempestade vai passar durante a noite, e teremos que estar de volta na água ao amanhecer.

As dez pessoas olharam para as oito beliches.

— Ou dividam ou tirem a sorte para ver quem fica no chão.

Gorrick subiu no beliche de cima e puxou Lia, e Aren se crispou, torcendo para que não ficassem de mão boba dessa vez.

—Vou ficar no chão — ele disse. — Mas definitivamente vou subir para dar um cochilo na minha cama de plumas assim que chegarmos amanhã.

— Obrigado pelo seu sacrifício, majestade. — Jor estendeu a mão e abaixou a lamparina, mergulhando o abrigo na escuridão.

Aren deitou no chão de pedra, um braço dobrado sob a cabeça para servir de travesseiro. Era frio e desconfortável e, apesar da exaustão, o sono não vinha enquanto ouvia a respiração cada vez mais profunda daqueles ao seu redor, mil pensamentos enchendo sua cabeça.

Quando alguma coisa fria roçou em seu peito, Aren se sobressaltou antes de perceber que era Lara. Ela estava se inclinando para fora do beliche perto dele, os olhos cintilando sob a luz fraca da lamparina. Sem dizer uma palavra, pegou a mão dele e o puxou para cima, trazendo-o para o beliche.

Com a pulsação latejando nos ouvidos, Aren subiu para perto dela, de costas para a parede fria, sem saber o que fazer com os braços e as mãos ou qualquer parte do corpo até ela se encostar nele, com a pele fria.

Ela só está com frio, ele disse a si mesmo, *e você precisa controlar a mão boba.*

O que deve ter sido a coisa mais difícil que ele já fez, com um dos joelhos dela entre os seus, os braços dobrados junto ao seu peito, a cabeça apoiada em seu ombro, e a respiração quente em seu pescoço. Tudo que ele queria era ficar por cima dela, sentir o gosto daqueles lábios e tirar aquela seda provocante do seu seio, mas apenas cobriu o ombro dela, depois repousou a mão nas suas costas.

O quarto estava úmido pela respiração e pesado com o cheiro de suor e aço. Taryn roncava como se sua vida dependesse disso, Gorrick falava enquanto dormia, e alguém — provavelmente Jor — peidava a intervalos regulares. Provavelmente era a situação menos desejável para dividir uma cama com sua mulher pela primeira vez. Mas, por mais que o cabelo dela fizesse cócegas em seu nariz, que seu braço estivesse adormecido embaixo da cabeça dela e um torcicolo se formasse em seu pescoço, passou pela cabeça de Aren, enquanto adormecia, que não havia nenhum outro lugar onde ele preferisse estar.

Horas depois, Aren acordou com uma batida rítmica. Franzindo a testa, ele virou a cabeça e encontrou os olhos de Lara abertos e brilhando sob a luz fraca. Ela apontou para cima e ergueu a sobrancelha com um sorriso irônico.

Gorrick e Lia. Provavelmente se aquecendo depois da vigia.

Ele fez uma careta, sussurrando:

— Desculpa. Vida de soldado. — Então repassou mentalmente a vigia, percebendo que Jor o havia pulado e que Taryn não estava lá, o que significava que o sol estava para nascer.

— Quer sair? — Aren ficou aliviado quando Lara fez que sim.

Eles colocaram as botas, roupas e armas quase em silêncio, Lara pegando comida de um dos engradados e o seguindo para a noite lá fora. A tempestade havia passado, e o céu era uma profusão de estrelas prateadas; o único som era o das ondas batendo nas falésias.

Taryn estava empoleirada em uma pedra nas sombras, mas Aren a ouviu murmurar um "obrigada" quando Lara foi até ela e lhe deu um pouco da comida.

— Aren, leve-a para o lado leste.

— Por quê?

Mesmo na escuridão, ele sentiu o sorriso de Taryn.

— Confie em mim.

— Certo. — Ele pegou a mão de Lara. — Voltaremos ao amanhecer.

Aren não tinha ido muitas vezes àquela ilha em particular, então andou devagar. Ele conseguiu lembrar o caminho para o mirante oriental, uma rocha plana que pendia sobre o oceano. Um mar de estrelas azuis se estendia diante deles.

Lara deu um passo à frente, ainda segurando a mão dele.

— Nunca vi nada tão bonito.

Ele também não, mas Aren olhou para a água calma lá embaixo.

— Chamamos isso de Mar de Estrelas. Não acontece com muita frequência e é sempre durante as Marés de Guerra, então não é apreciado por muitos.

Filamentos de algas cintilantes cobriam a água, os amontoados formando pontos azuis de luz no mar. A sensação era a de estar entre dois planos estrelados. O mar reverberava em ondas suaves, lançando sombras nas rochas que pareciam dançar sob o ritmo das ondulações. Eles ficaram observando por um bom tempo, em silêncio, e Aren pensou em beijá-la, mas, em vez disso, perguntou:

— O que mudou?

Porque algo havia mudado. Lara estava mais próxima dele, talvez de toda Ithicana, e ele não entendia ao certo por quê. Pois, até onde ele sabia, a maioria das experiências dela ali não tinha sido boa. O pai de Lara era mais inimigo do que aliado de Aren, e ela não era digna de confiança. E ele não confiava nela. Mas, a cada dia que passava ao seu lado, se via querendo confiar. Confiar tudo a ela.

Lara engoliu em seco, soltando a mão dele e cruzando as pernas no chão, esperando ele sentar perto dela. A luz azul do mar que iluminava seu rosto lhe dava uma aura sobrenatural e intocável.

— Quando eu era pequena, ouvi muitas vezes especulações sobre o dinheiro que Ithicana ganhava em um ano com a ponte.

— Quanto? — Ele balançou a cabeça quando ela respondeu.

— É mais.

— Está se gabando?

— Só sendo sincero.

O canto da boca de Lara se ergueu, ela ficou em silêncio por um momento e continuou:

— Para mim, o valor era impressionante. E pensei... Me ensinaram que Ithicana manipulava o mercado, explorava viajantes com medo de se arriscar nos mares e extraía taxas e impostos pesados dos mercadores que queriam transportar e vender suas mercadorias. Que decidiam quem tinha o direito de comprar e vender em seus mercados, e que tiravam esse privilégio de quem os irritava. Diziam que vocês controlavam quase todo o comércio entre os dois continentes e onze reinos diferentes.

— É verdade. — Ele não se deu ao trabalho de acrescentar que Ithicana pagava com sangue por esse direito, porque Lara tinha visto isso com seus próprios olhos.

— O que não era verdade... Era o motivo.

— O que lhe contaram?

— Ganância. — Seus olhos não piscavam enquanto ela contemplava o oceano. — Quando eu era pequena, acreditava que vocês deveriam viver em palácios enormes com todo o luxo que o mundo tinha a oferecer. Que você sentava em um trono de ouro.

— Ah, sim. Meu trono de ouro. Fica em outra ilha que visito quando preciso reafirmar meu amor-próprio e minha autoestima.

— Não zombe de mim.

— Não estou zombando. — Ele cutucou o couro lascado da bota, se desfazendo pelo excesso de exposição à água salgada. — Deve ter sido bem decepcionante descobrir a verdade.

Lara deu uma risada que era meio um soluço.

— Guarda Média é tão luxuosa quanto minha casa no deserto Vermelho, mas o tempo que tenho passado aqui é bem mais relaxante. Minha criação foi difícil, Aren.

— Por que pegavam tão pesado com você?

— Eu achava que soubesse, mas agora... — Ela ergueu o queixo dos joelhos e olhou para ele. — Você me pergunta o que mudou? O que mudou é que agora sei que você usa esse dinheiro para alimentar e proteger seu povo.

Era de certo modo inevitável que ela descobrisse essa verdade. Talvez, se ele a mantivesse trancada na casa de Guarda Média, sem contato com ninguém além de seus funcionários e guardas, ele poderia ter escondido isso dela. Mas Aren queria que seu casamento com Lara fosse um símbolo da mudança em Ithicana, uma nova direção. E para que isso acontecesse o povo precisava vê-la, e essa escolha sempre teve consequências. Inclusive, a revelação dos segredos de Ithicana.

E ele queria muito confiar nela.

— A verdade é que Ithicana não sobreviveria sem a ponte —

ele disse. — Ou, melhor, sobreviveria, mas apenas se todos os minutos de todos os dias fossem dedicados à sobrevivência. — Virando de frente um para o outro, Aren olhou no fundo dos olhos dela. O sol estava nascendo, a luz azul ficando dourada, e era como despertar de um sonho de volta à realidade. Se pudesse impedir isso, ele impediria. — Imagine uma vida em que você tivesse que enfrentar essas tempestades e águas para alimentar sua família. Vestir seus filhos. Dar abrigo. Imagine ficar semanas sem conseguir colocar um barco na água. Passar dias correndo o risco de morrer se saísse de casa. Em um mundo como esse, não faríamos nada além de tentar sobreviver.

Aren só percebeu que havia pegado as mãos dela quando Lara as apertou com firmeza. Ele ficou esfregando as cicatrizes da rainha de leve com o polegar.

— A ponte muda isso. Permite dar ao meu povo o que eles tanto precisam para que uma pequena parte de seus dias possa ser dedicada a uma vida de verdade, mesmo que apenas por uma hora. Para que meu povo possa ter uma chance de ler, estudar, fazer arte. Cantar, dançar ou rir.

Ele parou de falar, percebendo que nunca havia explicado isso para ninguém. Explicado como era governar esse lugar. A luta constante para proporcionar uma vida digna a seu povo. E não era suficiente. Aren queria que eles tivessem mais.

— Você poderia alimentar todos como reis com esse dinheiro. — Lara não estava questionando a palavra dele, mas impulsionando-o a soltar toda a verdade.

— Tem razão. Mas ter essas coisas, ter a ponte, custa caro. Outros reinos sabem a quantia de renda que a ponte gera, e por isso querem dominá-la. Piratas acreditam que temos estoques de ouro escondidos pelas ilhas, então nos invadem para encontrá-los. Por isso, temos que lutar. Meu exército não é enorme, mas, durante as

Marés de Guerra, quase dois terços do meu povo largam seus ofícios e pegam em armas para defender a ponte. Tenho que comprar armas para eles. Tenho que pagar por seus serviços. E tenho que compensar suas famílias quando eles morrem.

— Então, apesar de tudo, Ithicana está apenas sobrevivendo, afinal.

Ele apertou as mãos dela.

— Mas talvez algum dia possa melhorar.

Nenhum deles disse nada e, quando uma brisa suave bagunçou o cabelo de Lara, Aren ergueu a mão para arrumá-lo. Ela não se encolheu diante do toque. Não desviou o olhar.

—Você é linda. — Ele passou os dedos no cabelo dela. — Acho isso desde o momento que a vi, mas acho que nunca falei.

Lara baixou o rosto, as bochechas corando, embora pudesse ser apenas o brilho do sol. Ela balançou a cabeça de leve.

— Eu deveria ter falado. — Ele baixou a cabeça, decidido a beijá-la, mas um barulho abrupto o assustou.

Levando a mão à arma, Aren viu Jor surgindo pela curva, o rosto sorridente.

— Odeio interromper seu piquenique, majestades, mas o sol está raiando, e precisamos partir.

Como se para pontuar suas palavras, trombetas soaram sobre a água anunciando navios no horizonte.

— Isso muda as coisas para você? — ele perguntou a Lara, ajudando-a a levantar.

Ela fechou os olhos, sua expressão se fechando por um momento como se sentisse dor, então os abriu e acenou.

— Muda tudo.

Esperança, e algo mais, algo reservado unicamente para ela, encheu seu peito e, pegando Lara pela mão, Aren a guiou correndo de volta aos barcos.

24

LARA

Tudo havia mudado.

E nada.

Não era desejo. Lara não era fraca a ponto de abandonar uma vida de planejamento e preparação por um homem perigosamente bonito e charmoso. Se fosse apenas isso, ela teria saciado sua curiosidade, depois seguido com a consciência limpa de qualquer espiã. Não, era sua admiração por Aren que estava se tornando cada vez mais problemática, assim como sua tristeza pelo que aconteceria com Ithicana quando ela acabasse com o reino.

Lara e suas irmãs haviam sido ensinadas a desprezar Ithicana por um motivo. Seu objetivo era se infiltrar nas defesas de uma nação para que esta pudesse ser, na melhor das hipóteses, conquistada. Na pior, destruída. Algo fácil de vislumbrar quando os inimigos não passavam de demônios mascarados usando o poder para manter o povo dela oprimido.

Mas agora eles tinham rostos. E nomes. E famílias.

E todos eram atacados anualmente por reinos e piratas. Talvez os ithicanianos fossem cruéis e impiedosos, mas agora Lara descobriu que não era culpa deles. Só faziam o necessário para sobreviver e, com todas as informações que juntara, sua culpa só crescia, porque Ithicana não sobreviveria a ela. Embora esse conhecimento pudesse lhe trazer satisfação antes, agora não era nada mais do que um fardo inescapável que causava nela um desprezo por si mesma em todos os momentos do dia.

Suas ações na ilha Aela haviam conquistado o que ela temia ser impossível: a confiança de Aren. E não apenas dele, mas dos soldados que lutaram na batalha. O olhar deles para ela não era mais de desconfiança, e sim de respeito; todos pararam de questionar seu direito de ir aonde quisesse. E ela no mesmo instante tirou proveito disso. Ninguém a questionou quando ela saíra de perto dos curandeiros e feridos depois da batalha. Ninguém a impediu nem a seguiu quando ela caminhara até a base do píer da ponte, onde encontrou a entrada quase invisível, marcando-a com algumas pedras cuidadosamente posicionadas, que não significariam nada para os ithicanianos mas tudo para os soldados maridrinianos quando tomassem a ilha Aela.

Dentro do píer, ela também escondeu três das trombetas que havia roubado dos cadáveres da praia, prontas para desorientar os reforços ithicanianos quando o momento chegasse. Uma estratégia que Aren havia praticamente explicado para ela em sua tentativa de convencê-la a deixar os feridos e entrar em um barco. E ele só fez isso porque acreditava que ela estava começando a amá-los como ele próprio os amava.

Não hesite, ela repetiu em silêncio, os olhos fixos no céu enquanto boiava, o corpo ainda dolorido, na fonte termal. *Não fracasse*.

Mordendo a cutícula do polegar, Lara refletiu sobre o que havia aprendido. Refletiu se era suficiente para Maridrina conquistar Ithicana. Suficiente vencer os invencíveis para dar a seu povo a ponte que seria sua salvação.

Era, sim, suficiente.

Tudo que restava era transmitir os detalhes de seu plano de invasão para Serin e seu pai, então fingir a própria morte e fugir de Guarda Média, de Ithicana e, com sorte, dos assassinos de seu pai.

Aonde ir era outra questão. Para Harendell, talvez. Quem sabe, quando a poeira baixasse, ela tentasse encontrar as irmãs. Construir uma vida. Embora, por mais que tentasse, não conseguisse imaginar como seria uma vida fora de Ithicana. Uma vida sem ele.

Os olhos de Lara arderam e, afobada, ela saiu da fonte, pegando a toalha na rocha. Mais de uma semana havia passado desde o ataque contra Aela, mas ela não fizera nada para colocar seu plano em ação. Disse a si mesma que era porque precisava de tempo para sarar o músculo que havia distendido no ombro durante a batalha. Mas seu coração lhe dizia que era por outros motivos. Motivos que colocavam toda a sua missão em risco.

Mas aquela seria a noite.

Aren tinha enviado uma mensagem do quartel por Eli dizendo que cairia uma tempestade ao anoitecer e que ele planejava jantar com ela. E, se eles estivessem juntos, significava que Taryn, que ainda insistia em dormir na frente de sua porta, tiraria uma folga. Uma dose dupla de um narcótico sonífero no vinho de Aren após o jantar e ela teria a noite toda para trabalhar no quarto dele sem medo de interrupções.

Nuvens já estavam chegando, o vento soprava, pois, mesmo na estação calma, os mares Tempestuosos eram violentos. Lara cuidou metodicamente da aparência, secando o cabelo, depois moldou com o ferro quente ondas que caíam por suas costas. Escureceu os olhos com *kohl* e pós até arderem, e tingiu os lábios de rosa-claro. Escolheu um vestido que não havia usado antes: roxo-escuro, a seda escandalosamente fina, seu corpo revelado sempre que passava diante de uma luz. Nas orelhas, usou diamantes negros e, no punho, o bracelete inteligente que escondia os frascos de narcóticos.

Ela foi para a sala de jantar, se sentindo estranha de sandálias depois de semanas usando botas pesadas. O cômodo estava à luz de velas, as venezianas abertas apesar do risco do vento no vidro caro. Eli estava encharcado, cochichando com Taryn, e Lara ficou surpresa ao vê-la ainda em casa. Os dois se voltaram para ela, tensos, e o coração de Lara parou.

— Onde ele está?

— Eles saíram para patrulhar no fim da manhã. — Taryn passou a mão nas têmporas raspadas. — Ninguém os viu nem ouviu notícia deles desde então.

— Isso é normal? — Lara não conseguiu controlar o tremor na voz.

A mulher soltou um longo suspiro.

— Não é anormal Aren decidir ir para outro lugar. — Então ela olhou Lara de cima a baixo. — Mas não acho que hoje seja o caso.

— Então onde ele está?

— Pode ter havido problema com um dos barcos. Ou talvez tenham decidido esperar a tempestade. Ou...

Trombetas soaram, e Lara não precisava mais de Taryn para lhe dizer o que isso significava: invasores.

— Vou descer para o quartel. — Correndo para seus aposentos, Lara trocou as sandálias por botas e colocou um manto sobre o vestido.

Lá fora, a chuva caía sem descanso, mas o vento não era forte o bastante para causar problemas para os ithicanianos na água. Com Taryn do seu lado, e o resto de seus guarda-costas ao redor, Lara desceu a passos rápidos a trilha escura para o quartel.

— Vou descobrir o que eles sabem. — Taryn deixou Lara com outros dois guardas, que a seguiram quando ela contornou a angra, subindo os degraus de pedra entalhada até o topo da falésia, onde poderia ver o mar. Alguns soldados estavam ajoelhados atrás dos pedregulhos que usavam de cobertura, lunetas em mãos.

— Alguma coisa? — Mas eles apenas fizeram que não.

E se ele não voltasse?

Isso jogaria o plano dela na merda. Sem Aren para escrever uma carta para seu pai, ela não tinha como fazer uma mensagem detalhada passar por Ahnna e seus criptoanalistas em Guarda Sul. Sua única opção seria fingir a própria morte e escapar, depois enviar informações para seu pai de fora de Ithicana. Mas assim ele e Serin saberiam que ela estaria viva, e isso significaria uma vida de assassinos em seu encalço. No entanto, enquanto se agachava para observar a escuridão do oceano, não eram soluções a seu dilema que enchiam seus pensamentos.

Era medo.

Lara tinha visto muitos ithicanianos morrerem em combate, de muitas maneiras diferentes. Atropelados ou estripados. Esmagados ou estrangulados. Espancados ou afogados. Seus cadáveres dançaram pelos pensamentos dela, todos agora com o rosto de Aren.

— Eles não mandaram nenhum sinal. — Taryn surgiu atrás de Lara. — Mas talvez só não querem anunciar sua presença para o inimigo.

Ou estão todos mortos, Lara pensou, com um aperto doloroso no peito.

Taryn lhe entregou um pacote de papéis dobrados.

— Chegou para você.

Segurando o papel perto de um dos jarros de algas, Lara passou os olhos pelo teor da carta. Serin, fingindo ser seu pai, falava sobre estar decepcionado com o segundo irmão mais velho dela, Keris, que insistia em querer estudar na universidade de Harendell em vez de assumir o comando das forças maridrinianas como o irmão mais velho. Ele deseja estudar filosofia! Como se houvesse tempo para ficar contemplando o sentido da vida quando nossos inimigos continuam a atacar nossos flancos!

Alguns dos soldados se agitaram e ela se desconcentrou por

um tempo. O código de Marylyn parecia impossível. Os olhos de Lara eram constantemente atraídos para o mar. Mas depois de um tempo sua mente decifrou a mensagem de Serin em meio às baboseiras. *Valcotta bloqueou nosso acesso à Guarda Sul. A fome cresce.*

Uma onda de náusea perpassou Lara, e ela enfiou as páginas no bolso do manto. Com os quebra-navios, Guarda Sul era capaz de rechaçar Valcotta, mas ela entendia a relutância deles em antagonizar a outra nação. Entender o que lhes custaria se Valcotta se juntasse à série de reinos que atacavam Ithicana. Mas quem pagava o preço disso era o seu povo.

Eles ficaram sentados na chuva por horas, mas nenhuma trombeta soou. Nenhum barco apareceu lá embaixo pedindo acesso à angra. Nada mais se moveu na escuridão.

Depois de um tempo, Taryn se mexeu perto dela.

— É melhor ir para casa, Lara. Não há como saber quando eles vão voltar, e você vai pegar um resfriado nessa chuva fria.

Ela deveria ir. Sabia que deveria. Mas a ideia de ter que esperar até um deles lhes trazer a notícia...

— Não posso. — Sua língua parecia grossa.

— O quartel, então? — Havia uma súplica na voz da mulher.

Relutante, Lara fez que sim, mas, de tantos em tantos passos na trilha, lançava um olhar para o mar, o estrondo dele chamando-a, puxando-a para trás.

— Esse é o beliche de Aren — Taryn disse, quando elas estavam de volta aos confins do prédio de pedra. — Ele não vai se importar se você dormir aqui.

Fechando a porta do quarto minúsculo, Lara colocou a lamparina na mesa de madeira rústica perto da cama estreita e sentou, o colchão duro como pedra e o lençol áspero comparado aos lençóis macios da casa. Fez com que ela lembrasse da cama estreita que haviam dividido no abrigo, de como ela havia pegado no sono nos braços de Aren, ouvindo as batidas do seu coração.

Ela tirou o manto e deitou de lado, pousando a cabeça no travesseiro.

Tinha o cheiro dele.

Fechando bem os olhos, Lara repassou todas as lições que seu mestre de meditação lhe havia ensinado, controlando a respiração e clareando a mente, mas o sono não vinha, então ela sentou, a coberta em volta das pernas.

Não havia nada no quarto para distraí-la. Nenhum livro ou quebra-cabeça. Nenhum baralho. Os aposentos esparsos de um soldado, não de um rei. Ao menos, não do tipo de rei que ela conhecia. Os aposentos de um líder que não se considerava superior ao seu povo. Que passava as privações de seu povo como se fossem suas. Porque eram.

Por favor, esteja vivo.

A porta abriu, e Lara virou abruptamente, encontrando Taryn no batente.

— Eles voltaram.

Correndo, ela seguiu a mulher até a angra, o peito apertado de medo. Era medo por ela, sua mente gritou. Medo por sua missão. Medo pelo destino de seu povo.

Mas seu coração dizia outra coisa.

A areia da praia mexeu sob seus pés, e Lara estreitou os olhos na escuridão. Uma voz chamou ao longe, então a corrente sacudiu, liberando a entrada para a angra.

Mais respingos, ondas batendo nos cascos e remos que atravessavam a água. Mas, acima de tudo, Lara identificou gemidos de dor. Seu coração palpitou.

Por favor, esteja vivo.

A angra se transformou em um alvoroço de atividade, barcos

cheios de homens e mulheres ensanguentados entrando, as pessoas na costa puxando os barcos e ajudando os feridos a chegar à terra. Ela inspecionou os rostos sombrios, buscando. Buscando.

— Dá para ser mais rápido, caramba? — A voz de Jor.

Lara cruzou o mar de gente, tentando encontrar o capitão. Por fim, o avistou com Lia, ambos agachados no fundo de um barco, com um vulto caído entre eles.

— Aren? — Sua voz saiu rouca, seus pés petrificados de repente.

Jor e Lia levantaram, e alívio correu pelas veias de Lara quando Aren afastou as mãos deles.

— Saiam de cima de mim. Consigo muito bem levantar sozinho.

Ele levantou e o barco balançou, Jor e Lia se equilibrando facilmente, mas Aren quase caindo para o lado.

— Chega de ser orgulhoso, moleque — Jor vociferou e, com a ajuda de Lia, puxou o rei para terra firme.

Lara não conseguia ver o que havia de errado com ele na escuridão, as lanternas lançando sombras que pareciam manchas de sangue, mas se moviam. Então Aren virou, e a lanterna atrás dele revelou os contornos de uma flecha cravada em seu braço.

— Saiam da minha frente. — Ela empurrou dois soldados e correu até Aren.

— O que você está fazendo aqui? — Aren empurrou Jor enquanto cambaleava. Lara deu um salto à frente e o escorou, quase sufocada pelo cheiro quente de sangue. — Consigo andar sozinho — ele murmurou.

— Estou vendo. — O corpo de Lara estremeceu pelo esforço de mantê-lo em pé enquanto atravessavam a praia curva até as árvores, a trilha que levava para o quartel sob a luz fraca dos jarros de algas.

Puxando Aren para o prédio, ela o colocou em um banco. Jogando o manto encharcado de lado, sacou uma de suas facas e cortou a túnica dele, deixando a vestimenta destruída no chão. Então ajoelhou perto dele, avaliando a ferida.

A ponta da flecha estava cravada no fundo do músculo do braço direito, o cabo partido ao meio por alguém em certo ponto, a madeira escurecida pelo sangue.

— Malditos amaridianos. — A voz de Jor parecia distante para Lara, de tão concentrada que ela estava na pulsação de Aren no pescoço, quente e ofegante.

O olhar dele estava anuviado de dor.

— Não podemos puxar, temos que empurrar para ela sair do outro lado.

— Todo momento com você é um prazer. — Uma leve centelha ressurgiu nos olhos de Aren. — Sinto muito por ter perdido o jantar.

— É para sentir mesmo. — Ela se esforçou para manter a voz calma. — O cheiro estava ótimo.

— Perder a comida é o de menos. — Ele acariciou o diamante grande que ainda adornava sua orelha, fazendo um tremor atravessar o corpo dela.

— Se segura em mim. — Ela afastou a mão dele para não perder de vez a compostura. — Agora só falta ficar se contorcendo e piorar o ferimento.

Aren bufou um riso dolorido, mas passou o braço bom pela cintura dela, os dedos apertando suas costas.

— Vai doer — Jor alertou, pegando a flecha com firmeza. Praguejando, Aren apoiou a cabeça no ombro de Lara e ela o abraçou forte, sabendo que não suportaria se ele se debatesse. — Relaxa — Jor disse. — Não seja fresco.

Lara murmurou no ouvido de Aren:

— Respire. — Os ombros de Aren tremeram enquanto ele inspirava e expirava, e ela soube que tinha a atenção dele. Ele contraiu os dedos, depois desceu a mão da cintura para o quadril dela. — Respire — ela repetiu, roçando os lábios na orelha dele. — Respire. — Enquanto dizia a palavra pela terceira vez, ela olhou nos olhos de Jor.

Ele empurrou.

Aren gritou no ombro de Lara, empurrando-a com tanta força que ela quase caiu para trás, as botas escorregando no chão do quartel. Sangue espirrou em seu rosto, mas ela aguentou firme, recusando-se a soltá-lo.

— Pronto! — Jor disse e, um segundo depois, os joelhos de Lara cederam e ela caiu para trás, Aren tombando em cima.

Por um segundo, nenhum deles se moveu, a respiração de Aren ofegante em seu ouvido, o corpo dele imprensando o seu. Ela o abraçou, se segurou nele, um desejo irracional de perseguir e destruir quem tinha feito aquilo consumindo todos os seus outros pensamentos. Então Jor e Lia o tiraram de cima dela.

Levantando com dificuldade, Lara limpou o sangue do rosto, o coração batendo forte enquanto Jor examinava a ferida.

— Você vai ficar bem — ele disse, então deu um passo para o lado quando uma das alunas de Vovó chegou.

Havia soldados ensanguentados por todos os lados. Alguns rangiam os dentes de dor. Outros gritavam enquanto seus camaradas tentavam estancar ferimentos horríveis. Alguns jaziam imóveis.

Todos feridos em defesa de sua terra.

Lara olhou para Taryn, lágrimas escorriam pelo rosto da amiga que pressionava a barriga de um rapaz, tentando manter as tripas dentro dele.

— Não morra. — Sua voz sussurrada conseguiu atravessar o burburinho. — Não se atreva a morrer.

Mas, enquanto Lara observava, o peito do rapaz ficou imóvel.

Quantos outros corações parariam quando o pai dela agisse?

Eles são seu inimigo, ela repetiu. *Seu inimigo. Seu inimigo.* Mas as palavras eram profundamente vazias em sua mente.

Lara deu um passo para trás. Depois dois. Três. Até sair do quartel para a trilha vazia.

— Lara!

Ela virou. Aren estava vários passos atrás dela na trilha, o curativo no braço quase caindo como se ele tivesse afastado a curandeira antes que ela conseguisse terminar.

— Espera.

Ela não podia. Não deveria. Não com toda a sua determinação desmoronando. Mas seus pés criaram raízes na terra enquanto Aren se aproximava lentamente, sangue escorrendo pelo braço e pingando pelos dedos.

— Sinto muito. — Sua voz era trêmula. — Sinto muito por só ter visto violência desde que chegou aqui.

Ela só tinha visto violência desde que se entendia por gente. Isso não era nada para ela. E ao mesmo tempo era tudo.

— Queria que fosse diferente. Não queria que fosse assim.

Ele se balançou, caindo de joelhos, e Lara só percebeu que também havia ajoelhado quando a lama encharcou seu vestido. Só percebeu que havia estendido o braço para equilibrá-lo quando Aren segurou em seu quadril com o braço bom, em busca de equilíbrio. Uma dança em que ela guiava e ele seguia.

— Olhos iguais ao do seu maldito pai. Foi o que pensei quando vi você pela primeira vez. Chamamos essa cor de maldito azul maridriniano.

Ele deve ter sentido Lara se encolher, porque a mão em seu quadril apertou, puxando-a para mais perto. Ela não resistiu.

— Mas eu estava errado. São diferentes. São... mais escuros. Como a cor do mar ao redor de Eranahl.

Eranahl? Ela já tinha visto esse nome antes, escrito em uma das páginas da mesa dele... Ouvido quando ele repreendeu o comandante Aster na praia na ilha Aela. Revelá-lo era um deslize da parte dele, ela sabia. Mas não conseguia se importar com isso enquanto a mão dele subia pela sua lombar. Precisou de toda a sua força de vontade para não envolver o pescoço de Aren, para não beijar aqueles malditos lábios perfeitos, mesmo com todo o sangue.

Lara soltou o ombro de Aren, mas ele segurou sua mão. Apertando o punho dela, Aren beijou os nós de seus dedos, os olhos ardentes nos seus.

— Não vá.

Tudo ardia.

O coração de Lara batia freneticamente, sua respiração ofegante, sua pele tão sensível que o toque de suas roupas chegava a doer. *Pare!*, o alerta gritou em sua cabeça. *Você está perdendo o controle.* Ela silenciou a voz, a mandou para longe.

Aren esfregou o polegar no punho de Lara, os dedos dela ainda encostados aos lábios do rei, e nisso mil sensações percorrerem sua pele como rios; o desejo de sentir as mãos dele passando em outros lugares deixava suas pernas bambas. Ela cedeu, e ele a puxou contra si, os dois cambaleantes.

— Você precisa voltar para os curandeiros — ela sussurrou. — Precisa deixar que façam os pontos antes que sangre até a morte.

— Vou ficar bem. — Ele baixou a cabeça enquanto compartilhavam o mesmo ar, a mesma respiração, o subir e descer rápido do peito dele contradizendo suas palavras.

Aren não estava bem.

Esse pensamento a encheu de pavor. Um pavor que logo se transformou em raiva. Por que ela se importava com o que acontecia a ele? Por que se importava com qualquer coisa além do sucesso de sua missão? Por que se importava se ele viveria ou morreria? Esse era o homem que intencionalmente tomava decisões que causavam um grande mal à pátria dela. Talvez fosse pelo bem do povo dele, mas não justificava a total falta de empatia e de culpa. Ele era o inimigo, e ela precisava se livrar dele antes que cometesse um erro.

Então os lábios dele tocaram de leve nos seus, e isso a rendeu por completo. Ela entrelaçou os dedos no cabelo de Aren, querendo mais. Mais disso e mais dele. Mas, em vez de entregar o que Lara queria, ele recuou.

— Preciso que você me ajude a fazer isso parar. Estou cansado de lutar contra o mundo, o que quero é lutar para tornar Ithicana parte do mundo.

E foi como se a realidade dura a estapeasse.

Lara recuou.

— Nunca vai parar, Aren. — Sua voz era seca. Inerte. O que era estranho porque, dentro da cabeça dela, havia um caos de emoção. —Você tem o que todos querem, e eles nunca vão parar de tentar conquistar a ponte. Isso é Ithicana, e sempre será. Aceite.

— Isso não é vida, Lara. — Ele tossiu, então se encolheu, pressionando a ferida. — E pretendo continuar lutando por um futuro melhor mesmo que custe a minha vida.

Uma fúria irracional atravessou as veias dela com essas palavras.

— Então é melhor deitar e morrer! — Ela precisava se afastar dessa situação antes que ficasse destroçada. Levantando, agitada, Lara virou e correu, subiu a trilha escura, escorregando na lama e nas raízes, até chegar a casa.

Esperou nos seus aposentos até os corredores ficarem em silêncio, até não haver nenhuma chance de alguém atrapalhá-la, então atravessou os corredores escuros em silêncio e arrombou a fechadura do quarto de Aren. Vitex estava sentado na cama, mas apenas saiu furtivamente, ignorando-a.

Fechando a porta, Lara acendeu a lamparina e foi até a escrivaninha de Aren. Tirou o pote de tinta invisível que Serin lhe dera, depois a caixa com os pesados pergaminhos oficiais à sua esquerda e abriu a tampa. Pegando a página de cima, ela a virou de modo que a gravura da ponte ficasse de ponta-cabeça, mergulhou uma caneta na tinta e começou a escrever com uma letra minúscula, o líquido se tornando invisível ao secar enquanto ela detalhava tudo que havia descoberto sobre Ithicana, além de uma estratégia para conquistar e destruir o Reino da Ponte. Sua mão tremia quando chegou ao pé da página, mas ela apenas deixou o papel secando e pegou outro, repetindo a mensagem. Depois outro, e mais outro, até todas as vinte e seis páginas da caixa conterem palavras condenatórias idênticas.

Precisou de toda a força para não rasgar a carta enquanto voltava para o quarto. Com a exaustão deixando seus braços e pernas pesados, enfiou o rosto nos travesseiros da cama, lágrimas encharcando as plumas. *É o único jeito*, disse a si mesma. *É o único jeito de salvar Maridrina.*

Mesmo que isso significasse se destruir.

25
LARA

As Marés de Guerra acabaram com um tufão que passou veloz e violento, os mares tão agitados que nem os ithicanianos se aventuravam a navegar. Até a ponte devia estar vazia, Eli lhe disse, a tempestade intensa demais para navios mercantis desbravarem a curta travessia até as ilhas Guarda Norte e Guarda Sul. Guarda Média, consequentemente, parecia muito isolada, sem nenhum contato com o mundo, e para piorar Lara estava presa em casa com os servos.

Embora o combate tivesse acabado, Aren a evitava. Passava os dias com seus soldados e as noites na cama estreita do quartel, sem subir nenhuma vez a trilha para a casa de Guarda Média.

Apesar disso, ela verificava o número de papéis timbrados noite após noite, mas todas as páginas de palavras condenatórias permaneciam em Ithicana.

Assim como ela.

Na manhã seguinte à noite em que a tempestade começou, Lara decidiu que era hora. Vestindo suas roupas ithicanianas, encheu os bolsos de joias e alguns dos seus narcóticos favoritos, comeu o máximo que conseguiu e disse a Eli que sairia para tomar um ar.

Arriscar os mares durante a tempestade a faria morrer de verdade, então ela havia esperado os céus clarearem para colocar seu plano em prática de fingir a morte, sabendo que a honra faria Aren enviar uma carta formal informando o pai de Lara de seu falecimento. Serin, sempre atento, verificaria a página e descobriria o que ela havia escrito. Depois só lhe restaria torcer e rezar para que, quando ela não aparecesse em Vencia, seu pai e Serin acreditassem que ela estava morta. Assim, nenhum assassino viria atrás dela em Harendell, aonde ela pretendia ir, e ela poderia viver sabendo que tinha dado a seu povo a chance de um futuro melhor.

À custa do futuro de todos em Ithicana.

Com as tempestades para zelar sobre a ilha, Taryn e o restante haviam recebido folga do serviço de guarda, e não havia ninguém no caminho para as falésias. Ela cortou o lado norte até chegar ao ponto que havia escolhido muito antes.

Era um ponto alto, a água doze metros abaixo dela, mas o que a havia atraído era a série de rochas planas que se projetavam sobre a rebentação. Eram convenientes para baixar sua pequena canoa com cordas, e igualmente convenientes para encenar o que pareceria uma queda acidental e uma morte trágica. De lá, ela pretendia saltar de ilha em ilha, usando os abrigos que encontrasse, seguindo caminho lentamente até Harendell durante as pausas da tempestade.

Era um plano perigoso, mas não era medo que apertava seu peito enquanto ela encarava as rochas lá embaixo.

— Não caia.

Assustada, Lara perdeu o equilíbrio, e Aren segurou o braço dela e a puxou para longe da beirada, impaciente.

— Venha comigo. Você tem deveres a cumprir.

— Que deveres?

— Os deveres de uma rainha.

Ela fincou os calcanhares na lama, deixando rastros no barro até ele parar e olhar para ela com desgosto.

— Isso não é um dever, Lara. Supervisionar o retorno dos evacuados de Guarda Média. Então venha logo, ou vou arrastar você para a água e jogá-la num barco.

— Vou andando. — Ela estava furiosa por seu plano ter sido interrompido, mas também furiosa com a pequena pontada de alívio que sentiu em saber que provavelmente teria que esperar a próxima tempestade passar para partir de Ithicana.

Acomodada em seu lugar de sempre no barco, ela esperou até saírem da angra para perguntar:

— Aonde vamos?

— Serrith. — Aren se curvou, de costas para ela.

— Mais um lindo dia na água — Jor disse atrás de Lara enquanto içava a vela.

Depois disso, ninguém disse mais nada.

A angra da ilha Serrith estava dominada por dois dos grandes catamarãs que ela tinha visto durante a evacuação, mas eles já estavam sem civis e provisões, as tripulações se preparando para partir. *Para partir de volta a Eranahl*, ela considerou, observando-os. Embora onde exatamente era isso continuava sendo um mistério para ela apesar de todas as semanas de espionagem.

Sua pele formigou quando passaram pela trilha na abertura da pedra onde ela havia matado todos aqueles soldados. Dessa vez, quando chegaram à vila, era uma visão completamente diferente. Em vez de sangue e corpos, crianças de olhar inerte e pais se lamentando, estava cheio de atividade. Mulheres abriam as venezianas e portas para arejar as casas, e crianças corriam de um lado para outro.

Houve um fluxo de saudações e cumprimentos, apresentações orgulhosas de novos bebês a seus governantes, e crianças indo atrás deles, desesperadas por um momento de atenção. A tática de Aren era óbvia: tentar conquistá-la colocando bebês gorduchos em seu colo ou ao lhe dar doces para distribuir para as crianças.

E funcionou. Ela queria se jogar no chão e chorar, porque o mundo deles estava prestes a ser despedaçado. Mas isso era entre eles e os maridrinianos. O povo faminto de Maridrina precisava da ponte, precisava das rendas, precisava das mercadorias que passavam por ela. Portanto, ela sacrificaria esse povo pelo seu e rezaria para que a culpa e o sofrimento não a matassem.

Lara teria dado tudo em troca de ter suas irmãs ali para compartilhar esse fardo, porque elas entenderiam. Eram as únicas pessoas que entenderiam. Mas Lara estava sozinha e, a cada minuto que passava, era como se estivesse mais perto do seu limite.

Foi só quando voltaram aos barcos que ela sentiu que conseguia respirar de novo, sentando com o rosto entre as mãos enquanto velejavam de volta à Guarda Média.

— Parece que as guardiãs receberam visita — Jor disse, quebrando o silêncio.

Lara ergueu a cabeça, olhando para uma pequena ilha com praias brancas suaves que davam lugar a rochas e vegetação. Pairando sobre ela ficava a ponte, que se estendia em um píer centrado na ilha. Não que a ilha fosse diferente das demais, mas parecia ter um acesso incrivelmente mais fácil que as outras usadas como pieres pelos construtores.

Porque eles não tiveram escolha, ela concluiu, observando ao longe. A maior extensão da ponte que ela já vira tinha uns cem metros entre os pieres, e contornar essa ilha seria inviável. Por fim, ela avistou três figuras humanas jazendo sobre a praia, inchadas e apodrecendo ao sol.

— Que lugar é este?

— Ilha das Cobras.

Ela pensou nas inúmeras serpentes que tinha visto desde que chegou.

— Um nome que descreve quase toda Ithicana.

— Essa em particular. — Aren fez sinal para Jor baixar as velas, permitindo que o barco flutuasse sobre o fundo raso em direção à praia. — Olhe.

Ela observou um movimento serpenteante entre pedras projetadas sobre a praia, mas sem conseguir identificar os detalhes.

Aren levantou ao lado dela, segurando um peixe ainda vivo que tinha sido pescado antes, esperando as ondas os guiarem lentamente para a praia. Quando estavam a uns quatro metros, Jor enfiou um remo na água, impedindo o barco de avançar mais. Aren lançou o peixe.

O animal caiu no meio da praia, e Lara ficou horrorizada quando uma dezena de cobras pulou da beira com as bocas abertas na direção do peixe. Eram grandes, quase da altura de Aren, e algumas ainda maiores.

A primeira cravou as presas no peixe enquanto as demais se empilhavam umas nas outras, se debatendo e mordendo. O peixe então foi devorado, o pescoço esticado da cobra ostentando seu prêmio.

— Meu Deus. — Lara tampou a boca.

— Se uma delas te cravar os dentes, você vai ficar paralisada em questão de minutos. Então logo uma das grandes virá para terminar o serviço.

— Uma das grandes... — A ilha foi se tornando impossivelmente sombria enquanto Lara buscava sinais das tais cobras. Ela avistou uma trilha de pedra que subia até a base do píer. Apesar da vegetação alta, comparado a todos os outros, o lugar era quase convidativo. — Por favor, não me diga que vocês usam isso como rota de entrada na ponte.

Aren fez que não.

— É uma isca. E funciona. Olha como é amistosa.

— Amistosa até demais — Jor acrescentou. — Quantos dos nossos não alimentaram essas malditas serpentes?

Lara olhou de esguelha para Aren.

— É um jogo que os jovens fazem, embora seja proibido. Duas pessoas atraem as cobras para longe da trilha, e o corredor precisa chegar ao píer, subir e sair por cima da ponte, depois mergulhar de volta na água. Um teste de bravura.

— Um teste de idiotice, isso, sim — Jor retrucou.

— Sem dúvida uma boa forma de morrer. — Lara mordeu o lábio, avaliando a utilidade desse lugar em particular.

Seria fácil ancorar navios e trazer homens por aqui, bastava dar um jeito nas cobras.

Lara estava tão absorta nos próprios pensamentos que só notou que Aren havia tirado a camisa quando ele saltou pela beira do barco, a água batendo em seu quadril.

— Segura isso para mim. — Ele entregou o arco. — Não deixe molhar.

— O que você pensa que está fazendo?

Ele estalou os dedos.

— Faz muito tempo, mas tenho certeza que ainda consigo.

— Volte para o navio, Aren — Jor disse. — Você não tem mais catorze anos.

— Não, não tenho. O que só me favorece. Lia e Taryn, atraiam as cobras. Façam um bom trabalho a menos que queiram passar o resto de seus dias salvando a pele da Ahnna.

— Não façam nada — Jor ordenou às duas. — Fiquem onde estão.

Aren virou e apoiou as mãos no barco.

— Preciso lembrá-lo de quem é o rei aqui, Jor?

Lara ficou boquiaberta. Em todo esse tempo em Ithicana, nunca o tinha visto tirar proveito de sua autoridade. Dar ordens, sim, mas isso era diferente.

Os dois se encararam, mas Jor ergueu a mão em sinal de derrota.

— Façam como sua majestade manda.

De cara fechada, cada uma das duas pegou um par de peixes, depois saltaram na água. *Elas já tinham feito isso antes*, Lara pensou. *Tinham feito isso antes para ele.*

O coração de Lara estava batendo forte.

— Entre no barco. Seu braço não cicatrizou.

— Cicatrizou o suficiente.

— Isso é loucura, Aren! O que você está tentando provar?

Aren não respondeu, chapinhando até estar a poucos metros da linha-d'água, ficando, então, completamente imóvel até as duas soldadas baterem na água ruidosamente em direções opostas, chamando a atenção das cobras. O chão sob o rochedo era uma massa sinuosa de corpos. As criaturas saíram da trilha, observando as mulheres.

Isso é por causa do que você disse, uma voz sussurrou em sua cabeça. *Você falou para ele deitar e morrer.*

— Aren, volte para o barco. — Sua voz estava tão aguda que chegava a ser irreconhecível. — Você não precisa disso.

Ele a ignorou.

Fale que você se importa. Fale que a vida dele é importante para você. Diga o que for preciso para fazê-lo voltar ao barco.

Mas ela não conseguia. Não conseguia dizer a ele uma mentira como essa só para em seguida apunhalá-lo pelas costas.

Mas seria mesmo mentira?

— Aren, eu... — Lara sentiu as palavras entalarem na garganta.

Jor acenou para os guardas no barco, que posicionaram as flechas nos arcos em silêncio, mas, de algum modo, Aren sentiu o que estavam fazendo.

— Se algum de vocês atirar uma dessas flechas, podem dizer adeus à minha guarda.

Eles baixaram os arcos.

—Você não pode estar falando sério — Lara vociferou. — Aren, volta para o barco, seu...

— Agora!

Ao seu comando, as mulheres jogaram os peixes vivos na praia. Mais uma vez, serpentes dispararam do rochedo, dezenas e mais dezenas. Mais do que Lara conseguia contar. E, assim que as primeiras estavam prestes a conseguir seus prêmios, Aren começou a correr, os pés se afundando na areia. Ele estava no meio da praia quando as cobras o viram, várias se empinando para observar o intruso e se lançando na direção dele.

Ele era rápido.

Mas as cobras eram mais.

— Elas estão se aproximando! — Lara gritou, observando horrorizada enquanto as criaturas perversas voavam pela areia.

Aren estava na trilha, correndo na direção do píer colossal, suor brilhando em seus ombros. Ainda faltavam uns trinta metros.

Ele não ia conseguir.

As cobras estavam pulando, abocanhando a poucos passos dele. E fechando o cerco.

— Corra!

Lara levantou, sem nem notar que o barco balançou. Ele não podia morrer. Não dessa forma.

Jor também estava em pé.

— Corre, seu merdinha!

Faltavam apenas uns dez metros. *Por favor*, ela torceu. *Por favor, por favor.*

Ela e Jor viram antes de Aren. Uma cobra monstruosa rodeando a base do píer, atraída pela comoção de suas irmãs menores. Ela viu Aren no mesmo momento que ele a viu, o animal se erguendo na hora que o rei parou, preso entre a morte dos dois lados.

Sem pensar, Lara ergueu o arco de Aren e arrancou uma flecha da mão do guarda mais próximo. Encaixando a flecha enquanto ainda virava para o píer, ela atirou. A flecha preta passou de raspão pelo ombro de Aren, acertando a boca aberta da fera.

Aren reagiu no mesmo instante, saltando a cobra caída e pulando para se pendurar nos apoios da rocha desgastada, erguendo os calcanhares para longe do alcance das cobras que saltaram bem a tempo. Ele escalou até o ponto médio em questão de segundos, depois virou para o barco, provavelmente para ver quem havia desobedecido às suas ordens.

Lara deixou o arco escorregar de seus dedos, mas não adiantava. Ele tinha visto. Todos tinham visto. E agora ela teria que lidar com as consequências.

Ninguém falou nada enquanto ele subia, e o coração de Lara não se acalmou por um momento sequer, sabendo muito bem que uma queda daquela altura o mataria. O ferimento no braço de Aren estava aberto, sangrando, mas, se isso o incomodava, ele não demonstrou. Chegando ao topo da ponte, Aren voltou até a parte funda do mar e, sem hesitar, mergulhou nas profundezas.

Lara prendeu a respiração, procurando algum sinal dele. Mas não havia nada.

O ombro de Aren estava sangrando.

E se houvesse tubarões por perto?

Jor tirou as botas atrás dela, o barco à deriva.

— Lia, Taryn! Venham aqui.

Então Aren emergiu, subindo no barco em um movimento fluido. Água cintilava em sua pele bronzeada, músculos ondulando enquanto ele se equilibrava, os soldados quase caindo para abrir caminho para o rei que vinha na direção de Lara.

— Que palhaçada foi aquela?

Ela se manteve firme, sem se importar com o tom dele.

— Eu estava salvando você dessa encenação infantil.

— Eu não precisava ser salvo.

A tosse que Jor deu soou como um "mentira". Aren olhou de relance para ele.

— Você nunca comentou que sabia usar um arco. Teria sido interessante saber disso nos últimos meses.

— Você nunca perguntou. — Levantando na ponta dos pés, Lara o encarou até ele dar um passo para trás, o barco balançando para mais perto da costa. — E, se um dia você me assustar assim de novo, não pense que vou hesitar em atirar em você.

— Achei que você não estivesse nem aí.

— E não estou! Pode voltar para aquela praia e dormir abraçado a uma daquelas cobras, porque não faz diferença nenhuma para mim.

— É mesmo? — E, tão rápido quanto as serpentes da ilha, ele a pegou e a jogou na água.

Lara caiu de bunda no banco de areia, a água batendo em sua cintura, mas suas roupas encharcadas.

— Babaca! — Ela levantou com dificuldade, as ondas quebrando em seus joelhos.

— Disse a mulher que não passa de uma pedra no meu... — Aren parou de falar e deu um grito quando Jor deu um chute na bunda dele.

O rei caiu de quatro, jogando água para todo lado e quase derrubando Lara. Recuperando o equilíbrio mais rápido do que ela, Aren gritou:

— Porra, Jor! O que foi isso?

Mas o barco já estava se afastando.

— Nós voltamos — Jor gritou — assim que vocês dois resolverem essa briguinha conjugal.

A embarcação sumiu atrás do píer.

Furioso, com uma série de palavrões, Aren deu um tapa na água.

Lara nem percebeu, de olho nas cobras descendo para a areia, parando na linha-d'água. Várias levantaram, balançando de um lado para outro enquanto observavam os dois. E, atrás dela... mar aberto. Mesmo que soubesse nadar, lembrava muito bem o que espreitava naquelas águas.

Ela estava presa.

O sol batia em sua cabeça, e sua testa formigava enquanto gotas de suor brotavam, se misturando à água do mar que ensopava seu cabelo.

Seu pânico crescente devia estar estampado no rosto, porque Aren disse:

— As cobras não vêm até aqui. Elas não gostam de nadar. Jor vai voltar. Ele só está sendo babaca. Não precisa ter medo.

— É fácil falar. — Lara bateu os dentes, mas não era de frio. — Você pode sair daqui nadando se quiser.

— É tentador.

— Não estou surpresa. Considerando o valor que você dá às vidas maridrinianas. — As palavras escaparam, mas talvez já não fosse sem tempo.

Talvez fosse a hora de jogar a vilania de Ithicana na cara dele.

Aren a encarou, boquiaberto.

—Você poderia me explicar o que exatamente eu fiz para suscitar esse seu comentário? Não fiz nada além de tratar você com cortesia, e o mesmo vale para seus compatriotas.

— Nada? — Lara sabia que estava se permitindo perder a calma, mas o gosto da raiva era melhor do que o do medo. — Acha que deixar meu povo passar fome pensando no bem dos seus cofres não significa nada?

Silêncio.

— Você acha que Ithicana é responsável pelos problemas de Maridrina? — Ele estava incrédulo. — Somos aliados, cacete.

— Ah, sim. Aliados. É por isso que todos sabem que a maioria dos alimentos vendidos em Guarda Sul vai para Valcotta.

— Porque eles compram! — Ele ergueu as mãos. — Guarda Sul é um mercado livre. Quem oferece mais pelas mercadorias compra. Sem predileção. Sem favoritismo. É assim que funciona. Ithicana é neutra.

— Como é fácil lavar as mãos de toda a culpa! — Ela estava furiosa por ele ter passado o dia tentando despertar a piedade dela pelo povo de Ithicana, depois fazendo vista grossa em relação ao povo de Maridrina. — E como você pode alegar uma aliança em um segundo e neutralidade no outro?

Aren praguejou, balançando a cabeça.

— Não posso. Não mais. — Ele pressionou a têmpora. — Por que acha que Amarid está no nosso cangote? Porque estão furiosos com as concessões que demos a Maridrina, e que daremos a Harendell se Ahnna decidir casar com o príncipe deles.

— E que impacto essas tais concessões tiveram? Maridrina está passando fome, presa entre Ithicana e o deserto Vermelho, e ainda não vi você demonstrar o mínimo de empatia.

— Você não faz ideia do que está falando.

— Não? Ouvi você no dia que me trouxe para cá. Ouvi você dizer que as concessões que deu ao meu pai não eram o que você queria, e que Maridrina morreria de fome antes de ver a vantagem desse tratado!

Ele a encarou, o rosto contorcido de fúria.

— Tem razão. Eu disse isso mesmo. Mas, se você e o resto de seu povo quiserem botar a culpa da fome de Maridrina em alguém, que tal colocar no seu próprio pai?

Lara abriu a boca para rebater, mas nada saiu.

— Você leu o tratado? — ele perguntou.

— É óbvio que li. Se Maridrina mantivesse a paz com Ithicana por quinze anos, você casaria com uma princesa nossa e ofereceria concessões a tarifas e impostos na ponte pelo tempo que a paz durasse entre nossos reinos.

— Esse é o resumo. E, quando chegou a hora de negociar essas concessões, ofereci eliminar todos os custos associados a um único bem importado, acreditando que obrigaria seu pai a fazer uma escolha que fomentasse a paz. Gado. Trigo. Milho. Mas sabe o que ele pediu? Aço harendelliano.

Ela sentiu um aperto no peito.

— Você está mentindo. Tudo que meu pai faz é pelo bem de nosso povo.

Aren riu, mas não havia humor em seu riso.

— Tudo que seu pai faz é pelo bem dos cofres dele. E do orgulho dele. — Aren balançou a cabeça. — Nossos impostos sobre aço e armas sempre foram exorbitantes a ponto de serem proibitivos, porque o tráfico de armas tem ramificações políticas que preferimos evitar. Sem mencionar que essas armas eram muitas vezes usadas contra nós.

Ela não conseguia respirar.

— Maridrina não tem minas de minério, o que significa que o aço para suas armas deve ser adquirido de outras formas. E, como seu pai se recusa a desistir de sua guerra incessante contra Valcotta, ele era obrigado a importar armas por navio a um preço alto. Até agora.

O sol estava forte demais, e tudo estava turvo.

— Vou continuar, já que sua educação no deserto teve suas falhas. — Os olhos anogueirados de Aren cintilaram de raiva. Eram as únicas coisas em que Lara conseguia se concentrar. — Guerra custa dinheiro, acredite em mim, eu sei. Mas seu pai não tem a ponte, então paga por isso com impostos pesados que mutilam a economia de Maridrina. Então, mesmo que os mercadores aportem no mercado aberto de Guarda Sul, eles não conseguem fazer ofertas competitivas. Por isso, zarpam com aquilo que ninguém mais quer comprar.

Carne estragada. Grãos podres. Lara fechou os olhos. Se ele estivesse falando a verdade, significava que tudo que havia alimentado o desejo dela de conquistar a ponte era falso. E o único motivo por trás da queda de Ithicana era aquilo que ela havia criticado a vida toda: ganância.

— Mesmo sabendo que não adianta falar, não era eu quem estava mentindo para você.

Jor e os outros escolheram esse momento para voltar, e a expressão de Aren foi suficiente para tirar o sorriso do rosto do homem. O barco se aproximou, e Aren subiu pela beirada. Depois que Lara fez o mesmo, Aren ordenou:

— Levantem a outra vela.

Jor se retraiu.

— Tão ansioso assim para voltar para casa?

— Não vamos para casa.

— Ah, é? Para onde vamos?

Aren lançou um olhar para os céus que escureciam no leste, depois virou para trás. Mas não foi para Jor que ele olhou.

Lara sentiu um frio na barriga enquanto Aren a encarava. A desafiava.

—Vamos fazer uma visita a Maridrina.

26
LARA

O FATO DE ESTAR DISPOSTO A CORRER O RISCO de entrar em território inimigo, de estar disposto a trazê-la — ela, que sabia tantos segredos de Ithicana — para esse território, deveria ter bastado para convencê-la de que as palavras de Aren eram verdadeiras. Que seu pai, Serin e todos os mestres do complexo eram mentirosos.

Mas não bastou.

Histórias da vilania de Ithicana tinham sido gravadas na alma de Lara. Sussurradas em seus ouvidos a vida inteira. Entoadas como um mantra por horas, dias, anos de treinamento extenuante que quase haviam acabado com ela. Que haviam acabado com suas meias-irmãs, levando-as, de um jeito ou de outro, à morte.

Conquiste a ponte e seja a salvação de Maridrina.

Acreditar em Aren significaria mudar esse mantra para algo muito diferente. Conquiste a ponte e seja a destruição de um país. Conquiste a ponte e prove que não passa de um peão de seu pai. Por esse motivo, Lara, como uma covarde, se opôs imediatamente.

— Estamos no meio da estação de tempestade. — Ela apontou para a escuridão no leste. — Que tipo de maluco entra no mar para provar que está certo?

— Este tipo de maluco aqui. Além do mais, os céus estão claros na direção em que estamos indo. E, se a tempestade nos pegar, somos conhecidos por sermos marinheiros muito habilidosos.

— Estamos numa canoa! — Lara detestou como sua voz estava estridente. — Não imagino como sua habilidade será útil no meio de um tufão!

Aren riu, sentando em um dos bancos.

— Não vamos entrar na capital de Maridrina em um barco ithicaniano.

— Como, então? — ela questionou. — Pela ponte?

Jor bufou e lançou um olhar incisivo a Aren.

— É melhor evitar a Guarda Sul, certo, majestade?

Aren o ignorou, erguendo os calcanhares e recostando em um embrulho.

—Você verá em breve.

Não demorou muito para ela estar agarrada à beira da embarcação enquanto eles saltavam sobre as ondas, tão empinada que tinha certeza de que qualquer rajada de vento mais forte os viraria, afogando-os no mar aberto.

Lara lembrou de prestar atenção aonde estavam indo. É assim que eles se infiltram em sua terra natal, assim que eles espionam. No entanto, enquanto a ponte e sua névoa desapareciam ao longe e outras ilhas brotavam à frente, tudo que ela queria era descobrir as profundezas da farsa de Serin e seu pai.

Os ithicanianos baixaram uma das velas, o barco abandonando seu ângulo aterrorizante e voltando a pousar no mar, e Lara avaliou o lugar aonde Aren a havia levado. Colunas de rocha encrostadas de verde se erguiam dos mares azuis, tão transparentes que o fundo parecia a apenas um braço de distância. Aves enchiam o céu em bandos enormes, algumas mergulhando na água e emergindo com um peixe nos bicos, engolindo-os antes que uma das companheiras tivesse chance de roubá-los. Algumas das ilhas maiores tinham praias brancas convidativas e, em nenhum lugar, havia sinal das defesas que deixavam as águas ao redor de Ithicana vermelhas de sangue inimigo.

Lara ficou de joelhos e ergueu o rosto enquanto passavam entre duas torres de calcário.

— Tem pessoas que moram aqui?

Como se respondessem sua pergunta, quando contornaram outra ilha, surgiram vários barcos de pesca, e os homens e mulheres a bordo pararam o que estavam fazendo para cumprimentá-los, acenando, muitos chamando Aren pelo nome.

— Tem, algumas — ele respondeu devagar, como se a admissão lhe custasse. — Mas é perigoso. Se eles forem atacados, não temos como vir ajudar a tempo.

— Eles são atacados com frequência?

— Não desde que o tratado foi assinado, e por isso mais pessoas trouxeram as famílias para cá.

— Eles vão embora durante as Marés de Guerra?

Aren trincou os dentes.

— Não.

Lara tirou os olhos dos barcos de pesca para olhar para ele, um enjoo enchendo suas entranhas. Quais eram as chances de Serin e seu pai não saberem que essas pessoas moravam aqui? E quais eram as chances de Aren não fazer tudo que podia para ajudá-las caso elas fossem atacadas?

Mesmo que significasse enfraquecer as defesas da ponte.

Eles serpentearam por entre as ilhas em silêncio antes de navegar por baixo de um arco de pedra natural em uma angra escondida que fazia a de Guarda Média parecer minúscula e onde, para a surpresa de Lara, vários navios grandes estavam ancorados.

— Quase todos são navios de guerra que capturamos. Nós os adaptamos para se passarem por navios mercantis. Esse é meu. — Aren apontou para uma embarcação de tamanho médio pintada de azul e dourado.

— Nem todos são seus? — Lara retrucou com amargura, aceitando o braço de Jor para se equilibrar antes de pegar a escada de corda que caía pela lateral do navio.

— Todos pertencem ao rei Aren de Ithicana. Mas este está sob o comando de capitão John, mercador de Harendell. Agora vamos. Essa tempestade vai nos seguir até Vencia se demorarmos demais.

Ela descobriu que o porão estava cheio do produto que Ithicana havia tentado manter longe de Maridrina: aço.

— Não podemos manter um porão cheio de gado esperando para essas situações — Aren disse. — Além disso, aço é a única mercadoria que vale o risco de uma travessia na estação de tempestades. Ou era.

Enquanto recuavam no convés para os aposentos do capitão, Lara quebrou um pedacinho da raiz da Vovó e mastigou vigorosamente, esperando que contivesse a náusea que não era causada apenas pelo mar.

Aren abriu e revirou um baú, tirando de lá uma muda de roupas e um quepe frouxo, que jogou para Lara.

— Disfarces. Se fingir ser um menino, terá mais liberdade quando chegarmos à cidade.

Fazendo uma careta para ele, Lara pegou as roupas e esperou que ele desse as costas antes de tirar as vestimentas ithicanianas. Depois de pensar por um momento, ela enrolou um lenço com firmeza em volta do peito, depois vestiu a camisa larga e a calça volumosa que os marinheiros de Harendell pelo visto usavam. Enrolou a trança no alto da cabeça e colocou o quepe para completar o disfarce.

Aren já estava usando seu traje de Harendell, com um quepe semelhante. Ele franziu a testa.

— Você ainda parece mulher.

— Não me diga. — Ela cruzou os braços.

— Humm. — Ele olhou o lugar, depois foi até um canto e

passou a mão no chão. — Faz mais de um ano que esse navio não vai a lugar nenhum, e acho que ninguém entrou para limpar. — Voltando, ele estendeu a mão para o rosto dela.

Lara se encolheu, assustada.

— O que você está fazendo?

— Completando seu disfarce. — Segurando a nuca de Lara, Aren passou a mão com cheiro de poeira e cocô de camundongo no rosto dela, ignorando seus protestos. Dando um passo para trás, Aren a observou de cima a baixo. — Fique um pouco curvada. E continue com a cara fechada. Combina com um menino de treze anos que foi obrigado pelo primo mais velho malandro e charmoso a trabalhar.

Lara ergueu a mão num gesto universalmente ofensivo.

Aren riu, depois gritou para a porta.

— Todos no convés. Vamos partir para Maridrina.

Com uma eficiência treinada, os soldados transformados em marinheiros harendellianos preparavam o navio. Jor falava com uma dezena de ithicanianos que ela não reconheceu, mas que deviam morar na ilha.

— Qual é a história, capitão? — Jor gritou quando Aren e Lara voltaram para o convés.

— Aproveitamos que a tempestade passou para arriscar a travessia em troca de um lucro rápido. Última chance de ganhar uma grana boa enquanto os preços do aço estão altos.

Todos assentiram, e Lara percebeu que eles já tinham feito isso antes. Que o homem mais procurado de Ithicana já estivera lá, bem debaixo do nariz de seu pai sem que ninguém, nem mesmo Serin, soubesse. Aren assumiu o comando do leme, gritando ordens. A âncora foi levantada, velas abaixaram, então o navio saiu da angra.

— Você vai a Maridrina com frequência?

Aren fez que não.

— Não mais. Antes da coroação, passei muito tempo em outros reinos, aprofundando meus estudos em economia comercial.

— Era isso que você estava fazendo? — Jor disse ao passar. — E eu aqui pensando que todas aquelas aventuras fora de Ithicana eram para lhe dar uma oportunidade de apostar, correr atrás de rabos de saia e torrar o dinheiro em bebida barata.

— Também. — Aren teve a decência de parecer envergonhado. — Enfim, tudo isso acabou quando fui coroado, mas, para Lara, vou abrir uma exceção.

Ela apoiou os cotovelos na amurada.

— Quanto tempo vai levar até chegarmos lá?

— Ou chegaremos antes dessa tempestade ou não chegaremos — Ele sorriu.

— Que desnecessário. — Ela estava mais preocupada com o que encontraria quando eles chegassem do que se chegaria lá viva.

— Quem decide isso sou eu. Agora, por que não procura algo de útil para fazer?

Sabendo que no fundo ia contrariá-lo, Lara obedeceu. Armada de um balde, um esfregão e uma escova imunda, limpou o convés antes de entrar nos aposentos do capitão, onde surrupiou um pouco de ouro que encontrou na gaveta de uma escrivaninha, parando a limpeza apenas para jogar fora a água escura e trocar por água limpa. Pelo canto do olho, Lara via que Aren fazia menção de falar alguma coisa toda vez que ela passava. Mas desistia e voltava a olhar o mar.

O que era gratificante por si só, porém, mais do que isso, a limpeza lhe dava um tempo ininterrupto para pensar. Aos olhos de Lara, ela teria três opções depois que chegassem ao porto. A primeira era fugir. Não havia dúvidas em sua mente de que ela conseguiria escapar de Aren e sua guarda e, com as joias que guardava no bolso além do ouro que já havia surrupiado dos aposentos do capitão, conseguiria construir uma vida onde achasse melhor. Seria livre e, supondo que Aren escreveria para o pai dela no papel timbrado, Lara teria cumprido seu dever.

A segunda era se dirigir ao palácio do pai e usar os códigos que Serin havia lhe dado para ingressar. Contaria tudo o que sabia em detalhes em troca de sua liberdade, como havia sido prometido. Embora, ao fazer isso, corresse o risco de seu pai cortar sua garganta no segundo que recebesse o que precisava. E a terceira...

A terceira era acreditar em tudo que Aren havia lhe dito. Que seu pai tinha jogado fora a oportunidade de melhorar a vida do povo maridriniano por escolha própria. Que seu pai, e não Ithicana, era o opressor de sua pátria. Mas a mente de Lara vacilava, relutante em aceitar isso sem prova.

Com um balde de água suja em uma das mãos e a amurada na outra, ela virou para observar Aren guiar o navio, o coração batendo forte apesar do quepe ridículo que ele estava usando.

E se a vida dela tivesse sido dedicada a uma mentira?

Lara foi poupada de pensar mais no assunto quando uma onda banhou o convés, acabando com todo o seu trabalho. Os mares tinham ficado violentos, um raio cortou as nuvens e o vento tentou levar seu chapéu idiota. Aren estava contornando a beira da tempestade diante deles. Estreitando os olhos, Lara observou a sombra do continente à frente. Quais eram as chances de conseguirem chegar?

Derrubando o esfregão e o balde, ela cambaleou pelo convés que balançava e subiu os degraus até onde Aren estava no leme.

—Você precisa virar para o oeste e fugir desse tufão, seu maluco — ela gritou mais alto que o vento, apontando para as nuvens negras.

— É só uma tempestade de nada. Vou chegar antes. Mas é melhor se segurar.

Com as mãos no chapéu e na amurada, Lara observou Vencia

e seu porto coberto crescerem no horizonte, quase invisíveis sob a chuva que começava a cair. Ao contrário do dia em que havia partido, o céu sobre sua cidade natal estava negro e tenebroso, os edifícios caiados subindo do porto em um tom sombrio de cinza. Acima de toda a cidade ficava o Palácio Imperial, suas paredes banhadas de um azul brilhante, seus domos feitos de bronze. Era onde seu pai mantinha seu harém, que sua mãe dividia com as outras esposas dele, se é que ainda estava viva.

Ela ouviu vagamente Aren ordenar a tripulação a baixar algumas das velas, o navio perdendo bem pouca velocidade enquanto avançava em direção ao quebra-mar que protegia o porto. Um segundo depois de cair um raio, um trovão fez o navio chacoalhar. Ondas inundavam o convés, os ithicanianos se segurando com firmeza às cordas para não serem lançados ao mar.

Somente Aren estava calmo.

Combatendo a náusea crescente, Lara cravou os dedos na amurada. A rebentação batia no quebra-mar alto como um aríete incessante, a espuma e os respingos chegando a quinze metros de altura. Parecia uma explosão, e suor escorria pelas costas dela enquanto imaginava o que aconteceria com o navio se batesse na estrutura.

Com um gemido de esforço, Aren virou o leme, o olhar fixo na abertura aparentemente minúscula pela qual passariam.

Uma onda subiu quase à altura do quebra-mar.

— Isso é loucura. — Por pouco Lara não perdeu o equilíbrio quando a embarcação subiu e desceu, atravessando a abertura com uma precisão certeira.

Ela deixou escapar um suspiro alto, apoiando a testa com força na amurada, a chuva caindo em sua cabeça.

— Falei que conseguiríamos — Aren disse, mas ela não respondeu, apenas observou o porto lotado, as águas calmas comparadas às do mar aberto que haviam deixado para trás.

Durante a estação de tempestade, ela sabia que a maioria dos navios mercantis permanecia perto da costa, capaz de entrar em um porto caso os céus escuros ameaçassem. Por isso a chegada do navio harendelliano chamou atenção. A promessa que eles traziam no porão atraiu o capitão do porto a ponto de ele acenar para que furassem fila para entrar nas docas, para a indignação clara dos outros capitães e tripulações.

— Quanto tempo, seu sacana valente — o homem gritou quando o navio bateu na doca, Jor e vários dos outros saltando da amurada para prender a embarcação.

Aren esperou até baixarem a prancha antes de fazer sinal para Lara descer atrás dele, a chuva ficando mais forte a cada minuto.

— Você diz valente, mas minha avó usa uma palavra bem diferente para me descrever.

O capitão do porto riu.

— Ganancioso?

Aren bateu a mão no peito e cambaleou para o lado.

— Assim você me ofende!

Eles riram como se fossem velhos amigos. Aren tirou um punhado de moedas e as passou para o capitão do porão, depois outra de ouro, e o homem a colocou no bolso discretamente enquanto seu assistente registrava os detalhes em uma folha de papel.

— Que bom que chegaram agora — o capitão do porto disse. — O preço do aço não vai se manter por muito tempo enquanto Ithicana importar esse maldito metal sem taxas ou impostos. Está empilhando na Guarda Sul. Não que os valcottanos estejam dando muitas chances para o rei Silas buscar seu prêmio. — Ele cuspiu na água.

Aren fez um barulho de comiseração.

— Foi o que ouvi dizer.

— A nova rainha de Ithicana não fez nada por nós. Todo o ouro que Silas taxou dos nossos bolsos foi gasto em aço, e não recebemos nada em troca.

— Mulheres bonitas sempre tiram dinheiro dos homens — Aren respondeu.

Lara se eriçou, e o capitão do porto se voltou para ela.

— Não estou gostando do jeito como você me olha, rapaz.

Aren deu um tapinha no ombro de Lara com tanta força que ela cambaleou.

— Não ligue para o meu primo. Ele só está mal-humorado porque passou a travessia inteira lavando o convés em vez de curtir a preguiça, um luxo que não terá mais.

— Parentes são a pior tripulação.

— Nem me fale. Quase fiquei tentado a jogar o menino no mar umas dez vezes, mas, se eu fizesse isso, nunca mais poderia voltar para casa.

— Tenho a impressão de que não são poucas as moças de Vencia que ficariam felizes em aturar você.

— Não me tente.

Um quarto plano, que envolvia cravar uma faca nas entranhas de Aren, começou a se formar enquanto Lara saía das docas atrás dos dois.

A voz do capitão do porto atraiu a atenção dela de volta à conversa.

— Ouvi dizer que Amarid passou a estação calma mostrando ao Reino da Ponte o que acharam de Ithicana tirar das mãos deles o negócio de fornecer armas harendellianas para Maridrina.

— Ithicana não está fornecendo armas.

Lara percebeu a tensão na voz de Aren, mas o capitão do porto pelo visto não.

— Dá na mesma. Transportam de graça. Trazem para as nossas mãos. Ou trariam, se Valcotta não estivesse colocando a frota deles em risco para nos impedir de aportar. — A amargura na voz dele era palpável. — O rei Silas deveria ter negociado gado.

—Vacas não vencem guerras — Aren respondeu.

— Soldados famintos também não. Nem soldados mortos pela praga. O capitão do porto cuspiu no chão. — A única coisa boa que o casamento da nossa princesa fez por Maridrina foi encher os bolsos dos pedintes que o rei pagou para sentar na rua e gritar o nome dela enquanto ela passava.

Aren e o homem se dedicaram aos detalhes do descarregamento do navio. A conversa não passava de um zumbido nos ouvidos de Lara enquanto o que ela tinha ouvido tocava sua alma. O que Serin havia lhe dito sobre a fome e a praga era verdade, mas... se o que esse homem dizia tinha alguma credibilidade, ela havia sido enganada sobre o culpado. Gotículas de suor escorreram pelas suas costas, fazendo sua pele coçar.

Não podia ser verdade. Aren havia contratado aquele homem para dizer essas coisas. Não passava de uma armação para ela. Uma tensão apertou o peito de Lara, cada respiração uma luta enquanto ela tentava conciliar uma vida de ensinamentos com o que estava vendo. Com o que estava ouvindo.

Com o que tinha feito.

— Mande sua tripulação descarregar logo pela manhã. Essa tempestade vai impossibilitar isso agora.

Lara pestanejou, se concentrando em Aren enquanto ele apertava a mão do capitão do porto, esperando o homem sair de perto para dizer:

— Prova suficiente para você?

Lara não respondeu, apertando a têmpora dolorida, odiando a forma como tremia.

— Vamos voltar para o navio agora? — A língua dela estava grossa na boca, a voz distante.

— Não.

Havia algo no tom dele que a tirou de seu torpor. Água escorria pelo rosto anguloso de Aren, gotículas se acumulando em seus cílios escuros. Seus olhos anogueirados vasculharam os dela por um momento, depois observaram o cais.

— Teremos que esperar em Vencia até a tempestade passar. Melhor fazer isso com um pouco de conforto.

O sangue latejava como um tambor em seu crânio enquanto ela atravessava o mercado, seguindo Aren de perto, os ithicanianos andando casualmente ao redor deles. *Corra*. A palavra se repetiu em sua cabeça, seus pés se flexionando em suas botas, e Lara estava desesperada para sair dessa situação. Ela não queria ouvir mais. Não queria encarar que poderia não ser uma libertadora. Poderia não ser uma salvadora. Nem mesmo uma mártir.

Ela queria fugir desses estilhaços de verdade que lhe diziam que ela era algo completamente diferente.

Aren desceu as ruas estreitas em zigue-zague, edifícios de dois andares amontoados de ambos os lados, janelas fechadas para protegê-los da tempestade. Parou na frente de uma porta com uma placa que dizia O Pássaro Canoro. Música, o tilintar de copos e o murmúrio coletivo escapavam para a rua. Ele hesitou com a mão no batente, depois abriu a porta com um suspiro.

O cheiro de fumaça, comida no fogo e cerveja derramada atravessou Lara, e ela observou o salão cheio de mesas baixas, a maioria ocupada por fregueses da classe mercantil. Jor e Aren sentaram a uma mesa no canto; os outros guardas ficaram no balcão. Lutando para controlar as emoções turbulentas que se agitavam dentro dela, Lara sentou à direita de Aren, se curvando na cadeira e torcendo para a chuva não ter lavado a sujeira que completava seu disfarce. Uma voz de mulher chamou sua atenção.

— Ora, ora, olha quem decidiu dar as caras.

Uma moça de uns vinte e poucos anos havia se aproximado da mesa. De cabelo comprido, em um tom de louro mais claro e dourado que o de Lara, boa parte de seus seios fartos pulava do corpete do vestido.

Aren pegou um dos copos de líquido amarelo-âmbar que uma garçonete havia trazido à mesa.

— Como você está, Marisol?

— Como estou? — A mulher, Marisol, colocou as mãos na cintura. — Faz mais de um ano que você não dá as caras em Vencia, John, e vem me perguntar como estou?

— Faz tanto tempo assim?

—Você sabe muito bem que sim.

Aren ergueu as mãos em sinal de desculpas, abrindo um sorriso charmoso para a mulher que Lara nunca tinha visto. Galanteador. Íntimo. Lara se deu conta da natureza da relação deles, e sua pele ficou quente.

—As circunstâncias saíram do meu controle. Mas é bom ver você.

A mulher fez biquinho e não tirou os olhos de Aren. Depois, sentou no joelho dele e agarrou seu pescoço. Os dedos de Lara se contorceram na direção das facas escondidas nas botas, uma fúria borbulhando nas veias. O que ele tinha na cabeça para desfilar com a amante na frente dela? Era algum tipo de punição? Ele estava tentando provar alguma coisa?

Então, a mulher cumprimentou Jor e acenou para uma das garçonetes trazer outra rodada.

Jor virou o copo, pegando o seguinte da bandeja antes que a garçonete tivesse tempo de servi-lo.

— Bom ver você, Marisol.

A mulher encarou Lara.

— Quem é o rabugentinho?

— Meu primo. Está aprendendo o ofício.

Marisol inclinou o rosto lindo, observando Lara como se estivesse tentando lembrar de onde a conhecia.

— Com olhos assim, parece que sua mãe vadiou com o rei Silas em pessoa.

Aren engasgou com a bebida.

— Não seria engraçado?

— Talvez você se divertisse mais se sorrisse mais, garoto. Poderia aprender com seu primo coisas além de conduzir um navio.

Lara abriu um sorriso cheio de dentes, mas a mulher apenas riu, voltando a atenção para Aren.

—Vai ficar quanto tempo?

— Só até amanhã, se a tempestade passar.

Ela fez um bico, claramente decepcionada.

— Tão cedo.

— Precisam de mim em casa.

— Sempre a mesma história. — Marisol suspirou baixo, balançando a cabeça. —Vai precisar de quartos para a tripulação passar a noite, então? E para seu primo?

O estômago de Lara revirou. E para ele não? Não era possível que Aren fosse...

— Para eles. E um para mim também.

Marisol ergueu a sobrancelha, e Lara conteve o impulso de dar um soco no lindo narizinho dela.

Jor pigarreou.

— Ele casou, Marisol.

A mulher levantou tão abruptamente que bateu na mesa, derrubando a cerveja dos copos.

Colocando a bebida na mesa, Aren lançou um olhar sombrio para Jor, mas o homem mais velho apenas deu de ombros.

— Não havia por que insistir no assunto. Agora ela já sabe, então podemos seguir em frente.

Os olhos de Marisol cintilaram, e ela piscou rapidamente.

— Parabéns. Tenho certeza que ela é um encanto.

— Ela tem um temperamento selvagem e uma língua afiada.

O olhar de Marisol se voltou para Lara, constatações demais perpassando seus olhos. Em vez de encarar a mulher como queria, Lara voltou a atenção para uma rachadura na mesa.

— Tenho certeza que ela é muito bonita — a mulher disse.

Aren ficou em silêncio por um momento.

— Tão linda quanto os céus claros sobre os mares Tempestuosos. E tão esquiva quanto.

Lara sentiu um frio na barriga ao se dar conta das palavras dele, um elogio envolto por uma verdade sombria impossível de negar.

— Bom, isso explica por que você está apaixonado por ela então — Marisol disse baixinho. — Sempre se encantou por desafios.

Lara virou um dos copos, os ouvidos zumbindo enquanto olhava para qualquer lugar menos para Aren.

Jor tossiu alto, depois balançou os braços.

— Vamos precisar de mais uma rodada aqui.

— Talvez duas. — Marisol sentou à mesa, dando um levíssimo aceno aos músicos.

Eles deixaram os instrumentos de corda de lado, pegando tambores e tamborins, enchendo o salão de ritmo. Moças usando vestidos de cores brilhantes dançaram entre as mesas, os braceletes com sinos nos punhos e tornozelos chacoalhando enquanto suas vozes acompanhavam a música. Instantes depois, os fregueses começaram a bater palmas, e com tanto barulho Lara não conseguiu ouvir nem os próprios pensamentos.

Marisol bateu palmas com a música.

— Não há evidências de que o rei esteja aumentando a frota na tentativa de combater o bloqueio valcottano. Não tem nem mesmo sinal de que pretenda fazer isso. Tenho informantes por toda a costa, e nenhum estaleiro ostenta uma comissão da coroa.

Lara piscou. Essa mulher era uma espiã?

— Os preços de importações dispararam. A comida está limitada ao que Maridrina consegue produzir, o que é pouco considerando que todos os nossos fazendeiros viraram soldados, e a fome cresce nas cidades. A tendência é só piorar.

Aren bateu palmas no ritmo da música.

— Amarid não está aproveitando a deixa? Pensei que estariam loucos pela oportunidade.

Marisol fez que não.

— Os marinheiros amaridianos estão chorando em todos os portos dizendo que a aliança entre Ithicana e Maridrina destruiu suas receitas. — Ela olhou para Aren. — E agora que a aliança não está funcionando como o planejado, parecem felizes por Maridrina estar pagando o preço.

— Vingativo da parte deles.

Marisol tomou um gole da bebida, depois concordou.

— Fazia anos que o apoio do povo maridriniano ao conflito com Valcotta estava em declínio, porque ninguém acreditava que havia algo a ganhar ali. Mas, desde o casamento e a retaliação subsequente de Valcotta, o respaldo à guerra contra Valcotta cresceu dez vezes. Homens e meninos estão se lançando na direção dos recrutadores do exército, pensando ser salvadores da pátria e... — A voz de Marisol estremeceu, e ela lançou um olhar rápido para Lara.

— E? — Aren perguntou.

— E há um número crescente de vozes sugerindo que a aliança do Tratado de Quinze Anos deve ser quebrada. Que, enquanto Maridrina morre de fome, Ithicana continua a lucrar pelo comércio com Valcotta. Que, se o Reino da Ponte fosse mesmo um aliado, negariam acesso portuário a nossos inimigos em Guarda Sul.

Marisol deu de ombros.

— As concessões que Ithicana fez a Maridrina não beneficiaram em nada nosso povo. Mas, em vez de culpar o rei Silas, culpam Ithicana pelo sofrimento. O povo está doido para brigar.

Maridrina vai morrer de fome antes de ser beneficiada por esse tratado. As palavras de Aren ecoaram na cabeça de Lara. Como ele estava certo.

A canção terminou, os dançarinos foram voltando a seus lugares e os músicos escolheram uma canção mais calma para tocar na sequência. Marisol levantou.

— Preciso voltar ao trabalho. Vou mandar enviarem comida e prepararem os quartos para você e sua tripulação.

Seu pai, Serin... todos os seus mestres. Haviam mentido para Lara e suas irmãs. Em si, isso não era nenhuma grande revelação — ela havia constatado que a vilania de Ithicana tinha sido exagerada e distorcida para transformar as meninas em fundamentalistas com um objetivo único e claro: a destruição do opressor de Maridrina. Mas, até precisamente esse momento, ela havia acreditado que, embora os métodos de seu pai fossem vis, sua motivação fosse pura. Salvar o povo de Maridrina. Alimentá-lo e protegê-lo.

Mas o opressor não era Ithicana. Era seu pai.

Lara e suas irmãs não haviam sido isoladas no complexo do deserto pela sua segurança. Tampouco para esconder os planos de seu pai de Ithicana. O verdadeiro objetivo era manter Lara e suas irmãs longe da verdade. Porque, se soubessem que sua missão não era movida pela necessidade de reparar um mal, e sim pela ganância sem fim do seu pai, será que elas estariam dispostas a trair um marido? A destroçar uma nação? A ver um povo massacrado? Promessas, ameaças e subornos eram motivadores irrisórios quando comparados ao fanatismo que ardia na alma dela e das irmãs.

Mas, para Lara, esse fanatismo não ardia mais.

27
AREN

— Por que estamos aqui? — Jor fez sinal para uma das meninas trazer mais uma rodada. — Por que estamos nos arriscando em mares revoltos e território inimigo?

Revirando a comida no prato à sua frente, Aren não respondeu. Lara havia subido para o quarto uma hora antes, em silêncio, com o rosto pálido. Ele tinha dito para ela ficar lá até ele voltar, para sua própria segurança, mas duvidava que Lara obedeceria.

Aren soube. Na água ao lado dela na ilha das Cobras, ele soube. Todas as pequenas peculiaridades sobre sua esposa maridriniana, as coisinhas que haviam lhe parecido estranhas, tinham se acumulado até não ter mais como negar.

Lara era uma espiã.

A mulher por quem ele havia se apaixonado era uma espiã.

Nos primeiros dias de casamento, ele havia acreditado que o aparente desdém de Lara por ele fosse resultado do incômodo de ser forçada a um casamento que não queria. Uma vida que não havia escolhido. Mas o choque de Lara ao ouvir que o rei de Maridrina preferira comprar armas a alimentar seu povo mostrou que, além de tudo, haviam mentido para ela.

Aren sabia por experiência própria que os melhores espiões sempre acreditavam trabalhar por um bem maior. Seria difícil para o rei Rato achar um espião que acreditasse que Ithicana era a causa do sofrimento de Maridrina, então ele mesmo providenciou isso: uma filha criada em total isolamento educada com uma falsa noção de justiça na cabeça.

Mas agora ela sabia a verdade.

— Aren? — A voz de Jor não demonstrava nada, mas Aren nunca tinha ouvido o capitão de sua guarda esquecer um pseudônimo, muito menos o do rei. O mais velho estava preocupado. E com razão. Ithicana estava entre a cruz e a espada.

Antes que Aren tivesse a chance de responder, um membro de sua tripulação entrou na taverna e assentiu uma vez. O coração de Aren se apertou.

—Você está prestes a descobrir.

Do lado de fora, seu guarda reportou:

— Ela está subindo o bulevar central. Gorrick foi atrás. — Ele entregou o arco e a aljava para Aren.

Aren pegou suas armas sem falar nada e começou a subir a rua, seguido por Jor. Vencia estava lotada como sempre, e ele levou certo tempo para encontrar o ithicaniano alto que seguia sua esposa.

— Volte — ele murmurou para Gorrick quando avistou Lara. — Assumimos daqui.

Antes de protestar, o homem viu a expressão de Aren e desapareceu na multidão.

Lara subiu pelo meio da rua, ainda disfarçada, e passando despercebida pelos bêbados e arruaceiros. Mas Aren se questionou se o disfarce enganava alguém. Toda vez que ela olhava para trás, a luz de tochas envolvia as linhas delicadas de seu rosto, seus lábios fartos, seu pescoço comprido, a curva redonda de sua bunda. O leve rebolado em seu passo. Nenhum grumete harendelliano que ele havia conhecido caminhava daquele jeito.

Ela era tão linda que doía, e nem mesmo saber que havia usado isso contra ele diminuía a atração que Aren sentia por ela.

Ele suplicou em silêncio: *por favor, que eu esteja errado sobre suas intenções.*

Mas não havia como negar a rota que Lara estava tomando, subindo as ruas em zigue-zague na direção do palácio do pai, a prova em azul e bronze do orgulho e da ganância dele.

Jor praguejou quando também entendeu que caminho Lara estava fazendo.

— Precisamos detê-la.

Aren desviou de um par de bêbados e se escondeu nas sombras mais próximas dos edifícios.

— Ainda não.

Quanto mais eles subiam, mais vazias as ruas ficavam, e Lara não olhou para trás mais nenhuma vez. Como se nem tivesse passado pela cabeça dela que poderia estar sendo observada.

— O que você está fazendo, Aren? — Jor sussurrou.

— Preciso ver se ela seria mesmo capaz de me trair.

Tinha esperanças de que ela não fosse. Que agora, ciente da mentira do pai, ela fosse dar as costas a seu propósito. Se ela fosse o tipo de mulher que ele acreditava... ou melhor, que ele rezava para que ela fosse.

Ela continuou indo em direção ao portão, os guardas que o cercavam observando-a com um interesse enfastiado, um rapaz solitário que não era motivo para preocupação. Aren parou nas sombras, onde os guardas não o veriam, tirando uma única flecha da aljava. A textura de seu arco pareceu estranha, diferente em seus dedos suados.

Jor levou a mão à arma.

— Deixe que eu faço isso por você.

Aren deu um passo para o lado, encaixando a arma enquanto negava com a cabeça.

— Não. Eu a trouxe para Ithicana. Ela é minha responsabilidade. — Lara não diminuiu o passo, e os guardas no portão se empertigaram quando ela se aproximou.

Um deles gritou para ela.

— O que quer, garoto?

Lara não respondeu.

Jor tentou pegar a arma de novo.

— Você está quase apaixonado pela menina. Não precisa disso na sua consciência.

— Sim, preciso.

Ela parou a uns dez passos dos portões pesados de ferro.

— Diga o que quer ou saia daqui! — o guarda gritou.

Aren puxou a corda do arco, apontando a flecha bem no centro das costas esguias dela. A essa distância, a flecha se cravaria bem no coração de Lara. Ela estaria morta antes que pudesse maldizer o nome dele, ou de Ithicana, mais do que já havia feito.

O coração de Aren batia de forma selvagem e frenética no peito, suor quente se misturando à chuva que caía em suas costas. Quando piscou, ele a viu cair. Viu o sangue dela formar uma poça ao seu redor. Viu aqueles olhos terrivelmente lindos perderem o brilho. Então ele piscou de novo e ela estava imóvel no escuro. Ela deu um passo hesitante à frente. A mão dele tremeu.

Outro passo.

Ele começou a esticar a corda devagar, tensa sob seus dedos. Aren sabia que, embora não tivesse escolha, nunca se perdoaria por matá-la.

O corpo dela balançou e o coração dele palpitou. Então um raio caiu e Lara deu meia-volta, correndo para longe dos portões. Jor jogou Aren para as sombras enquanto ela passava, de volta para a cidade. Ele deu um passo para segui-la, mas tudo que havia jantado subiu pela garganta. Com a mão na parede do prédio, Aren vomitou as tripas na rua.

— Siga Lara — ele conseguiu dizer. — Certifique-se de que ela volte em segurança.

Só quando Jor havia desparecido na rua que Aren pousou a cabeça na pedra úmida coberta de limo. Meio segundo. Essa tinha sido a diferença entre ela correr noite adentro e jazer morta na rua. Meio segundo.

O fedor de vômito encheu suas narinas, mas não foi isso que fez seus olhos arderem. Ele os esfregou furiosamente, odiando o rei de Maridrina até o fundo de sua alma. A aliança entre Maridrina e Ithicana era uma farsa; Aren pelo visto não tinha um inimigo maior do que Silas Veliant.

—Você — alguém gritou. — Nada de vadiar. Circulando!

Depois de lançar um olhar para trás na direção do palácio onde o pai de Lara dormia, Aren mergulhou na noite escura.

28
LARA

— Uísque — Lara murmurou para o taberneiro, sentando num banco ao voltar para O Pássaro Canoro, a água pingando de suas roupas até formar uma poça.

O taberneiro a observou com um sorriso.

— E você lá tem como pagar, moleque?

— Não — ela retrucou. — Pretendo beber e depois fugir pelos fundos.

O brilho nos olhos do homem se desfez, e ele se debruçou no balcão.

— Escuta aqui, seu...

— Querido, pode pegar mais vinho na adega? — Marisol surgiu do nada. — Deixa que eu cuido disso.

Dando de ombros, o taberneiro se dirigiu a uma porta atrás do balcão. Depois que ele saiu, Marisol pegou uma garrafa debaixo do balcão e serviu uma dose generosa para Lara.

— Não sei qual é o costume em Harendell, mas não embebedamos crianças em meu estabelecimento.

Lara a encarou com frieza, virou o copo e o colocou na frente da mulher, tirando, em seguida, uma moeda harendelliana do bolso e batendo com ela no balcão.

— Abra uma exceção.

A mulher ergueu a sobrancelha.

—Você é um charme, não é, majestade?

—Você concede títulos a todos os fregueses?

—Apenas a mulheres de olhos azul Veliant que viajam na companhia de espiões ithicanianos.

Não havia por que tentar dissuadir a mulher.

— Ou sirva e fale ao mesmo tempo, ou cale a boca. Não estou no clima. — Ela não estava no clima para nada além de calar as perguntas que rondavam seus pensamentos freneticamente enquanto tentava aceitar um mundo de ponta-cabeça. E sem dúvida não estava no clima para ficar de conversa-fiada com a ex-amante de Aren.

Marisol a serviu, depois colocou a garrafa perto do copo.

— Vi você quando passou por Vencia a caminho de Ithicana. — Ela apoiou os cotovelos na madeira polida. — A cortina da carruagem estava aberta, e olhei apenas de relance. Você parecia estar indo para a guerra, não para um casamento.

Lara estava indo para a guerra. Ou pelo menos era o que achava na época.

— O rei ordenou que as ruas fossem esvaziadas. Ninguém teve permissão para sair de casa até você embarcar no navio. Para sua proteção, eles disseram.

Não tinha nada a ver com a proteção dela. Era a última medida para garantir que Lara embarcasse no navio convencida de que Maridrina estava em uma situação calamitosa e que a culpa era de Ithicana. Uma última farsa.

— Então a colocaram no navio, e lá se foi você. A caminho de Ithicana e, sem que eu soubesse na época, a caminho de roubar meu amante favorito.

Lara abriu um sorriso doce para ela.

— Considerando que você não o via fazia mais de um ano, não sei se tinha muito poder sobre ele àquela altura. Ou se algum dia teve.

— Você é uma bela sirigaita, sabia?

Lara pegou o copo que Marisol estava limpando, o encheu, esperou que a mulher o erguesse e depois brindou com o dela.

— Um brinde a isso.

Engolindo o líquido em um gole só, Marisol colocou o copo de lado.

— Achávamos que as coisas mudariam. Que seu pai diminuiria os impostos indecentes ou pelo menos usaria o dinheiro para algo melhor do que a guerra incessante contra Valcotta.

— Mas nada mudou.

Marisol fez que não.

— Na verdade, só piorou.

— Só me resta questionar por que me dei ao trabalho de ir. — Mas Lara sabia exatamente por que tinha ido a Ithicana. Para salvar suas irmãs. Para salvar seu reino. Para se salvar. Naquele exato momento, ela quase se perguntava se não havia destruído tudo.

— Não era escolha sua, imagino. — Marisol olhou para trás de Lara, observando as idas e vindas do salão. — Só sei que você casou com o melhor homem que já tive o privilégio de conhecer, então, talvez, em vez de afogar as mágoas, deva arrumar coisa melhor para fazer. — Ela inclinou a cabeça. — Enfim, espero que aproveite a noite, majestade.

— Boa noite — Lara murmurou, enchendo o copo outra vez.

Sabia que Aren era um homem bom. Seus instintos, nos quais ela deveria ter confiado, gritavam isso havia mais tempo do que ela queria admitir, mas Lara ignorou em prol do que lhe ensinaram. Ela tinha sido enganada. Manipulada. Traída.

Ela fora ao palácio matar o pai.

Seu plano tinha sido usar os códigos que havia recebido para ganhar acesso, depois esperar que a levassem até seu pai... e matá-lo. Com as próprias mãos, se necessário. Afinal, ela havia sido treinada para isso. Eles a matariam logo em seguida, mas valeria a pena. Valeria pelo momento que seu pai constatasse que ela, sua arma preciosa, tinha se voltado contra ele.

Mas, quando Lara estava lá sob a chuva torrencial, os soldados de seu pai a observando com um interesse enfastiado, a voz do mestre Erik havia enchido seus ouvidos: *não deixe sua raiva dominar você, baratinha. Senão corre o risco de deixar que seus inimigos a dominem.*

Uma coisa era sua raiva afetar apenas ela. Mas, quando estava lá, a pele formigando com um sexto sentido alertando do perigo, ocorreu a Lara que seria Ithicana — e Aren — que pagariam o preço. As folhas de papel nos aposentos de Aren em Guarda Média ainda carregavam todos os segredos da ponte. Se uma delas chegasse às mãos de Serin... Seria um mal que jamais poderia ser desfeito. Ela precisava garantir que fossem destruídas. Depois, poderia se vingar com a consciência limpa.

Ela tinha voltado com a intenção de deixar um bilhete para Aren explicando tudo e instruindo-o a destruir os papéis, mas não conseguia parar de imaginar Aren lendo aquilo. Ele, leal até a alma, levaria o ato de deslealdade dela para o lado pessoal. Ele a odiaria. Lara engoliu o líquido em seu copo em goles grandes, desejando que o álcool agisse mais rápido. Desejando que entorpecesse seu coração traiçoeiro.

Enchendo o copo vezes seguidas, ela remoeu aquilo até a garrafa estar vazia, e o uísque não fez nada além de anestesiar a dor grave em seu peito. Ela teria pedido outro e continuado a beber, mas não havia mais ninguém para servi-la, todas as garrafas e copos guardados, o salão silencioso e tranquilo.

Levantando, Lara virou e encontrou o salão sem clientes ou funcionários, as cadeiras junto às mesas, o chão varrido e a porta trancada. Sem vida. Exceto por Aren, sentado à mesa atrás dela.

Ela encarou o olhar turvo nele, sentindo como se seu coração tivesse sigo rasgado em mil pedaços, depois incendiado.

— Esperando que eu vá para a cama para correr atrás de Marisol? — As palavras saíram enroladas. Cheias de rancor. Mas ela quase queria que Aren fizesse isso por nenhum outro motivo além de ter uma razão válida para odiá-lo. Uma razão válida para partir e nunca mais olhar para trás.

O canto da boca dele se ergueu.

— Quem você acha que foi me chamar para cuidar do meu priminho boca suja?

Lara fechou a cara.

— Ela sabe que não sou seu primo. Sabe exatamente quem eu sou e, por extensão, quem você é.

— Marisol é esperta.

— Você não se preocupa?

Aren fez que não, depois levantou. Suas roupas estavam molhadas, mas não a ponto de pingar. Por quanto tempo havia ficado sentado ali?

— Ela espiona para Ithicana há quase uma década... desde que seu pai enforcou o dela e enfiou a cabeça do homem numa estaca nos portões de Vencia. Ela é leal.

Palavras ciumentas dançaram na língua de Lara, mas ela as engoliu.

— Ela é linda. E gentil.

— Sim. — O olhar dele era intenso. — Mas não é você.

O corpo dela balançou, o salão rodando. Aren foi até ela em duas passadas, segurando-a pela cintura. Equilibrando-a. Lara fechou os olhos para tentar fazer tudo parar de girar, mas o salão em movimento foi substituído pela memória do corpo firme e musculoso dele, da sensação da pele bronzeada. Do calor que brotou no seu ventre.

Você não pode, ela disse a si mesma. *Você é uma mentirosa e uma traidora. Não é quem ele pensa, e nunca será. Nunca poderá ser você mesma. Ele uma hora ou outra descobriria a verdade.* Se ela não conseguisse encontrar a coragem para contar a verdade a ele, precisava voltar a Ithicana para destruir todas as evidências de sua traição, então desaparecer. Fingir a própria morte. Voltar a Maridrina para se vingar.

E nunca mais ver Aren.

Seus olhos arderam, sua respiração ameaçando se transformar em um soluço e expor o que ela sentia.

— Você está bem?

Ela cerrou os dentes.

— Não me sinto bem.

— Não me surpreende, considerando o quanto bebeu. Você tem um gosto de realeza, aliás. Essa garrafa não é barata.

— Paguei do meu bolso. — Ela disse as palavras devagar, tentando torná-las mais claras.

— Com as moedas que roubou do meu navio, você quer dizer.

— Se você é idiota a ponto de deixá-las dando sopa, merece perdê-las.

— Desculpa. Não entendi nada com essa sua língua enrolada.

— Babaca.

Ele riu.

— Consegue andar?

— Sim. — Soltando-se dele, cambaleou para a escada, quando, de repente, teve a sensação de que o primeiro degrau estava voando na direção da sua testa. Mas, antes que Lara caísse, Aren a pegou no colo. — Melhor não abusarmos da sorte.

— Só preciso de água.

— Você precisa de um travesseiro. Talvez tenha sorte e a tempestade dure por tempo suficiente para que você consiga dormir até isso passar. Mas eu duvido.

Lara resmungou junto ao peito dele, mas irritada consigo mesma. Pela facilidade com que o abraçava. Pelo desejo de passar mais noites com ele, mesmo sabendo que estava apenas adiando o inevitável.

— O uísque ajudou?

— Não.

— Nunca me ajudou muito também.

Uma lágrima escorreu pela bochecha de Lara, e ela enfiou o rosto no peito dele para esconder.

— Desculpa ser tão terrível. Você merece alguém melhor.

Aren respirou fundo, mas não disse nada. O movimento metódico dele subindo a escada a embalou, sua consciência se esvaindo devagar. Ela não resistiu, porque, apesar de tudo, confiava plenamente nele. Mesmo assim, estava consciente o bastante para ouvir a voz rouca dele quando disse:

— Quando coloquei os olhos em você em Guarda Sul, não houve ninguém além de você. Ainda que eu seja um tolo por isso, nunca haverá ninguém além de você.

Você é um tolo, ela pensou enquanto a escuridão a envolvia.

E não era o único.

29
AREN

Ele nunca tinha conseguido dormir depois do alvorecer de um dia claro.

Sabe-se lá como, seu corpo sonolento sabia que os ventos haviam diminuído e que a chuva havia cessado. Um sexto sentido de uma vida em Ithicana que o alertava quando os mares Tempestuosos baixavam a guarda pois seria a hora de levantar a dele. Então, quando seus olhos abriram com a luz fraca que brilhava no horizonte, Aren levantou do chão onde havia dormido, se vestiu o mais silenciosamente possível para não acordar Lara, que ainda roncava baixo no travesseiro, e desceu atrás de algo para comer.

Era como se um peso tivesse sido tirado das costas dele. Ir a Vencia sempre foi um risco, mas com Lara a tiracolo era mil vezes pior. Ainda assim, valeu a pena. Para que ela descobrisse a verdade sobre Maridrina com os próprios olhos e ouvidos. Para que entendesse que era seu pai, e não Ithicana, o verdadeiro opressor de sua terra natal. Para que tirasse da cabeça todas as mentiras que contaram para ela ao longo dos anos.

Mesmo correndo o risco de que ela se voltasse contra ele e entregasse todos os malditos segredos que havia descoberto, mesmo com aquele momento angustiante de achar que precisaria detê-la, tinha valido a pena.

Porque Aren pôde ter certeza de que a lealdade dela, se não

estava inteiramente com Ithicana, ao menos havia abandonado o inimigo.

E isso ficou claro no momento que Aren a viu sentada no bar, tomando uísque como se fosse a solução dos seus problemas. Aren conhecia sua esposa bem o suficiente para saber quando ela estava irritada. Aquele fogo baixo que fazia qualquer indivíduo são se manter longe dela, consciente ou inconscientemente. Na noite passada, ela estava furiosa. Mas, pela primeira vez, não era com ele. Pelo contrário, quando Lara virou e deu de cara com Aren, a raiva foi completamente vencida por outra emoção. Um sentimento que ele esperava, desesperadamente, ver nos olhos dela fazia mais tempo do que queria admitir.

No salão, Jor estava sentado com Gorrick, mas Aren os cumprimentou apenas com um aceno e sentou no canto, sozinho, satisfeito em observar o movimento enquanto tomava o café que Marisol trouxe para ele, sua amiga e ex-amante ocupada demais com a clientela para fazer mais do que apertar seu ombro ao passar.

O salão estava parcialmente ocupado por mercadores viajantes. Alguns tinham o olhar atento dos ansiosos para ganhar um dinheiro assim que os mercados abrissem. Outros tinham os olhos turvos e os rostos esverdeados de quem havia aproveitado uma noitada em Vencia e só estava acordado por medo da fúria dos patrões.

Aren tinha muito mais em comum com o segundo grupo. Desde os quinze anos, se aventurava fora de Ithicana. Teoricamente, para espionar. Para descobrir os métodos dos pseudoaliados e dos inimigos declarados de seu reino, mas era inegável que também havia usado as viagens para escapar dos fardos incessantes que vinham com seu título. Vencia sempre foi sua favorita, e ele havia passado por dezenas de tufões bebendo, apostando e rindo em um salão ou outro, quase sempre com uma menina da cidade para aquecer sua cama. Todos pensavam que ele era apenas o filho de um mercador endinheirado.

Embora o reino de Maridrina fosse uma pedra no sapato de Ithicana, os maridrinianos eram amigos de longa data de Aren, o que criava certo conflito. Ele não deveria gostar deles, mas gostava. Gostava de como regateavam e discutiam por qualquer coisa; de como eram ousados e valentes, mesmo os mais covardes dentre eles dispostos a se meter em brigas para defender a honra de um amigo; de como cantavam, riam e viviam, todos com ambições grandiosas de quem busca mais.

Vencia em si era um lugar bonito, a encosta de uma colina de edifícios caiados com telhados azuis que sempre pareciam cintilar quando ele chegava pelo mar, as ruas fervilhantes de pessoas de todas as nações, de norte a sul. Uma metrópole que prosperava apesar do rei, que governava com punho de ferro e empregava impostos para saquear o próprio povo.

Não, se Maridrina encontrasse um novo governante e Aren não fosse o rei de outro reino, ele teria o maior prazer em criar uma vida em Vencia. Às vezes, se perguntava se em parte era por isso que seu conselho temia abrir as fronteiras de Ithicana e permitir que seus cidadãos partissem: que vissem como a vida era fácil em outros reinos e nunca mais voltassem. Que em vez de conquistada, Ithicana fosse lentamente apagada.

Mas duvidava que isso acontecesse. Havia algo na emoção desvairada de viver em Ithicana que tocava as almas daqueles que nasciam ali: o povo não abandonaria seu reino, e o reino não abandonaria seu povo.

Os pensamentos de Aren foram interrompidos por uma sombra se projetando na mesa.

— Bom dia, majestade — disse uma voz nasalada. — Espero que me perdoe por interromper seu café da manhã.

O garfo de Aren hesitou no meio do caminho, e foi preciso muito esforço para engolir os ovos que enchiam sua boca. Ele ergueu a cabeça.

— Fui chamado de muitas coisas neste salão, mas nunca disso.

Corvus abriu um sorriso discreto e sentou à frente de Aren.

— Gosto de brincadeiras como qualquer pessoa, majestade, mas talvez seja melhor abandonarmos essa farsa. — Ele escancarou o sorriso. — Para facilitar as coisas.

Aren baixou o garfo e se recostou na cadeira. Pelo canto do olho, viu Jor e Gorrick olharem. O rosto de Serin profundamente familiar para eles, embora só tivessem visto o mestre de espionagem de Maridrina de longe, porque o disfarce deles nunca tinha sido comprometido antes.

Todos os espiões ithicanianos que entravam em território inimigo sabiam que, se fossem pegos, deveriam morrer pela própria espada antes de entregar os segredos do reino, e Aren não tinha dúvidas de que todos que estavam com ele fariam isso. Exceto, talvez, a mulher no andar de cima.

— Foi a cicatriz em sua mão que o denunciou. — Serin apontou com o queixo para a mão esquerda de Aren, apoiada na mesa, o risco branco e curvado de uma velha briga de faca claramente visível. — Além da máscara, você sempre usava luvas quando encontrava forasteiros. Mas não em seu casamento, do qual participei, é claro. Que cerimônia dramática foi aquela.

Gorrick levantou, bocejando, depois foi até o balcão para supostamente jogar conversa fora com Marisol. Sua amiga sorriu e deu uma gargalhada enquanto lustrava um copo, mas um segundo depois tinha desaparecido do salão. Para chamar Taryn, que protegeria Lara.

Se isso ainda fosse possível.

Deus, ele foi um tolo por baixar a guarda. Por acreditar que tudo havia acabado na noite passada quando Lara desistiu de entrar no palácio. Talvez aquilo fosse apenas um ardil e, agora, sua esposa maridriniana estivesse revelando tudo que havia descoberto aos lacaios de seu pai.

— Não é comum que os ithicanianos cometam erros. — Serin ergueu a mão para chamar uma garçonete. — Desconfiávamos, claro, que você fazia visitas a nossas costas de tempos em tempos, mas até agora nunca havia anunciado sua chegada de maneira tão flagrante.

Aren ergueu a sobrancelha.

— Foi o aço. Tinha sido marcado em Guarda Norte para ser transportado pela ponte um ano atrás, mas a carga misteriosamente chegou a Vencia apenas ontem, descarregada esta manhã. E por um navio que alegava ter vindo de Harendell, não em uma balsa de Guarda Sul.

Merda. Ahnna o mataria se ele conseguisse sobreviver a isso.

— Eu diria que foi um erro amador, mas essa não é sua primeira visita a Vencia, é, majestade? — Serin aceitou um café de uma das meninas de Marisol. — Você parece à vontade demais para quem está aqui pela primeira vez.

Aren ergueu a xícara, observando o mestre de espionagem.

— Sempre tive carinho por Vencia. Muitas mulheres atraentes.

Serin riu com uma fungada.

— Pensei que esses dias tivessem ficado para trás agora que você é um homem casado.

— Talvez se vocês não tivessem me enviado uma megera.

O café na xícara de Serin estremeceu, e o homenzinho a colocou na mesa rápido para esconder sua reação. Pelo visto, Lara não tinha seguido o plano do mestre de espionagem em seus métodos de sedução, o que provavelmente era um ponto positivo, pois Aren desconfiava de que ele e Serin tinham gostos muito diferentes quando o assunto era mulheres.

— Poderíamos enviar outra... Talvez com um temperamento mais calmo, mais gentil. — Os olhos de Serin se voltaram para Marisol. — Vejo que você gosta de loiras. Consigo pensar na princesa certa para você. Era minha primeira opção, mas o destino conspirou contra mim. Contra nós dois, pelo visto.

A curiosidade de Aren pela escolha de Lara voltou a se acender, mas logo foi deixada de lado pela preocupação com sua amiga. Marisol tinha sido associada a ele; significava que ela estava em perigo.

— Tentador. Infelizmente, essas práticas são recriminadas pelo meu povo. Terei que me contentar com a que você me enviou.

— Por falar em Lara, como ela está? Faz tempo que não recebemos notícias, e o rei ficou... preocupado.

A mente de Aren acelerou. Se o aço só tinha sido descarregado e processado naquela manhã, era possível que só tivesse chegado à atenção de Corvus fazia poucas horas, e Lara havia passado esse intervalo de tempo desmaiada na cama do andar de cima. Por outro lado, esse poderia ser um truque para distrair Aren enquanto os maridrinianos buscavam sua princesa.

— Ela está bem.

— O pai dela gostaria de uma prova.

— Quando eu voltar para casa, vou sugerir que ela escreva. Mas devo alertar que Lara não é a mais... obediente das esposas. É mais provável que me mande enfiar a pena e o papel no rabo.

Serin franziu a testa.

— Talvez seja o caso de lembrá-la da preocupação constante do pai pelo bem-estar da filha.

Aren apoiou os cotovelos na mesa.

— Chega de baboseira, Corvus. Nós dois sabemos que seu mestre não se importa nem um pouco com a filha. Ele conseguiu o que queria, que era comércio livre de aço e armas. Então o que mais você está procurando?

Balançando a mão como se tentasse dissipar a tensão, Serin abriu um sorriso de desculpas.

— Aparências devem ser mantidas, você sabe bem. Para ser franco, pode cortar a garganta da vadiazinha que meu mestre não daria a mínima; o que o preocupa é seu compromisso com a aliança entre nossos reinos.

— Ele tem o aço, conforme nosso acordo. O que mais ele acha que merece?

Corvus acenou com ar de sabedoria.

— É verdade que você foi fiel às palavras do acordo, assim como nós. Estou me referindo mais ao... espírito do acordo. O tratado era por uma aliança de paz entre Ithicana e Maridrina, mas você continua a acolher e negociar com nosso maior inimigo em seu mercado em Guarda Sul, permitindo que comprem os bens de que Maridrina tanto precisa. Meu mestre pede que reconsidere essa prática.

— Quer que eu corte laços com Valcotta? — Cortar laços com o reino que fornecia quase um terço das rendas da ponte todo ano? Valcotta não era um aliado, mas tampouco um inimigo jurado de Ithicana como Maridrina fora no passado. Se Aren fizesse o que Serin estava pedindo... — Não tenho interesse em entrar em guerra contra Valcotta.

— Não é isso que meu mestre pede que você faça. — Serin colocou um cilindro de prata gravado na mesa, o selo laqueado em azul maridriniano. — Ele pede apenas que você deixe de fornecer para Valcotta durante sua guerra contra nós.

— Eles vão retaliar, e a guerra chegará à minha porta quer eu queira, quer não.

— Talvez. — Serin deu um gole do café. — Mas se Valcotta atacar suas terras, fique em paz, pois Maridrina retaliará contra eles dez vezes mais forte. Não toleramos quem interfere com nossos amigos e aliados.

Palavras de apoio, mas Aren ouviu a ameaça por trás. Faça o que meu mestre diz, ou enfrente as consequências.

— Pense bem, majestade. — Serin levantou. — Meu mestre aguarda sua resposta escrita detalhando seu compromisso com nossa amizade. — O sorriso discreto ressurgiu. — Boa viagem de volta à sua terra e, por favor, mande meus cumprimentos a Lara.

Sem dizer mais uma palavra, o mestre de espionagem de Maridrina saiu do salão e fechou a porta. Pegando o tubo de mensagem, Aren passou os olhos rapidamente pelo teor antes de o enfiar na bolsa debaixo de seus pés, depois encarou Jor do outro lado do salão.

Hora de partir.

30
LARA

Lara acordou logo antes do amanhecer, um lençol a cobrindo dos pés até o queixo, um copo de água na mesa de cabeceira e a cabeça latejando com a pior enxaqueca da sua vida.

Gemendo, ela virou para enfiar a cara no travesseiro. Os acontecimentos da noite anterior estavam turvos, mas ela lembrava o bastante para suas bochechas corarem: Aren a segurando para que não caísse de cara no chão, ela se aconchegando no colo dele, as coisas que ela havia dito, as coisas que ele havia dito.

Sentando, Lara observou suas roupas de menino, com as quais havia dormido. As únicas peças que Aren havia tirado antes de ela desmaiar eram as botas, que estavam no chão perto da cama.

Suas facas.

Olhando ao redor freneticamente, Lara jogou os travesseiros no chão, o coração se acalmando e um leve sorriso abrindo em seus lábios ao ver que as lâminas estavam lá. Aparentemente, Aren havia notado os hábitos dela mais do que parecia.

Pegando a água, ela abriu as venezianas e olhou lá fora: céus claros e apenas uma leve brisa soprando as roupas penduradas no varal do outro lado da rua. Eles poderiam ir para casa.

Casa. Balançando a cabeça bruscamente com o lapso, Lara virou o copo em alguns goles longos e calçou as botas. O quarto não tinha absolutamente nenhuma poeira, então ela usou um pouco da fuligem da lamparina para completar o disfarce antes de colocar os pertences na bolsa e sair.

E deu de cara com metade da guarda de Aren.

— O que está acontecendo? — ela perguntou a Taryn, que ficava estranha com o vestido simples que usava de disfarce.

— O tempo virou. Hora de ir.

Ela estava mentindo. Havia poucas coisas que assustavam os ithicanianos, e a promessa de uma tempestade estava longe de ser uma delas.

O andar de baixo já estava movimentado com a classe mercantil que madrugava para tomar café da manhã, mas seus olhos logo pousaram em Aren, sentado ao balcão, diante de Marisol, que pela primeira vez na vida não estava lustrando um copo, mas sim compenetrada no que ele dizia. Lara cerrou o maxilar, mas seu ciúme se desfez quando ela lembrou as palavras de Aren. *Nunca haverá ninguém além de você.*

No entanto, com todas as mentiras que ela havia contado, depois de toda a sua manipulação, como poderia ficar com ele?

Enquanto Lara estava paralisada na entrada do salão, Aren virou e a viu. Algo parecido com alívio atravessou o rosto dele. Com uma palavra final para Marisol, ele deixou um punhado de moedas no balcão. Algo estava muito errado.

Ele foi até lá.

— Finalmente decidiu dar as caras, primo? Já estamos atrasados.

Ela fez cara feia porque outros fregueses estavam de olho, mas, quando ele chegou perto, murmurou:

— Fomos descobertos. Precisamos ir.

Jor e os outros ithicanianos estavam do lado de fora fingindo tranquilidade. Apesar de seus trajes, ninguém com meio olho acreditaria que eram marinheiros. Eles estavam alertas demais, e nenhum parecia estar de ressaca. Ao contrário dela.

— Não quero perder a maré — Aren anunciou, e eles avançaram na mesma hora.

No porto, cortaram a multidão quase correndo, descendo até o cais e chegando à doca onde a embarcação estava ancorada. Os ithicanianos que haviam permanecido no navio já corriam de um lado para outro do convés, se preparando para zarpar. Para fugir. Mais atenta, Lara observou as docas e as ruas em busca de algum sinal de perseguição. Aren tinha dito que seus disfarces haviam sido comprometidos, mas em que nível? Descobrir que eram de Ithicana seria uma coisa. Descobrir que se tratava de Aren — ou, pior, de Lara — seria alerta máximo.

—Você está louco, John. — A pança do capitão do porto chacoalhou enquanto ele vinha correndo. — Tem uma tempestade se formando.

Aren parou ao pé da prancha, empurrando Lara para cima.

— Só uma chuvinha. Vai manter os valcottanos longe de mim.

— Loucura — o homem resmungou. —Vou guardar uma vaga para você.

— Voltaremos antes do almoço, aí você pode me pagar um drinque ou dois.

— Mais provável que eu esteja brindando à sua memória.

A risada de Aren parou abruptamente. Se eriçando, Lara parou de vasculhar as nuvens negras ao leste quando encontrou Serin alguns passos atrás do mestre do Porto, os braços cruzados às costas. Observando.

Uma onda balançou o navio, e Lara cambaleou, batendo no peito de Aren, que a segurou firme, perto de si, arregalando os olhos.

—Vão — ela sussurrou, vendo na cara do mestre de espionagem que ele tinha entendido tudo.

Entendido que a presença de Lara em Maridrina significava

que ela sabia a verdade. Que a jogada do Tratado de Quinze Anos acabara cedo demais. Que, se Lara saísse viva do porto, seria o fim de qualquer chance de tomar a ponte.

— Vão! — ela gritou.

— Levantem as velas! — Aren bradou.

Os ithicanianos começaram a agir e, em um segundo, o navio se afastava da doca, a prancha caindo na água ruidosamente. Aren correu com ela até o leme, gritando ordens enquanto multidões de soldados desciam na direção deles.

— Rápido! — O navio se afastava lentamente. — Aren, não posso deixar que me levem com vida. — Lara sacou uma das facas da bota. — Eles vão me fazer falar.

Ele entendeu na hora as intenções dela.

— Guarde isso, Lara! Não vou deixar que levem você.

— Mas...

Ele arrancou a faca cravejada de joias da mão dela e jogou longe. A relíquia caiu na doca cheia de soldados correndo, os primeiros se preparando para saltar.

— Vamos, vento! — Aren gritou. — Não ouse se recusar a soprar logo agora.

Como se atendesse ao chamado do seu mestre, o vento uivou do leste, esticando as velas. O navio disparou enquanto três dos soldados saltavam, debatendo os braços ao caírem na água.

O navio colidiu em outra embarcação com um estrondo, e a outra tripulação gritou xingamentos. Eles seguiram raspando e batendo em outro navio, depois em outro, enquanto Aren usava a força do vento para cortar caminho através deles.

Soldados corriam em todas as direções e saltando em navios na tentativa de chegar até eles, mas foram lentos demais. Ao longe, porém, navios de guerra se enchiam de marinheiros que se preparavam para persegui-los.

— Você consegue ser mais rápido do que eles? — Lara perguntou.

Aren fez que sim, os olhos fixados no avanço dos homens pelo porto lotado.

Sinos soaram violentamente na cidade.

— Merda! — Aren gritou. — Precisamos passar o quebra-mar antes que levantem a corrente.

Lara olhou o mar até as torres gêmeas que flanqueavam a abertura no quebra-mar, na direção da corrente de aço que subia, rangendo.

— A todo pano!

O convés estava a todo vapor enquanto ithicanianos puxavam cordas, erguendo a lona branca rapidamente. O navio saltou pelas ondas em direção à abertura, mas a corrente também subia em alta velocidade. Mesmo que conseguissem fazer a travessia, ela arrancaria o timão e eles seriam uma presa fácil para a marinha maridriniana.

— Não temos como chegar à abertura a todo pano — Jor gritou. — Seremos lançados contra as rochas.

— Levantem as velas — Aren repetiu a ordem. — Todas.

Lara se segurou à amurada, o cabelo esvoaçando. Mas pela cara da tripulação estava claro que não era suficiente. Que estavam a caminho de um desastre; todos se afogariam ou seriam capturados — o que daria na mesma.

E não havia nada que ela pudesse fazer para salvá-los. Mesmo que saltasse ao mar, o navio ficaria preso. Serin e seu pai nunca os deixariam partir.

Dando um soco na amurada, Lara rosnou em uma fúria sem palavras, o desespero esvaziando suas entranhas. Apesar de tudo, seu pai venceria.

Aren pegou a mão dela.

— O vento sopra em volta da colina e através da abertura no quebra-mar. Se chegarmos no momento certo, pode funcionar.

— O que pode funcionar? — A corrente estava perigosamente perto.

— Você vai ver. — Ele abriu um sorriso sombrio para ela. — Segure-se à amurada e, pelo amor de Deus, não solte! — Então ergueu a mão e soltou o leme.

Quando fez isso, uma rajada enorme de vento os atingiu pela lateral. Os cordames gemeram, as cordas, a madeira e a lona ficando tensas, prestes a arrebentar, e o navio saltou. Lara gritou cada vez mais alto, se segurando a tudo que podia, certa de que a embarcação viraria.

O navio estremeceu, um som alto raspando os ouvidos de Lara enquanto a corrente se arrastava a bombordo. O barulho era horrível, madeira lascando e estalando, sua velocidade diminuindo enquanto o vento se acalmava, o navio se endireitando devagar.

— Vamos! — Aren gritou enquanto Lara erguia os olhos para os soldados que tripulavam as torres do quebra-mar, os olhos arregalados de espanto.

Então eles passaram.

Recuperando o equilíbrio, Lara cambaleou para o lado do navio e olhou para trás. Flechas voaram na esteira deles, disparadas mais por desespero do que por alguma chance de atingir o alvo. Ela pensou que eles tampouco arriscariam as catapultas montadas nas montanhas. Seu pai os queria capturados, não mortos. Os navios maridrinianos estavam amontoados atrás da corrente que agora estava totalmente erguida, os capitães gritando para os homens que guarneciam as torres.

— Eles vão levar um tempo para reverter a corrente. Podem nos perseguir até Guarda Sul. — Aren olhou as nuvens negras que pairavam sobre o oceano escuro, prometendo mares revoltos. — Que a corrida comece.

31
LARA

Os navios de guerra desistiram da perseguição a meio caminho de Guarda Sul, mas se era por medo da tempestade se formando no leste ou pelos vários quebra-navios na ilha fortificada, não dava para saber.

Atracar o navio no cais de Guarda Sul foi fácil, e o corpo todo de Lara doía de tensão enquanto Aren encostava o navio maltratado na pedra, tripulações ithicanianas em terra firme usando cordames fixados ao cais para amarrar o barco. Ela, Aren e o resto da tripulação desembarcaram rapidamente, encontrando um ithicaniano mais velho na guarita montada onde o cais encontrava a ilha.

— Não sabíamos que você estava em Vencia, majestade. — O homem fez uma reverência formal que ninguém em Guarda Média fazia.

Seu olhar passou do rei para Lara, surpreso.

— Viagem não planejada. Cadê a comandante? — A voz de Aren era firme, sem hesitação, mas seu punho esquerdo se cerrava e se abria em um movimento repetitivo que o traía. Ele não estava ansioso para se justificar para a irmã, isso era óbvio.

— Fora da ilha, majestade. Ela partiu pela manhã para resolver um conflito na ilha Carin, e imagino que vá esperar a tempestade lá.

Aren relaxou a mão.

— Diga que sinto muito por não tê-la encontrado, mas não podemos ficar mais. Mande desmantelarem o navio, depois o afundem.

— Como quiser, majestade. — Fazendo outra reverência, o homem voltou a descer em direção ao navio, gritando ordens no caminho.

Lara olhou para o barco maltratado.

— Por que afundá-lo? Não dá para só... pintar de novo?

— Não temos tempo de levá-lo de volta a um porto seguro antes de a tempestade bater. O mar vai destroçá-lo e afundá-lo de qualquer maneira se o deixarmos aqui, o que poderia causar problemas para outros navios que tentassem aportar. Ahnna cortaria minhas bolas fora se tivesse que resolver esse tipo de confusão.

— Tenho a impressão de que ela vai pegar em armas de qualquer maneira quando descobrir onde você esteve.

Ele riu, descendo a mão para a lombar dela para guiá-la pela trilha.

— Um pouco de sorte da nossa parte não a termos encontrado, então.

— Ela vai deixar pra lá?

— Sem chance, mas, com sorte, não ficará inclinada a nos seguir até Guarda Média para expressar sua opinião sobre o assunto.

— Sua bravura é inspiradora.

— Todos temos nossos medos. Agora vamos entrar antes que a chuva caia.

Eles não ficaram muito tempo no mercado de Guarda Sul, o que teria sido uma decepção para Lara se ela não estivesse ardendo de urgência para voltar a Guarda Média. O mercado era uma série de armazéns de pedra grande, além de um edifício menor onde, segundo Taryn, toda a negociação era conduzida. Ela queria ver o que havia dentro daqueles edifícios, que tipo de mercadorias vieram de Harendell, Amarid e outros reinos, e o que partiria de sua terra natal. Também percebeu que queria conversar com os ithicanianos que moravam e trabalhavam em Guarda Sul. Conhecê-los de uma forma que, por necessidade, não tinha se permitido antes.

Porque agora ela os encarava como seu povo tanto quanto os maridrinianos que ela havia deixado pra trás. No rastro dessa constatação veio uma vergonha profunda e incessante de que ela, que era sua rainha e que eles acreditavam ser sua defensora, quase os havia levado à pira funerária. Homens, mulheres e crianças. Familiares e amigos. Quase todos eram inocentes, dedicados a nada além do que a própria vida — por pouco ela não traiu essas pessoas, assim como Aren, se sua mensagem tivesse chegado a Serin e ao seu pai.

Com esse sentimento ardendo no peito, ela ficou grata quando Aren e seus guardas a guiaram pela boca negra aberta da ponte.

A Ponte. Como ela odiava aquela construção maldita, a fonte de todo o desespero de sua vida. A cada passo que dava pela extensão fedorenta do lugar, desejava que não existisse. Desejava ter sido enviada a Ithicana sem nenhum objetivo além de ser esposa. Desejava não ser perversa, mentirosa e traiçoeira como era. Mas desejos eram para os tolos. O que talvez fizesse sentido, porque ela era tão tola que perdia todo fio de lógica sempre que encostava na mão de Aren, sempre que ele olhava para ela, sempre que se lembrava das mãos dele tocando seu corpo. E como desejava aquele toque de novo.

Não havia dia ou noite na ponte. Apenas a escuridão bolorenta e infinita. A tempestade causava um gemido dentro do túnel, às vezes pouco mais do que um sussurro e, outras, um estrondo ensurdecedor que forçava o grupo a enfiar algodão nos ouvidos. Era como um animal gigantesco, e, ao fim do primeiro dia de caminhada, Lara estava quase convencida de que tinha sido digerida.

Ela não poderia ficar em Ithicana nem se quisesse. E queria. Mais do que tudo. Mas a sua relação com Aren tinha sido baseada em uma mentira e, se ela contasse a verdade a ele, quais eram as chances de ser perdoada? Ele amava demais seu povo para deixar que alguém como ela permanecesse como rainha deles. Guardar segredo também não era uma opção. Seu pai a faria pagar pela traição. Não haveria final feliz. Não para ela.

Relutante, formulou um plano. O primeiro passo seria destruir os papéis com seu plano de invasão. Depois esperaria uma noite de céu claro e correria atrás da canoa e das provisões escondidas. Tudo que lhe restaria seria velejar em busca de vingança. Porque queria que o pai pagasse pelo que vinha fazendo a Maridrina, o que pretendia fazer com Ithicana e o que tinha feito com ela. Planejar as variáveis a distraiu. Tirou a tensão que apertava seu peito toda vez que ela se dava conta de que jamais veria Aren de novo.

De tempos em tempos, eles encontraram grupos que transportavam mercadorias. Burros entediados puxavam carroças cheias de aço, tecido e grãos para o sul. Homens com carrinhos de mão transportavam caixas de vidrarias valcottanas para o norte. E, uma vez, depois de seguir uma corrente de cerveja derramada por vários quilômetros, eles passaram por uma carroça cheia de barris a caminho do norte. Jor colocou a cabeça embaixo do barril com vazamento de brincadeira, e Aren deu uma rasteira nele, depois mandou o condutor parar de fazer sujeira na sua ponte.

Às vezes, havia mercadores nas caravanas, mas eles sempre estavam rodeados por guardas ithicanianos de máscara. Antes de encontrar algum deles, seu grupo vestia máscaras idênticas, e Lara se perguntou distraidamente o que os mercadores pensariam se soubessem que tinham passado pelos governantes de Ithicana na escuridão.

Eles acamparam na ponte por duas noites seguidas, comendo rações frias que haviam pegado na Guarda Sul, tendo apenas água para beber. Os guardas alternaram turnos de vigia, todos dormindo e usando as bolsas como travesseiros e se cobrindo com os mantos. Não havia privacidade, e no terceiro dia de caminhada Lara estava quase em frenesi para se livrar daquele lugar.

— Lar, doce lar — Jor disse, e o resto do grupo parou, observando em silêncio o capitão apoiar as duas mãos nos pontos de pressão da parede.

Ouviu-se um clique baixo, e um bloco de pedra do tamanho de uma ponte virou para dentro nas dobradiças silenciosas, revelando uma câmara pequena com uma abertura no teto.

Jor entrou e olhou para baixo.

— A maré ainda está alta. Vamos ter que esperar um pouco.

—Vou levar Lara lá em cima — Aren disse abruptamente. — O resto de vocês, espere aqui embaixo.

Ninguém disse nada; Taryn e Jor abriram o alçapão no teto em silêncio. Aren ajudou Lara a subir, subiu também e deu vários passos, deixando o alçapão aberto. Lara o seguiu, parando em uma das argolas de aço usadas para tirolesas.

A tempestade tinha sido breve, cessando no segundo dia na ponte, mas outra já se formava no horizonte. Por ora, o céu estava claro e ensolarado em Guarda Média, e a água lá embaixo era de um azul tranquilo. O ar fresco e o espaço aberto foram um alívio instantâneo da monotonia da ponte.

— Precisamos conversar, Lara.

O coração dela palpitou, suas veias se enchendo de trepidação.

— Sei que você é uma espiã para seu pai.

Ela teve vontade de vomitar.

— Eu era uma espiã para meu pai. Não sou mais.
— Preciso de mais provas do que apenas sua palavra.
— A prova é que estou aqui. Com você.
Silêncio.
Quando Lara não aguentou mais, perguntou:
— Não vai falar nada?
Aren observou Guarda Média, o corpo irradiando tensão.
— Acho que uma pergunta é óbvia: você passou alguma informação para ele que eu deva saber?
— Não entreguei nada a ele. — Porque era verdade. Nenhuma palavra. Não com todas as malditas folhas de papel ainda na mesa de Aren, esperando para serem destruídas.
Ele soltou um longo suspiro.
— Acho que já é alguma coisa.
Alguma coisa.
A necessidade de que ele soubesse o motivo por trás das ações dela ardia no peito de Lara.
— Serin e meus outros professores mentiram para mim. Durante toda a minha vida, mentiram sobre a natureza de Ithicana, sobre a relação entre seu reino e o meu. Retrataram você como um opressor perverso que usava o poder sobre o comércio para assolar meu povo. Para controlá-lo. Para matá-lo de fome. Tudo pelo lucro. Falavam que você matava mercadores e marinheiros que sequer chegassem perto de suas costas. Não apenas matava, mas mutilava e torturava por diversão. Que você era um demônio.
Aren não disse nada, então ela continuou:
— Eles me convenceram de que fazer isso salvaria meu povo. Que era a coisa certa. Agora entendo por que me mantiveram trancada no complexo: para que eu nunca descobrisse a verdade. E achavam que você me manteria igualmente cativa de modo que eu só tivesse a chance de saber a verdade quando fosse tarde demais.

— E qual é a verdade?

Qual era a verdade? Lara sabia que não era uma pessoa boa como Marisol. Havia matado guerreiros valcottanos no complexo só para salvar a própria pele. Havia aprendido inúmeras formas de torturar, mutilar e matar. Ficara parada assistindo aos servos que cuidaram dela e de suas irmãs desde pequenas serem assassinados a sangue-frio. Viu o homem que fora como um pai para ela cortar a própria garganta tomado por um sentimento equivocado de culpa. Ela havia mentido, enganado e manipulado, e por pouco não condenou toda uma nação. Era tudo, menos uma pessoa boa.

Mas tampouco era má. Havia se condenado a esse destino para salvar a vida das irmãs, que ela amava mais do que tudo. E, depois de chegar ali, tinha dado continuidade à sua missão com a certeza de que estava salvando seu povo. Motivações nobres, talvez, mas Lara não tinha certeza se a absolviam da culpa. Mesmo sabendo o que aconteceria com Ithicana, havia escrito as instruções de como destruí-la. Havia feito essa escolha. Só lhe restava tentar se redimir.

— A verdade... A verdade é que eu sou a vilã. — Mas ela não representaria mais esse papel.

Mais silêncio.

— O que vai fazer comigo? — ela perguntou.

— Não sei, Lara. — Com essas palavras, a tensão entre eles se intensificou. — Eu... desconfio há um tempo, mas ouvir você falar... Não sei.

Um medo frenético palpitou no peito dela. Um medo de perdê-lo. De ser odiada por ele. De nunca ser perdoada.

— Não dei nada a ele, Aren. — Ela queria desesperadamente salvar o que havia restado entre eles. — Não fiz nada.

— Não fez nada? — Ele virou para ela. — Como pode dizer isso? Como pode dizer que não fez nada se, desde o momento que nos casamos, você planeja me apunhalar pelas costas? Tudo que você disse, tudo que fez, tudo entre nós foi uma mentira. Uma forma de me manipular para descobrir os segredos de Ithicana, depois usá-los contra nós. Enquanto eu, durante todo esse tempo, que nem um tolo, tentava conquistar você.

Era a verdade, mas não toda a verdade. Porque, durante esse tempo, ela havia passado a se importar com ele e com o reino, a entender o sofrimento deles e, mesmo assim, havia escolhido destruí-los. Havia escrito todos os detalhes naquelas páginas, uma estratégia para invadir a terra de Aren e roubar a ponte de que seu povo precisava tão desesperadamente. Tinha sido pura sorte que nenhuma daquelas páginas tenha chegado às mãos de seu pai.

— Você chegou a se importar? — ele questionou.

— Sim. Mais do que você imagina. Mais do que consigo explicar. — Ela tirou o cabelo do rosto, buscando palavras para fazê-lo entender. — Mas não acho que houvesse outra forma. Eu acreditava que a única chance que meu povo tinha era conquistando a ponte. Toda a minha vida tinha sido dedicada a dar um futuro melhor a eles, por mais que isso me custasse. Você, mais do que ninguém, deve entender.

— Não é a mesma coisa. — Sua voz era fria. — O futuro melhor que você desejava seria construído sobre cadáveres ithicanianos.

Lara fechou os olhos.

— Então por que não me matou de uma vez quando soube? Por que me levou até Vencia, se desconfiava? Por que se arriscar tanto?

Aren riscou a bota na ponte, olhando para Guarda Média.

— Eu percebi que você tinha sido enganada. E, se a verdade nos desse uma chance, era um risco que valia a pena correr. — Ele respirou com dificuldade. — Segui você naquela noite em que subiu até os portões do palácio. Apontei uma flecha para as suas costas, e quase... quase matei você. Se você tivesse dado mais um passo, eu teria atirado. — As mãos dele tremiam, e ela não conseguia desviar o olhar daquilo. — Mas então você virou as costas e voltou. Voltou para mim.

— Eu não conseguiria. — Lara segurou as mãos, precisando controlar o tremor. — E não farei isso. Nunca. Nem se ele me perseguir e me matar por traí-lo.

Aren ficou muito imóvel.

— Ele ameaçou você?

Ela engoliu em seco.

— Ele me disse a caminho de Ithicana que, se eu fracassasse ou o traísse, ele me caçaria.

— Se ele acha que...

O som de um passo arrastado o interrompeu, fazendo os dois se sobressaltarem. Segundos depois, xingando baixinho, Ahnna saiu pelo alçapão, uma nuvem de tormenta no rosto.

Aren entrou na frente de Lara, caminhando em direção a Ahnna enquanto esta se aproximava a passos rápidos.

— O que você tinha na cabeça? — Ahnna vociferou. — Entrando em Maridrina assim? Enlouqueceu?

— Já fui dezenas de vezes antes. Qual é o problema?

— Não como rei. Você tem responsabilidades com nosso povo. Além disso, quase foi pego. O que é que teria acontecido se capturassem você?

— Você teria sua chance com a coroa.

— Acha que é isso que eu quero? — Ela olhou para trás do irmão, avistando Lara. — E aí está o pior de tudo. Não bastasse ter ido, você levou a filha do nosso inimigo, a mulher que, se todos os rumores forem verdadeiros, está entregando todos os segredos de Ithicana para a terra dela.

— Levei minha esposa para a terra dela por motivos que não são da sua conta.

O rosto de Ahnna assumiu uma palidez fantasmagórica, mas ela cerrou os punhos e, por um segundo, Lara pensou que daria um soco no irmão. Daria um soco em seu rei. Mas tudo que disse foi:

— Nada justifica. Ela sabe tudo que Maridrina precisa saber para nos derrotar, e você praticamente entregou isso ao rei deles. Ela poderia ter corrido direto para os braços de Corvus.

— Ela não correu.

— Mas e se tivesse corrido? Não era esse o plano. Você deveria...

— Eu deveria o quê? — Aren deu um salto à frente, crescendo diante da irmã. — Mantê-la trancada para sempre? Ela é minha esposa, não minha prisioneira.

— Esposa? Só se for no nome, pelo que ouvi dizer. E não pense que o povo não sabe que você está arriscando o seu reino inteiro só para se meter entre as pernas dela.

Ninguém disse nada. Nem Aren nem Ahnna. Nem os soldados que tinham subido e estavam olhando para qualquer lugar menos para seus líderes. Nem Lara, cujo coração parecia prestes a saltar do peito. Porque os medos de Ahnna eram válidos. Mas Aren estava defendendo Lara. Mesmo sabendo que ela tinha ido a Ithicana com más intenções, ele estava defendendo o direito dela à vida. O direito a um lar. O direito à liberdade. E ela não merecia. Não merecia aquele homem.

Antes que pudesse pensar nas consequências do que pretendia dizer, Lara deu um passo à frente, as botas deslizando na superfície escorregadia da ponte.

— Ahnna...

— Fique fora disso. — Sem olhar, a mulher ergueu o braço para bloquear o caminho de Lara.

O golpe acertou Lara no peito e ela cambaleou para trás, cruzando os pés.

Ela estava caindo.

— Lara! — Aren tentou segurá-la, mas era tarde demais.

Ela gritou, movendo os braços enquanto caía, mas não havia nada em que se segurar. Nada que pudesse impedir o inevitável.

Ela bateu na água, a força do impacto tirando seu fôlego em uma torrente de bolhas enquanto afundava mais e mais.

O pânico a percorreu, selvagem e fora de controle e, junto, veio a necessidade desesperada de respirar. Ela esperneou e bateu os braços, lutando para se aproximar da superfície que parecia impossivelmente longe.

Você não vai morrer.

Você não vai morrer.

Você não vai... O pensamento perdeu o fôlego, e a luz da superfície começou a se apagar enquanto ela afundava nas profundezas.

Até algo agarrá-la pela cintura.

Lara se debateu, levando a mão em direção à faca cegamente até seu rosto emergir e Aren gritar em seu ouvido:

— Respire, Lara!

Desesperada, ela puxou uma quantidade enorme de ar. E outra. Uma onda passou sobre sua cabeça, e o medo a preencheu de novo.

Arranhando e se debatendo, ela tentou subir. Tentou chegar acima do nível da água.

Então o rosto de Aren estava na frente dela.

— Pare de resistir. Estou segurando você, mas precisa ficar quieta.

Era um pedido impossível. Ela estava se afogando. Estava morrendo.

— Preciso que você confie em mim! — A voz dele era desesperada e, de certo modo, atravessou seu medo.

Fez com que ela voltasse a si. Ela parou de resistir.

— Isso. Agora se segure em mim e não se mexa.

Agarrando os ombros dele, Lara obrigou suas pernas trêmulas a ficarem imóveis. Eles não estavam exatamente sob a ponte, talvez a uns dez metros do píer mais próximo: o estreito sem acesso à ponte. E a praia...

— Conseguimos chegar? — ela perguntou, cuspindo um bocado de água quando outra onda acertou seu rosto.

— Não.

— O que vamos fazer? — Ela virou, erguendo os olhos para a ponte.

Conseguia ouvir os soldados gritando e viu Jor pendurado em uma corda, apontando para a água.

— Pare de se mexer, Lara!

Ela congelou. Porque, nesse momento, viu para o que Jor estava apontando. O que prendia a atenção — e o medo — de Aren.

Nadadeiras cinza cortavam a água.

Cercando-os.

Se aproximando.

— Temos que durar até eles nos alcançarem de barco.

Ele olhou para o píer distante, a abertura ainda escondida pela maré. Depois, para a angra de onde dois barcos haviam sido lançados. Não havia como chegarem a tempo.

Como se aproveitando a deixa, um dos tubarões desatou a nadar, desviando apenas no último segundo.

— Merda — Aren rosnou.

Os animais estavam mais perto, e Lara soluçou quando algo bateu em seu pé.

Os soldados lá em cima começaram a atirar flechas que cortaram toda a água ao redor deles, sangue jorrando por todo lado. Então, quase ao mesmo tempo, as nadadeiras desapareceram.

— Aren! — O grito de Ahnna ecoou e, um segundo depois, uma nadadeira enorme estava cortando as ondas na direção deles.

— Me solta. — Lara tomou a decisão porque sabia que ele não tomaria. — Sem você, vou me afogar. Mas se me deixar para ele, você vai ter uma chance.

— Não.

— Não seja tolo. Não precisamos morrer os dois.

— Quieta.

Os olhos de Aren estavam fixos no tubarão.

— Conheço você, velhote — ele murmurou. — Vai vir para experimentar antes de vir para matar.

— Me solta!

— Não.

Lara se soltou dele, tentou nadar, mas Aren a puxou de volta, batendo as pernas com força. Puxando-a consigo.

O tubarão se lançou na direção deles. Muito rápido. Rápido demais para desviar. Infinitamente rápido demais para fugir a nado. Um medo, primitivo e substancial, tomou conta dela, e Lara gritou.

— Agora!

Uma flecha de aço presa a um cabo chegou de cima, estourando o dorso do tubarão, mas a criatura continuou avançando como se o instinto de caçar fosse mais forte do que qualquer dor.

Lara gritou de novo, se afogando enquanto via o animal avançar contra eles, a boca aberta dele revelando fileiras de dentes afiados.

O cabo preso à flecha se esticou.

Em um movimento violento, o tubarão foi arrancado da água, seu corpo enorme sacudindo no alto antes de cair no mar de novo. O animal se debatia contra o cabo que o atava à ponte.

O nível da água ultrapassou a cabeça de Lara, e a cauda do tubarão a acertou com a força de um aríete, tirando-a de perto de Aren.

Ela se debateu, sem saber para que direção subia. Sem saber onde estava o tubarão. Onde estava Aren. Bolhas de ar obscureciam sua visão enquanto ela batia pernas e braços. Então ela foi puxada pelo punho para a superfície.

— Nade! — Não era a voz de Aren, mas dos soldados acima, e a voz de Ahnna era a mais alta de todas. — Todo esse sangue está atraindo mais tubarões! Nade, seu maldito!

Ele a puxou pela água, uma onda mais violenta que a outra. E, no alto, os céus escureceram. Um relâmpago brilhou ao longe. Aren parou de nadar.

Cortou a água, a respiração ofegante com o esforço de sustentar os dois.

Lara viu o que ele estava olhando.

O píer mais próximo, repleto de estacas de metal, o oceano batendo nele com a ferocidade da tempestade iminente.

—Você precisa... se segurar... em uma das estacas — ele arfou. — Não solte.

E, sem esperar que ela respondesse, ele a puxou na direção do píer.

As ondas os apanharam com um impulso irreversível, lançando-os contra a pedra e o aço.

Havia apenas uma chance. Uma única chance.

Lara respirou fundo, marcando a estaca que tentaria alcançar. O aço seria sua salvação ou sua perdição.

Aren girou no último minuto, sofrendo o impacto. Lara tateou cegamente, sabendo que tinha apenas um segundo.

Fechou a mão ao redor da estaca no momento que sentiu que Aren a soltava.

Ela precisou de toda a força para se segurar enquanto a água puxava suas pernas, seus braços tremiam. Por um momento, seu corpo saiu da água, então as ondas a acertaram de novo. Ela se agarrou ao metal, conseguindo passar as pernas por cima, respirando quando a água voltou a recuar.

— Aren! — Ela vasculhou a água em busca dele, o coração repleto de pavor.

— Aqui!

Ele estava pendurado na estaca cravada na rocha. Mas não aguentaria muito. A água bateu de novo, então, por cima do barulho, Lara ouviu o nome dela. Erguendo os olhos, viu Ahnna pendurada em uma corda, segurando outra, que balançou na direção de Lara.

— Segure-se!

A corda pesada passou, e Lara tentou pegar, mas quase caiu. A corda passou balançando por ela várias vezes, e ela não conseguia alcançar.

E o tempo de Aren estava acabando.

Até que Lara pulou, sabendo que, se errasse a corda, cairia na água e que Aren não tinha mais como ajudá-la. Mas tentou mesmo assim.

Ela vacilou, esticando os dedos, e agarrou a corda com firmeza.

Ela escorregou e ficou pendurada. Agradecendo Erik em silêncio por todas as barras que a havia obrigado a fazer durante o treinamento, subiu, encaixando a corda nas axilas.

Balançando com força, Lara segurou a estaca e foi rastejando até Aren, mal conseguindo manter o equilíbrio enquanto as ondas vinham.

— Segure-se em mim — ela gritou quando uma onda a desestabilizou.

Ela balançou e bateu em Aren. Por instinto, envolveu a cintura dele com as pernas, os braços protestando contra o peso. Então ele ergueu as mãos e apanhou a corda.

O mar bateu contra eles mais uma vez, levando-os na direção

da rocha, e Lara engasgou e soluçou, sabendo que não conseguiria se segurar mais. Sabendo que mais uma onda a soltaria.

E a espuma vinha na direção dela. Logo antes que a onda chegasse, a corda foi puxada e eles começaram a subir. Cada vez mais rápido. Rodaram e balançaram, Aren subindo e aliviando o peso que Lara sustentava.

— Não solte. — Sangue escorria de um corte na têmpora dele. —Você não vai soltar.

Eles bateram na lateral da ponte, e Lara choramingou ao ser arrastada pela rocha, mas a dor foi engolida pelo alívio de sentir mãos agarrarem suas roupas, puxando-a para cima, colocando-a na superfície sólida da ponte. Ofegante, ela rolou de lado, vomitando quantidades infinitas de água salgada até reunir força suficiente para apoiar a testa na pedra molhada.

— Lara. — Braços a ergueram, e ela virou, desabando no peito de Aren, se agarrando ao pescoço dele, que mesmo tremendo oferecia a ela um conforto maior do que a terra firme.

Ninguém falou nada. Havia homens e mulheres ao redor deles, ela sabia, mas era como se estivesse sozinha com Aren, a chuva da tempestade caindo em seu rosto.

— Aren? — A voz de Ahnna quebrou o silêncio, o estrondo distante de trovão ecoando o nome dele. — Eu não pretendia... Foi...

Aren se empertigou, e Lara sentiu a raiva emanando quando ele disse com a voz fria:

—Volte para Guarda Sul, comandante. E, se eu vir seu rosto de novo antes das Marés de Guerra, esteja certa que não vou hesitar em cumprir o contrato de Ithicana com Harendell.

Lara virou nos braços dele e viu Ahnna se retrair como se tivesse recebido um tapa.

— Sim, majestade. — Sem dizer mais uma palavra, ela saiu andando, seguida por seus soldados.

Levantando com as pernas trêmulas, Aren puxou Lara.

— Precisamos voltar para Guarda Média. A tempestade está chegando.

Mas, com o coração batendo forte, Lara sabia que ele estava errado.

A tempestade já tinha começado.

32
AREN

DESCALÇANDO AS BOTAS QUE ELE HAVIA pegado emprestadas no quartel, Aren tirou devagar as roupas encharcadas e rasgadas, deixando-as em uma pilha no chão enquanto atravessava o quarto escuro até o guarda-roupa para pegar uma calça seca. As venezianas tremiam nas janelas sob o ataque do vento, a chuva batendo furiosamente no telhado, tudo isso abafado pelos estrondos de trovão que faziam a casa tremer até os alicerces. O local tinha um cheiro forte e fresco de ozônio misturado ao aroma sempre presente de terra úmida e vegetação que ele associava ao seu lar.

Bum. O chão reverberou, a pressão mudando quando o tufão passou com força total. Era uma tempestade feroz — do tipo que dava nome aos mares Tempestuosos. Com ventos tão revoltos e bravios que pareciam quase seres vivos, essa tempestade deixaria rastros de destruição, exterminando da face da Terra tudo ou todos que encontrasse na água. Ithicana foi construída para suportar o pior que o mar e o céu pudessem oferecer e, a bem da verdade, era apenas durante essas tempestades que Aren respirava em paz, certo de que seu reino estava a salvo dos inimigos.

Mas não naquela noite.

Suspirando, ele colocou a mão na cabeceira da cama, buscando alguma sensação de equilíbrio, mas era uma causa perdida. E não era a única.

Lara não tinha dito uma palavra desde que eles foram tirados do mar. Era compreensível. Ela quase tinha se afogado. Quase tinha sido devorada. Quase tinha sido esmagada nas pedras. Não havia surtado completamente, o que era um milagre, mas ele preferiria isso àquele silêncio seco.

Com o rosto tão pálido que os lábios chegavam a ficar cinza, Lara se deixou levar por ele, entorpecida, os braços frouxos enquanto a examinavam em busca de ferimentos. Nenhum sinal de seu humor seco ou da língua venenosa que ele tanto amava quanto odiava. Simplesmente... nada.

Fechando os olhos, Aren encostou a testa na cabeceira da cama, porque a outra opção seria arrancar a madeira e batê-la na parede. Uma raiva, desenfreada e ardente, percorreu suas veias. De Ahnna. Da ponte. De si mesmo.

Um som mais animalesco do que humano subiu pela sua garganta e, em um movimento afobado, ele virou e deu um soco na parede. Uma dor percorreu seus dedos, e ele se agachou, querendo explodir, querendo correr. Sabendo que nada disso adiantaria.

Bum. A casa tremeu, e seus pensamentos se voltaram à carta do rei Rato, enfiada em sua bolsa, onde quer que estivesse. O ultimato era claro: aliar-se a Maridrina contra Valcotta ou enfrentar guerras e bloqueios como aqueles que Maridrina havia imposto quinze anos antes, suspensos apenas com a assinatura do tratado.

Aqueles tinham sido os tempos mais sombrios. Maridrina havia impedido qualquer pessoa de desembarcar em Guarda Sul por dois anos, interrompendo todo o comércio por completo. Nada era enviado pela ponte, e Ithicana perdeu todas as suas fontes de renda. Sem elas, não havia como alimentar seu povo. Mantê-lo abastecido. Mantê-lo vivo. Não com as tempestades violentas que mantinham os pescadores fora dos mares quase todo dia. A fome havia assolado Ithicana. A praga também. E a ideia de voltar àquilo...

A alternativa era se aliar a um homem que vinha tramando contra ele das piores formas possíveis. Entrar em uma guerra que ele não queria lutar. Era muito tentador se aliar formalmente a Valcotta por raiva. Os cofres de Ithicana eram cheios o bastante para comprar o que o reino precisava por um ano ou mais sem a receita gerada pela ponte. Juntando os quebra-navios de Guarda Sul e a força das frotas de Valcotta, os exércitos de Silas não teriam a mínima chance.

Mas uma atitude como essa colocaria todo o sofrimento nas costas do povo de Maridrina. O povo de Lara.

Condená-los à fome o tornaria o vilão que Corvus havia pintado. Aren se tornaria o homem que Lara havia sido criada para odiar. Mas ceder ao pedido do pai dela colocaria Ithicana em perigo quando Valcotta viesse atrás de retaliação. Não havia solução.

Aren lembrou de seu próprio pai gritando com sua mãe. Ithicana não faz alianças. Somos neutros — temos que ser, ou a guerra cairá sobre nós. Mas, na ausência da mãe, era Aren que agora acreditava que o tempo de neutralidade havia chegado ao fim. Mas havia diferença entre firmar uma aliança e permitir que seus termos fossem ditados por outro homem.

Aren hesitou, depois foi depressa para a escrivaninha. Abrindo o compartimento oculto, ele tirou a carta que havia começado a escrever para Silas meses antes. Encarando a saudação educada com todos os títulos honoríficos adequados, ele deixou a página de lado e pegou uma folha em branco.

Silas,

Ithicana não deixará de negociar com Valcotta. Caso deseje ver um fim à agressão naval deles, sugiro que desista de seus ataques contra a fronteira setentrional ao reino. Apenas com a paz entre as duas nações

Maridrina terá a chance de retornar à saúde e à prosperidade. Quanto à sua insinuação de que Ithicana teve atitudes que feriram o espírito do acordo, achamos necessário apontar a hipocrisia dessa afirmação. Em prol dos interesses de nossos povos, esqueceremos seus esquemas e permitiremos que Maridrina continue a negociar no mercado de Guarda Sul conforme os termos acordados. Que fique claro, porém, que, caso busque retaliação contra sua espiã, Ithicana verá a atitude como um ato de agressão contra nossa rainha, e a aliança entre nossos reinos será desfeita de maneira irrevogável.

Decida com sabedoria.

Aren

Ele olhou a carta, sabendo que nunca poderia contar a Lara o que havia escrito. A vida dela tinha sido dedicada a aliviar o sofrimento do povo de seu reino, e ela nunca o perdoaria por ameaçá-los, mesmo que para protegê-la. Mas não poderia haver outra forma de garantir que Silas não fizesse mal a ela. Deus o ajude se fosse obrigado a cumprir a ameaça.

Levantando, Aren foi até Eli.

— Leve essa carta ao quartel quando a tempestade diminuir. Diga a Jor que é para ser enviada imediatamente ao rei de Maridrina.

Voltando a seus aposentos, Aren abriu a porta para o pátio. E saiu no meio do temporal.

33
LARA

LARA CAIU DE JOELHOS COM UM baque surdo, a faca na mão. A escuridão a cercava. Um trovão ressoou pelo quarto, seguido por relâmpagos que iluminaram vagamente o contorno de uma janela. O assoalho de madeira embaixo dela era lustrado, e o ar era denso pela umidade e pelo aroma terroso de selva.

Lágrimas quentes escorriam pelo rosto, e ela limpou as bochechas. Assim que havia voltado à Guarda Média, pretendia encontrar uma forma de entrar no quarto de Aren para destruir as provas cabais de sua traição antes que elas vazassem. Faria isso sem que ele soubesse, porque ela nunca poderia permitir que Aren lesse aquelas palavras.

Uma coisa era o rei de Ithicana saber que ela havia mentido. Manipulado. Enganado. Outra bem diferente era ver a prova com os próprios olhos. Ver que todos os momentos que havia acreditado que uma conexão entre eles estava se formando tinham sido uma estratégia para obter informações. Que, depois de tudo que haviam passado juntos, ela escolheu destruí-lo naquela noite fatídica em que ele a havia beijado na lama.

Não bastasse ser imperdoável, ler aquilo causaria uma dor nele... Ela não poderia permitir que isso acontecesse. Bastava destruir as páginas para eliminar todas as evidências. Seu plano tinha sido drogar Aren levemente no jantar, depois entrar em seu quarto e criar um pequeno incêndio na mesa dele, que poderia ser facilmente atribuído a uma vela perto demais de um papel. Então ela poderia alegar ter sentido o cheiro de fumaça, seus gritos e batidas na porta dele altos o bastante para acordá-lo e alertar os funcionários. Entre as chamas e a água necessária para apagar o fogo, todos os papéis que carregavam sua mensagem invisível seriam destruídos para sempre. Era um plano perigoso e que poderia causar estragos, mas ela preferia arriscar reduzir a casa de Guarda Média a cinzas a correr o risco de Aren questionar por que todos os seus papéis timbrados haviam desaparecido misteriosamente.

Mas enquanto Lara esperava a hora do jantar, a exaustão havia tomado conta de seu corpo, e ela pegou no sono nos lençóis macios e limpos de sua cama. Agora os cheiros do jantar entravam por baixo da porta, e ela não estava nem um pouco preparada.

— Você pode consertar isso — ela murmurou, levantando.

Depois de colocar um de seus vestidos maridrinianos de seda e pentear o cabelo, a mente de Lara ficou a mil enquanto guardava um frasco de narcótico no bracelete. No corredor, ela correu para a sala de jantar com as venezianas fechadas, certa de que encontraria Aren lá. Ele não era o tipo que negligenciava a fome.

Mas apenas Eli estava no local, e se espantou ao vê-la.

— Pensamos que você gostaria de jantar no quarto, milady. Prefere comer aqui?

— Obrigada, mas não estou com fome. Sabe onde ele está? — Havia apenas um "ele" na casa.

— Nos aposentos, milady. Não quis jantar.

A lógica e seu treinamento sussurraram que ela deveria esperar outra noite. Outra oportunidade. Melhor fazer isso do que arriscar ser flagrada. Mas Lara se apressou até o quarto de Aren, os pés descalços em silêncio no piso frio.

Ela bateu, esperou. Nenhuma resposta.

Tentou a maçaneta e, pela primeira vez, a encontrou destrancada.

— Aren?

Não havia nem sinal dele. Essa era a sua chance. Ela poderia fingir que encontrou o incêndio.

Trancando a porta, Lara correu até a escrivaninha pesada, imediatamente espiando a caixa aberta de papéis timbrados. E o começo de uma carta escrita para seu pai.

Com o coração na garganta, Lara encarou as poucas linhas de tinta seca. Não entendia como Aren conseguia ser tão educado com o inimigo. Embora talvez não tivesse conseguido, afinal a carta estava inacabada.

Um ronronado chamou sua atenção, e ela baixou os olhos para Vitex, que começava a passar o corpo enorme entre suas pernas, quase a derrubando. Uma ideia melhor e que causaria menos estragos do que um incêndio surgiu em sua cabeça.

— Desculpa, Vitex. Mas preciso da sua ajuda.

Ela montou o cenário, colocando a caixa de lado no chão, depois espalhando tinta sobre a carta, deixando o pote virado sobre o restante das páginas para que ficassem completamente encharcadas e inutilizáveis. Mas não antes de contar a pilha. Vinte e cinco páginas em branco mais a carta inacabada.

Chamando Vitex, ela acariciou as orelhas dele, pegando uma das patas com delicadeza e usando-a para deixar pegadas inconfundíveis pela tinta. Percebendo o que ela estava fazendo, o gato chiou e saiu, deixando um rastro pelo quarto.

Todos os músculos em seu corpo se contraíram e, com um suspiro ofegante, Lara caiu de joelhos, olhando fixamente para o que havia sido o ápice de todos os seus esforços. De todo o seu treinamento. De toda a sua vida. Lembrando de como havia se sentido na última vez que tinha segurado aquelas páginas, pensando que as palavras condenatórias que havia escrito salvariam seu povo. Como estava enganada!

Mas, sem elas, Lara também se livrava do peso que carregava desde que descobriu a mentira do pai. O que ela havia feito antes... Foi horrível. Uma traição do pior tipo. Mas fora motivada por mentiras que haviam enchido seus ouvidos durante quase toda a sua vida. Ao passo que se voltar contra o pai agora era um ato movido pela verdade. O que ela estava fazendo agora era escolha sua.

Embora soubesse que havia pintado um alvo nas costas, que os capatazes de seu pai nunca deixariam de persegui-la, pela primeira vez na vida ela se sentia livre.

Um sexto sentido estranho a levou até a antecâmara e a fez abrir a porta do pátio, o vento batendo nela com a força de um gigante. Ao sair, encontrou uma chuva infernal.

O ar berrava ao rodear o pátio, carregando folhas e galhos e chuva que cortavam os braços expostos dela e atingiam suas bochechas. A tempestade tinha uma fúria ensurdecedora, múltiplas flechas cortando o céu, o trovão perfurando seus tímpanos.

No meio de tudo, estava Aren.

Sem camisa e descalço, olhando para o céu, parecendo ignorar a tempestade ao redor. Ou os perigos.

Um galho se partiu de uma das árvores e atravessou o pátio, batendo na lateral da casa.

— Aren! — Mas a tempestade abafou sua voz.

Era impossível manter o equilíbrio enquanto descia a trilha com dificuldade, derrubada diversas vezes por rajadas de vento que ameaçavam levantá-la. Seu cabelo batia em um frenesi selvagem, cegando-a, mas em nenhum momento ela considerou voltar atrás. Recuperando o equilíbrio sobre as pedras escorregadias, avançou.

Os ventos perderam a força quando ela segurou os braços de Aren. Foi como se todo o mundo desse um suspiro e relaxasse, os escombros caindo suavemente no chão e a chuva diminuindo até se tornar um tamborilar suave na pele.

— Lara?

Soltando um suspiro ofegante, ela ergueu a cabeça e encarou Aren, perplexo, como se não conseguisse compreender como ela fora parar ali.

— Passou? — ela perguntou, com dificuldade para respirar. E com mais dificuldade ainda para pensar. — A tempestade?

— Não. Estamos no olho do furacão agora.

O olho do furacão. Um aperto no peito.

— O que você está fazendo aqui?

Ela sentiu os músculos firmes de seu braço.

— Eu precisava.

Por instinto, ela entendeu o que ele queria dizer. Quase todas as pessoas buscavam se refugiar do perigo, mas, para ele, o perigo era um refúgio. A descarga de adrenalina que clareava a mente e eliminava a incerteza que atormentava todas as suas decisões enquanto rei. O medo de errar. As consequências dos erros. Na tempestade, ele encontrava o caminho.

Ela entendia, porque sentia a mesma coisa.

— Você poderia ter morrido hoje. Fazendo o que fez.

— Você teria morrido se eu não tivesse feito.

Ele segurou os braços dela e, embora a pele de Aren emanasse um calor febril, Lara estremeceu.

— Talvez você estivesse melhor sem mim.

Ele apertou com mais firmeza.

— Você acha mesmo que eu poderia me perdoar se tivesse ficado lá parado vendo você se afogar?

— Mas o que eu fiz...

— Está no passado. Ficou para trás.

O sangue dela pulsava em um estrondo surdo em seus ouvidos

ao compreender as palavras dele. Aren a havia perdoado. Como ele havia encontrado forças para isso, ela não conseguia entender, mas lá estava. O que ela queria mais do que tudo, mas não teve esperanças de desejar.

— Quer ir embora de Ithicana? Porque, se é isso que precisa para ser feliz, vou deixá-la em qualquer costa que desejar com tudo de que precisa para construir uma vida.

Lara havia planejado partir. Os assassinos de seu pai logo estariam em seu encalço, e ela não acreditava que haveria algo a ganhar se ficasse. Uma relação entre eles nunca daria certo — Aren inevitavelmente descobriria a verdade sobre ela e nunca a perdoaria por isso.

Mas Aren sabia a verdade. E, contra todas as expectativas, ele a havia perdoado. Agora... agora a ideia de virar as costas para esse lugar, virar as costas para ele, era o pior futuro que ela poderia imaginar.

—Você não pode me deixar sair de Ithicana. — Ela sentiu um nó na garganta, e as palavras saíram roucas e estranhas. — Eu sei demais. Você estaria correndo um grande risco.

Os olhos de Aren se firmaram nos dela, e nunca em sua vida ela havia sentido que alguém a via tão perfeitamente.

— Posso deixar você ir, porque confio em você.

Ela não conseguia respirar.

— Não quero ir embora. — As palavras eram uma verdade desenterrada das profundezas de seu coração.

Ela não queria deixar Ithicana. Não queria deixar Aren. Queria ficar, lutar e suar e sangrar por ele por esse reino bruto, selvagem e lindo.

A tempestade rodopiou, vigiando, mas sem tocá-los.

Aren relaxou as mãos e, por um segundo aterrorizante, ela pensou que ele a deixaria ir. Que queria que ela fosse.

Em vez disso, os dedos dele traçaram a parte de trás de seus braços, o leve toque deixando rios de sensações em seu corpo. Movimentos suaves para cima e para baixo, como se estivesse acalmando um animal selvagem capaz de morder.

Ou testando as águas.

Suas mãos roçaram a lateral de seus seios, e Lara soltou um suspiro suave quando ele encaixou os polegares nas alças de seu vestido, baixando-as enquanto se curvava, os lábios tocando um ombro. Depois o outro.

Um gemido escapou dos lábios dela quando Aren puxou seu cabelo molhado para trás, expondo seu pescoço e beijando seu colo, seu pescoço, seu queixo. Apenas a mão dele em seu vestido impedia a roupa de cair e deixá-la nua ali mesmo.

Lara queria tocar nele.

Queria sentir a pele macia sobre os músculos firmes, mas tinha medo, porque sabia que fazer isso seria sua ruína. Sabia que não teria volta.

Os lábios de Aren pararam, e ela prendeu a respiração, esperando que encostassem nos dela ao mesmo tempo que especulava se, caso ela se permitisse mergulhar nesse lago fumegante de desejo, algum dia voltaria à tona. Se queria voltar à tona.

Mas ele apenas encostou a testa na dela.

— Preciso que você diga que quer isso, Lara. Que está deixando porque escolheu, não porque foi obrigada.

O peito dela ardeu, e a emoção era tão intensa que chegava a doer. Ela recuou para encará-lo.

— Eu quero. — E, como se isso não bastasse, acrescentou: — Eu quero você.

A tempestade voltou com ímpeto quando seus lábios se encontraram, mas Lara mal sentiu os ventos. Aren a pegou no colo, segurando seus quadris enquanto ela envolvia as pernas na cintura dele, deslizando os braços em torno do seu pescoço. A boca dele era quente, a língua, úmida; a pele de ambos molhada de chuva enquanto ele a carregava pela tempestade para o refúgio da casa.

Lá dentro, ele escorregou no piso úmido e os dois caíram contra a parede, derrubando no chão o que restava nas prateleiras. Aren apoiou uma mão de cada lado de Lara, a respiração quente no pescoço dela. Apertando os saltos nas costas dele, Lara se esfregou nele, puxando-o cada vez mais perto, desejando que não houvesse nada entre eles. O atrito do cinto dele arrancou um gemido de seus lábios.

Lara arqueou as costas até apenas sua cabeça tocar a parede. A barra do vestido já estava erguida até a cintura, e o decote foi caindo, revelando seus seios. Aren perdeu o fôlego.

— Meu deus, você é linda — ele grunhiu. — Insuportável, ácida e a mulher mais incrível que já vi.

As palavras dele deixaram as coxas dela úmidas e lhe arrancaram um suspiro.

— A porta. Feche a porcaria da porta.

— Sim, majestade. — Ele colocou a língua dentro da boca de Lara, sentindo o gosto, antes de colocá-la no chão, roçando sua ereção na barriga dela antes de se virar para fechar a porta e trancar a tempestade do lado de fora.

Depois de baixar o trinco pesado, Aren voltou até ela, os olhos anogueirados predatórios, sempre caçando. Lara deu um passo para dentro do quarto, como se o desafiasse a seguir. Atraindo-o porque não era e nunca seria presa de ninguém. Suas panturrilhas encostaram na madeira sólida da cama dele, e ela o olhou de cima a baixo, fazendo-o parar.

O uivo do vento estava abafado, e ela ouvia a respiração ofegante dele, olhava o corpo dele, o maxilar forte trincado; sua urgência só aumentava. Ele, por sua vez, a olhava da mesma forma.

Levando a mão à lanterna sem tirar os olhos, Lara aumentou a chama e a colocou de lado. Pegando o corpete encharcado do vestido, o decote colado aos mamilos enrijecidos, ela tirou a seda do corpo devagar, deixando a peça no chão. Depois deitou de costas na cama, apoiada nos cotovelos. Com uma lentidão deliberada, Lara abriu os joelhos.

Lara viu quando ele perdeu o controle, a força do olhar dela sendo a única coisa que o mantinha firme. O desejo estava aparente na calça encharcada pela chuva, a única peça de roupa que ele usava.

— Tire — ela mandou, e a risada grave dele fez a pele dela formigar de desejo pelo seu toque.

Ele desafivelou o cinto, e o peso da faca afivelada puxou a calça para o chão. Ele a chutou para o lado. Dessa vez foi Lara que perdeu o fôlego enquanto contemplava o comprimento duro de Aren, pois, embora ela o tivesse visto sem roupa antes, nunca tinha sido assim. Suas coxas tremeram com a ânsia de tê-lo, e ela fez que sim.

Ele atravessou o quarto em três passadas, mas em vez de jogá-la na cama, como Lara havia pensado que ele faria, Aren ajoelhou diante dela. Ithicana e seu rei não se curvavam a nada nem a ninguém. Mas ele se curvou a ela.

Aren beijou a parte interna do joelho esquerdo dela. Depois o direito, demorando-se em uma antiga cicatriz que subia até metade da coxa. Com as mãos calejadas de defender seu reino, ele segurou as pernas dela, que tremiam. Aren baixou e passou a língua dentro de Lara.

Os quadris dela cederam, mas ele a segurou contra a cama, lambendo e chupando entre as coxas dela até arrancar um gemido de seus lábios. Lara desabou sobre o lençol, segurando o ombro dele com força, mas Aren ergueu a cabeça apenas por tempo suficiente para abrir um sorriso ferino antes de deslizar os dedos no ponto que a língua tinha acabado de deixar.

Lara arqueou as costas e agarrou a beira da cama, o mundo girando enquanto ele acariciava o interior de seu corpo, a boca consumindo-a de novo, a pressão crescendo dentro de si. Relâmpagos brilharam quando os dentes dele roçaram em sua pele e o mundo se despedaçou, a visão de Lara se fraturando enquanto ondas de prazer a banhavam até ela ficar ofegante e trêmula.

Aren não se mexeu por um longo momento, então, com uma ternura de partir o coração, beijou a barriga dela antes de encostar a bochecha ali, os dedos de Lara se emaranhando nos cabelos dele.

Mas ela queria mais. E ele também.

Aren subiu na cama com a elegância de uma pantera em caça. Pegando as mãos dela, prendeu seus braços para cima, contra o colchão. Por um segundo, ela resistiu, mas logo cedeu. Não a ele, e sim a si mesma. Ao próprio desejo. A vida inteira tinha sido um peão inconsciente das maquinações do pai, mas isso tinha ficado para trás. Toda vitória ou todo erro, todo toque de ternura ou acesso de violência... Seriam dela agora. Ela tomaria posse dessas coisas. Tomaria posse desse momento.

Erguendo a cabeça, Lara o beijou e o sentiu tremer enquanto envolvia as pernas na cintura dele, puxando-o para baixo e fazendo com que seus corpos se encontrassem com força. O beijo se intensificou, cheio de línguas e dentes, respirações ofegantes, sentidas na pele, engolidas pelo estrondo das trovoadas.

Aren roçou a ponta de seu membro nela, que soltou um gemido nos lábios dele. O corpo dela sabia o que queria: estava desesperado para que ele a preenchesse. Ela roçou os quadris em Aren e suspirou quando ele enfiou o pau nela por alguns segundos, como uma provocação.

— Nem tudo será como você quer, amor — ele rosnou em seu ouvido. — Não estou com pressa.

—Você é um demônio mesmo — ela sussurrou, mas seu poder

de fala se perdeu quando ele soltou os punhos dela e desceu até seu seio, chupando seu mamilo, e brincando com a língua, enquanto a mão passeava entre suas pernas.

As mãos dela exploraram os ombros de Aren, os dedos traçando as curvas rígidas de seus músculos, traçando as linhas de cicatrizes novas e antigas, depois desceram ao longo da coluna dele, se deliciando com o arrepio dele sob o toque.

Mas não era o suficiente. Lara mordeu o pescoço dele, querendo-o mais perto, querendo que seus corpos e almas se fundissem e nunca mais se separassem.

— Aren. Por favor.

Ele levantou, levando ela junto. De joelhos, com ela no colo, ele a encarou e baixou o corpo dela de novo. Deixando a cabeça cair para trás, Lara soltou um grito em meio à tempestade, arranhando os ombros dele, que deu mais uma única estocada.

— Olhe para mim.

Ela olhou, encostando a bochecha na mão dele que segurava seu queixo.

— Eu te amo — ele disse, roçando os lábios nos dela. — E vou te amar, independentemente do que o futuro trouxer. Por mais que precise lutar. Sempre vou te amar.

As palavras acabaram com ela, fizeram-na desabar por completo, depois a transformaram em algo novo. Mais forte. Melhor. Ela o beijou, longa, intensa e profundamente, seus corpos se movimentando juntos.

Deitando-a sobre os lençóis, ele tirou, depois voltou a meter com uma lentidão torturante. Depois de novo. E de novo. A cada estocada, seus corpos ficavam mais suados. Ela apertou a mão de Aren, passando a outra no cabelo dele, descendo pelas costas, com a necessidade de possuir cada centímetro do corpo dele enquanto o dela se tensionava, queimando, queimando até gozar.

Ela lutaria por ele.

Ela sangraria por ele.

Ela morreria por ele.

Porque ele era seu rei e, mesmo se fosse perseguida por assassinos pelo resto de seus dias, ela seria a rainha de Ithicana.

O orgasmo a banhou, violento como a tempestade que assolava seu reino, e ela sentiu o prazer de seu corpo levar Aren ao ápice. Ele meteu até o fundo, urrando o nome dela enquanto o quarto tremia sob o ataque da tempestade, então ele desabou, a respiração ofegante no ouvido dela.

Eles mal se mexeram pelo que pareceram horas. Lara encolhida no calor dos braços dele, a mente divagando enquanto ele acariciava suas costas, enquanto ele a cobria com um lençol quando o suor sobre seus corpos começou a esfriar. Foi apenas quando a respiração dele assumiu o ritmo suave do sono que ela ergueu a cabeça.

Tirando o cabelo dele da testa, ela o beijou de leve. E, porque precisava dizer, mas não estava pronta para que ele ouvisse, murmurou:

— Eu te amo.

Com a cabeça apoiada no peito dele e as batidas do coração de Aren em seu ouvido, Lara finalmente se entregou ao sono.

34
LARA

O TUFÃO VIOLENTO DUROU QUATRO DIAS, durante os quais Lara e Aren quase não saíram da cama. E pouquíssimo desse tempo passaram dormindo.

Quando estavam fora do quarto jogavam baralho ou jogos de tabuleiro ithicanianos peculiares, e Aren era um péssimo trapaceiro. Horas de leitura em voz alta com Aren deitado no colo de Lara, os olhos dele distantes enquanto ouvia, os dedos entrelaçados nos dela. Ele contou histórias de sua infância em Ithicana, quase sempre envolviam fugir de seus tutores para correr loucamente pela selva até Jor ir atrás dele. Ele contou da primeira vez que ele, Taryn e Lia fizeram o desafio da ilha das Cobras, se revezando enquanto seus amigos assistiam dos barcos na água.

— E Ahnna?

Aren bufou.

— Ela não é idiota de participar dessas loucuras.

Havia uma acidez na voz dele que fez Lara colocar o copo na mesa com um tinido alto.

— Você precisa pedir desculpas à sua irmã pelo que disse. Foi desnecessário.

Aren guardou um livro de volta na prateleira e virou sua bebida.

— Ela quase matou você.

— Foi um acidente. E, a menos que você não estivesse prestando atenção, também foi ela quem salvou nossa vida.

— Pode deixar.

— Aren.

Ele encheu o copo de novo.

— Já disse coisas piores para ela, e ela, para mim. Ela vai superar.

Lara contorceu os lábios, entendendo que não era relutância em pedir desculpas, mas relutância em prestar contas sobre Lara para a irmã.

— Há uma diferença significativa entre briguinhas de irmãos e ameaças feitas por um rei à comandante de seus exércitos.

Ele soltou um suspiro aborrecido.

— Certo, certo. Vou pedir desculpas quando a vir de novo.

— Que vai ser quando?

— Deus, como você é persistente.

Lara respondeu com um sorriso doce.

— A reunião do conselho antes do início das Marés de Guerra quando discutirmos nossa estratégia. Ahnna representa Guarda Sul, então ela terá que comparecer.

Ela ia perguntar exatamente onde a reunião aconteceria, mas logo desistiu. Nos últimos dias, Lara vinha tomando cuidado para não se intrometer em nenhum detalhe pelos quais uma espiã poderia se interessar, tudo para não dar a Aren nenhum motivo para duvidar da lealdade dela. Em parte, se questionou se isso mudaria algum dia, ou se o passado dela seria para sempre uma mácula na relação.

— Por que você nunca fala sobre suas irmãs?

Suas irmãs. Lara fechou os olhos, resistindo ao ardor inesperado de lágrimas. Era um esforço consciente de sua parte pensar nelas o mínimo possível. Para evitar a dor no peito que vinha com a lembrança, a sensação angustiante de perda que vinha toda vez que se dava conta de que provavelmente nunca mais as veria de novo. Mas também por medo de que, se pensasse demais nelas, pudesse revelar sem querer que elas ainda estavam vivas. Essa informação não poderia de forma alguma chegar ao seu pai, e, pelo bem delas, Lara nunca poderia confiar a verdade a Aren, pois se um dia ele encontrasse motivo para se voltar contra ela, poderia fazer isso atacando suas irmãs.

— Elas morreram.

O copo escorregou da mão dele e caiu no chão.

— Está falando sério?

Lara ajoelhou para pegar os cacos.

— Todos que sabiam do plano do meu pai foram mortos, exceto Serin.

— Todos? Tem certeza?

— Eu as deixei com a cara nos pratos na mesa de jantar, cercadas por chamas.

Ela lembrou de tocar o cabelo loiro dourado de Marylyn ao levantar seu rosto da tigela de sopa. Lara, o pai e todo o grupo que havia saído do complexo abandonaram as princesas à própria sorte e aos próprios recursos. Um pedaço de vidro cortou seu dedo e ela silvou, chupando o sangue antes de voltar à tarefa.

Aren segurou as mãos dela.

— Deixe aí, amor. Outra pessoa vai limpar.

— Não quero deixar Eli fazer isso. — Ela pegou outro caco de vidro. — Ele tenta fazer tudo rápido demais e vai se cortar com certeza.

— Então eu faço.

Os cacos de vidro caíram das mãos de Lara, e ela observou como as gotas de líquido amarelo refletiam a luz. Ainda não havia contado tantas coisas para ele.

— Minha infância foi difícil. Tentaram nos transformar em monstros. Talvez tenham conseguido.

O único som era a chuva lá fora.

— Naquele dia do ataque à ilha de Serrith... Havia dezenas de amaridianos mortos na trilha que levava à angra.
— Eu os matei, se é o que você quer saber.
— Todos?
— Sim. Vocês estavam em menor número, e sua morte não era... Não era parte do meu plano.
Ele soltou um longo suspiro, depois repetiu:
— Não era parte do seu plano.
Embora Aren soubesse a verdade e tivesse perdoado Lara, no fundo ela ainda temia que ele mudasse de ideia. Que esses últimos dias não fossem nada além de um truque: uma forma de mostrar como poderia ter sido se ela tivesse vindo a esse casamento sem planos de traição.
Ele puxou Lara e a colocou de pé.
— Ninguém pode saber. Sobre nada disso. Muita gente foi contra essa união desde o começo. Se soubessem que você era uma espiã, e uma assassina treinada, enviada para se infiltrar em nossas defesas, nunca perdoariam você. Exigiriam sua execução e, se eu não concordasse...
Lara sentiu o sangue se esvair do rosto. Não por causa da ameaça à vida dela, mas à dele.
— É melhor para você se eu for? Podemos forjar minha morte, e todos os problemas serão resolvidos.
Aren não respondeu e, quando ela finalmente criou coragem de erguer a cabeça, o encontrou olhando para o nada, os olhos sem foco. Então ele balançou a cabeça abruptamente.
— Fiz um juramento a você, e pretendo mantê-lo.
Lara sentiu um aperto no peito.
— Meu pai enviará assassinos atrás de mim. Todas as pessoas próximas a mim estarão em perigo.
— Não se não souberem onde você está.

— Eles sabem que estou em Guarda Média, Aren. E a ilha não é tão impenetrável quanto você pensa. Meu pai não esquecerá minha traição tão fácil assim.

— Estou ciente das limitações de Guarda Média, e é por isso que não ficaremos aqui. — Ele a puxou para seus braços. — E seu pai se esquecerá se acreditar que o preço da vingança é maior do que ele está disposto a pagar.

A vingança valia qualquer preço para seu pai.

— Deixe-me voltar para Maridrina. Deixe-me matá-lo e acabar logo com isso.

— Não vou usar você para matar meus inimigos.

— Ele é meu inimigo também. Inimigo do povo maridriniano.

— Não discordo. — Aren subiu e desceu a mão pela espinha dela. — Mas assassinar seu pai fará o exato oposto do que estamos buscando. Mesmo que Serin não consiga provar que foi Ithicana, ele colocará a culpa em nós, e não demorará até o povo maridriniano esquecer de Silas, o tirano, e começar a exigir vingança por Silas, o mártir. Seu irmão mais velho é farinha do mesmo saco que seu pai, e não pretendo dar a ele um exército com sede de sangue ithicaniano. Se atacarmos, poderíamos convencer Valcotta a se aliar a nós e acabar com eles, mas o seu povo sofreria. E, no fim, voltaríamos ao mesmo lugar de quinze anos atrás, com a rivalidade entre nossos reinos.

— Não fazemos nada, então? — Tudo que ele disse era verdade, mas Lara não conseguia evitar a amargura na voz.

— Observamos. Nos preparamos. Mas... — Ele encolheu um ombro. — Toda atitude que tomarmos neste momento causaria mais mal do que bem.

— Com Valcotta atacando os mercadores maridrinianos que tentam atracar em Guarda Sul, minha terra continuará a passar fome.

— Tudo se resolveria se seu pai desistisse da guerra com Valcotta. Se deixasse que os fazendeiros voltassem aos campos e os comerciantes aos comércios.

Mas ele não faria nada disso. Lara tinha certeza, seu pai nunca aceitaria a derrota.

— Na atual situação, a estação de tempestade ajudará a levar os valcottanos de volta aos seus portos. O porto de Vencia é o mais próximo de todos da Guarda Sul, e seu povo vai aproveitar os curtos intervalos entre as tempestades. Por incrível que pareça, a estação de tempestade é melhor para seus compatriotas do que a calma. A comida chegará às costas de Maridrina.

Aren não mentiria para ela, Lara sabia. Confiava nele. Por mais que não fazer nada fosse tortura para ela.

Ele ficou em silêncio por um longo tempo, depois disse:

— Mas tudo tem dois lados, Lara. Pouquíssimos ithicanianos já saíram de nossas costas. Pouquíssimos conheceram um maridriniano. O resultado é que eles acreditam que seu pai representa o seu povo. Preciso que você me ajude a mudar essa ideia. Preciso que os faça ver que os maridrinianos não são nossos inimigos. Fazer com que queiram mais do que apenas uma aliança de papel e palavras entre reis, mas uma aliança entre nossos povos. Porque esse é o caminho se quisermos atingir a paz algum dia.

— Não vejo como isso pode acontecer enquanto ele viver.

— Ele não vai viver para sempre.

Lara soltou um longo suspiro.

— Mas meu irmão, como você diz, é exatamente como ele. Vai se aproveitar da utopia que você deseja.

— Não desejo uma utopia, Lara. Apenas algo melhor. — Ele beijou o ombro dela, os lábios quentes. — Já passou da hora de pararmos de deixar que nossos inimigos ditem nossa vida e começarmos a viver em nome daqueles que amamos. E de nós mesmos.

— Um sonho.

— Então vamos torná-lo realidade. — Ele tirou uma bolsinha de seda do bolso. — Tenho algo para você.

Lara arregalou os olhos quando ele mostrou os elos de ouro, esmeraldas e diamantes negros que cintilavam sob a luz.

—Você comentou que gostava de verde.

Com cuidado, ele puxou o cabelo dela para um lado e prendeu o colar em seu pescoço.

— Era da minha mãe. Meu pai fez para ela anos atrás, e ela quase nunca tirava. Os servos o encontraram nos aposentos dela depois... — A voz dele falhou, e Aren balançou a cabeça para afastar a emoção. — Ela sempre dizia que foi feito para ser usado.

Lara passou o dedo no ouro e nas joias, depois afastou a mão, cerrando o punho.

— Não posso aceitar. Ahnna deveria ficar com isso.

— Ahnna odeia joias. Além disso, você é a rainha de Ithicana. É você quem deve usar.

Aren virou Lara para o espelho grande na parede e fechou a mão dela em torno do grande diamante negro no centro do colar, o sangue dela latejando.

— Guarda Norte. — Então ele desceu os dedos dela pelo colar, citando as ilhas maiores ao longo do caminho. — Serrith. — Ele parou, beijando o ombro dela, lhe dando mordidinhas no pescoço, sentindo o corpo dela se contrair contra o seu. Lara deixou a cabeça cair para trás, deitando-a no ombro dele. — Guarda Média. — Aren passou os dedos pela curva do seio direito, parando em uma esmeralda grande. Suspirou, como se refletindo, depois continuou descendo pelo mapa de joias, parando em Guarda Sul, a esmeralda pousada em seu decote. — É sua — ele murmurou no ouvido de Lara. Ithicana. Tudo que tenho é seu. Para proteger. Para melhorar.

— Farei isso — ela sussurrou. — Eu prometo. —Virando, Lara

encostou a testa no peito dele, concentrando-se no toque das mãos de Aren. No som do coração dele.

Então ele ficou imóvel.

— Escute.

— Não estou ouvindo nada.

— Exato. A tempestade passou. O que quer dizer que terá terminado ao sul daqui, então os balseiros de Vencia já devem estar na água a caminho de Guarda Sul.

Era tão estranho ter que depositar sua confiança nos mares Tempestuosos, que ela temia mais do que qualquer coisa, para proteger seus dois povos. Devagar, a tensão foi se esvaindo dela.

— Como está seguro lá fora, eu gostaria de um banho de verdade.

— Seu desejo é uma ordem, majestade — ele gemeu em seu ouvido, jogando-a no ombro e se dirigindo à porta.

No corredor, eles encontraram Eli carregando uma bolsa cheia no ombro.

—Vou fazer uma entrega no quartel, majestades. Alguma mensagem que gostariam de enviar?

Aren hesitou.

— Sim. Diga a Jor que quero vê-lo. Depois do almoço. — Ele deu um tapinha expressivo na bunda dela, rindo quando ela deu uma joelhada em seu peito. — Mas, agora, preciso de um banho.

Algumas horas depois, eles estavam terminando uma refeição de peixe grelhado e molho cítrico quando a porta da casa abriu.

Sem se importar com as botas sujas de lama, Jor entrou na sala de jantar e sentou à frente deles.

— Majestades. — Seus olhos brilhantes alternaram entre Lara e Aren enquanto ele roubava um bolo da bandeja. — Que bom ver que vocês estão finalmente se dando bem.

As bochechas de Lara coraram, e ela tomou um gole do suco de fruta, torcendo para que o copo escondesse seu constrangimento.

— E tudo que bastou para ganhar seu afeto foi o pobre menino pular nas águas infestadas de tubarões para salvar sua pele. — Ele deu um suspiro dramático. — Não sei se estou à altura desses atos de heroísmo. Acho que vou ter que deixar de lado o sonho de pegar você quando Aren morrer numa daquelas palhaçadas dele.

— Vai se ferrar, Jor.

Lara apenas sorriu.

— Para a sua sorte, tenho um fraco por homens velhos.

— Velho? — Farelos de bolo voaram da boca do guarda. — Fique a senhorita sabendo que tenho...

— Chega, chega. — Aren encheu o copo na frente de Jor. — Não é por isso que você está aqui.

— Sim, por favor, me diga por que esse velhote subiu a colina para visitar os pombinhos.

Lara virou na cadeira para observar Aren, curiosa.

— Como está o céu? — ele perguntou.

— Bote a cabeça para fora da porta e veja com seus próprios olhos.

— Jor.

— Está claro. — O capitão mastigou outro pedaço de bolo devagar, a sobrancelha franzida com desconfiança. — Por quê?

Aren colocou a mão sobre a de Lara, o polegar traçando um círculo na palma da mão dela.

— Mande todos fazerem as malas e prepararem os navios. Acho que está na hora de irmos para casa.

35
LARA

Casa.

Para Lara, Guarda Média era sua casa, com sua serenidade tranquila. Mas não havia como ignorar o entusiasmo no rosto dos guardas enquanto amarravam as malas e as cargas de provisões em um trio de barcos, quase tropeçando uns nos outros com a pressa. O lugar aonde estavam indo também era um lar para eles, e o alvoroço de atividade apenas intensificou a curiosidade de Lara. Não havia civilizações grandes em Ithicana, nada maior do que uma vila de pescadores, e a maridriniana dentro dela achava difícil acreditar que o rei do Reino da Ponte chamaria alguma delas de casa.

— Aonde estamos indo? — ela perguntou a Aren pela centésima vez.

Ele apenas abriu um sorriso irônico e jogou a bolsa de pertences dela na canoa.

—Você vai ver.

Não a deixaram levar quase nada, apenas uma muda de roupas ithicanianas, um conjunto de roupas de baixo e, a pedido de Aren, um de seus vestidos maridrinianos de seda, embora ela não soubesse que utilidade isso teria em uma vila de pescadores.

Mastigando um pedaço fresco de raiz para ajudar a manter o estômago calmo, Lara se acomodou no barco, tentando não atrapalhar enquanto saíam da angra. Embora os céus estivessem relativamente calmos, o mar estava cheio de galhos e de escombros e, embora a névoa envolvesse Guarda Média, Lara notou que a selva tinha sido fortemente afetada pela tempestade, árvores caídas e plantas despidas de flores e folhas.

Os barcos passaram sob a ponte enquanto a ilha sumia de vista, e Lara olhou para a frente enquanto as velas se erguiam, os ventos rápidos guiando-os pela rebentação. Eles viraram para o oeste, para longe da ponte serpenteante, passando por inúmeras ilhas minúsculas. Todas pareciam desabitadas, mas ela sabia que isso não queria dizer nada em Ithicana.

Eles velejaram por uma hora quando, depois de rodearem uma ilha menor, Lara avistou uma verdadeira montanha que saía do oceano. *Não uma montanha*, ela se corrigiu em silêncio. *Um vulcão.* A ilha em si era várias vezes maior que Guarda Média, as encostas do vulcão, que arranhavam o céu, tinham uma selva verdejante densa. Águas azul-celeste batiam nas falésias de quinze metros de altura, sem sinal de praia ou angra. Impenetrável e, a julgar pela fumaça que subia do cume, um lugar perigoso de habitar.

No entanto, enquanto rodeavam o monolito, Jor baixou uma vela, diminuindo a velocidade deles enquanto Lia levantava, a mão equilibrada no ombro de Taryn ao observar os arredores.

— Nenhuma vela no horizonte — ela declarou, e Aren assentiu. — Icem a bandeira, então.

A bandeira verde viva cortada por uma linha preta curva abriu e levantou no alto do mastro, o vento soprando com uma avidez que se refletia no rosto de todos os ithicanianos. Eles se aproximaram da ilha e, erguendo a mão para proteger os olhos do reflexo da água, Lara distinguiu uma abertura escura nas paredes das falésias aparentemente sólidas.

A entrada para a caverna marinha ia crescendo à medida que os barcos se aproximavam, quase sem espaço suficiente para que os mastros passassem quando eles entraram, a escuridão tomando conta.

O coração de Lara batia forte, e ela se deu conta de que estava presenciando algo que nenhum outro forasteiro já tinha visto. Um lugar que era domínio unicamente de Ithicana. Um segredo maior, talvez, do que a preciosa ponte.

Um barulho ensurdecedor deu um susto em Lara. Aren pousou a mão em suas costas para acalmá-la enquanto os olhos se acostumavam à penumbra. Piscando, ela observou com fascínio enquanto um rastrilho de aço coberto de algas marinhas e cracas se erguia em uma abertura estreita no teto, e os três barcos entraram devagar em um túnel que virava à direita. Segurando as laterais do barco, Lara prendeu a respiração enquanto Taryn e Lia remavam para entrar, o túnel se abrindo em uma caverna enorme. A luz do sol era filtrada por pequenas aberturas no teto e dançava sobre a água calma, e o chão da caverna parecia estar a um braço de distância, embora Lara desconfiasse que fosse muito mais fundo.

Atracadas às paredes estavam dezenas de barcos, incluindo as grandes embarcações que ela tinha visto evacuando a vila da ilha Serrith. Crianças seminuas nadavam entre eles, seus risos mais altos que o arquejo cada vez mais longínquo do rastrilho que descia atrás deles. Houve gritos de reconhecimento quando as crianças avistaram Aren e seus guardas, e muitas nadaram como um cardume de peixes ao redor dos barcos. Jor riu, fingindo que os afugentaria com um remo quando chegaram ao fundo da caverna, de onde subiam degraus esculpidos na pedra escura.

Com as vozes das crianças enchendo seus ouvidos, Lara deixou Aren ajudá-la a sair do barco, e suas pernas vacilavam. *Que lugar era esse?*

Apoiando a mão suada no braço de Aren, Lara subiu para a abertura iluminada pelo sol, o coração acelerado. Juntos, eles saíram, e uma rajada de vento salgado bagunçou o cabelo de Lara, desfazendo sua trança. A luz feriu seus olhos, e ela pestanejou em parte para secar as lágrimas e em parte porque não acreditava no que estava vendo.

Era uma cidade.

Cobrindo as encostas íngremes da cratera do vulcão, as ruas, casas e jardins se misturavam perfeitamente à vegetação natural, que se refletia por completo em um lago esmeralda formado na bacia. Soltando o braço de Aren, Lara deu uma volta, se esforçando para assimilar a magnitude do lugar que não deveria, não poderia, não tinha como existir.

Homens e mulheres de túnicas e calças cuidavam da vida, e inúmeras crianças corriam desenfreadas, provavelmente gostando da trégua no tempo ruim. Havia centenas de pessoas, e ela não tinha dúvida de que muitas outras poderiam ser encontradas dentro das casas construídas na encosta, feitas do mesmo material sólido da ponte, envoltas em árvores e trepadeiras, suas raízes se cravando no fundo da terra, os cinza e verdes pontuados por inúmeras flores de todas as cores do arco-íris. Havia sinos de metal pendurados em galhos de árvores, e cada sopro do vento levava sua música delicada.

Com toda a pose de um rei contemplando seu reino, Aren disse:

— Bem-vinda a Eranahl.

36
AREN

Foi a pior estação de tempestade que Aren já tinha visto.

Diversos tufões assolaram Ithicana, mar, vento e chuva bombardeando a fortaleza que era Eranahl, mantendo-a ainda mais isolada que o normal. A cidade foi obrigada a recorrer às provisões, e seria uma correria maluca para reabastecer as galerias antes que as Marés de Guerra chegassem e a população da cidade triplicasse, aqueles que moravam nas ilhas perto da ponte vindo se abrigar dos inevitáveis invasores. Eles trariam provisões, mas, com meses de pouquíssimos dias claros para pescar e coletar, também estariam no limite.

A ponte precisaria prover.

Mas tinha sido muito fácil não pensar nos perigos iminentes dos meses seguintes desde que ele havia trazido Lara para Eranahl. Fácil sentar à mesa com os amigos, bebendo e comendo, rindo e contando histórias noite adentro. Fácil se perder em um livro sem a expectativa de trombetas anunciarem invasores. Fácil dormir até tarde, os braços ao redor do corpo esguio da esposa. Acordar e idolatrar as curvas do corpo dela, o gosto da boca, o toque das mãos nas suas costas, no seu cabelo, no seu pau.

Havia dias que era como se Lara tivesse estado com ele desde sempre, pela forma tão completa que ela havia imergido em todos os aspectos do ser dele. Em todos os aspectos de Eranahl. Ele tivera medo de que ela enfrentasse dificuldades para se integrar ao seu povo, e o povo, a ela. Mas, em menos de um mês, Lara havia aprendido o nome de todos os cidadãos e quais eram as relações entre eles, e Aren a encontrou várias vezes trabalhando com as pessoas, ajudando os feridos ou adoecidos. Quase todo o tempo de Lara era passado com os jovens de Ithicana, em parte porque tinham menos preconceitos contra os maridrinianos do que seus pais e avós e, em parte, pensava ele, porque isso dava a ela uma sensação de propósito. Ela abriu uma escola, pois, embora o pai fosse um cuzão, não havia falhado na educação da filha, e os esforços de Lara de compartilhar esse conhecimento conquistaram mais corações até do que seu heroísmo na ilha Aela.

Lara ficou amiga dos amigos dele e alcançou Jor na disputa pelas piores piadas. Juntos, eles bebiam, comiam e riam enquanto ela se enturmava, segurava a mão de Aren esperando as tempestades passarem. Ela nunca revelava detalhes profundos de sua vida, mas, se alguém chegou a notar, não comentou. E Aren tinha parado de procurar, tinha parado de perguntar quem havia causado suas cicatrizes, internas e externas; se ela quisesse contar, contaria.

Com muita insistência e persuasão, as crianças ithicanianas haviam convencido Lara a entrar na enseada da caverna, ensinando-a a boiar e bater os braços para ir de um lado a outro, mas ela saía em um piscar de olhos se encostasse em um peixe e se recusava a mergulhar a cabeça. E nas poucas vezes que alguma criança era valente — ou idiota — o bastante para mergulhar a cabeça dela à força, Aren presenciou Lara perdendo a calma e gritando furiosamente com as crianças. Então ela saía seminua e se trancava no palácio pingando, se recusando a falar com qualquer pessoa, incluindo ele, pelo resto do dia, mas assim que as tempestades davam uma trégua de novo, ela voltava para a brincadeira.

Vir a Eranahl tinha transformado sua esposa. Não a havia suavizado, por assim dizer, pois seu temperamento continuava mais difícil que o de qualquer pessoa que ele já havia conhecido, mas ali ela tinha saído do casulo. Saído da fortaleza que ela havia construído para se proteger. Ela estava mais feliz. Mais bem-humorada. Contente.

Mas toda estação de tempestade tinha seu fim, e essa não era diferente.

Soltando um suspiro, Aren observou o céu, a chuva caindo levemente em sua pele. Havia uma brisa suave, que mal podia ser chamada de chuva, e ele desconfiava de que era apenas uma questão de tempo até Vovó determinar o fim da estação. E foi isso que levou seu conselho de guerra a se reunir.

Ao longo da última hora, os comandantes da Guarda vinham chegando de barco: homens e mulheres aguerridos que tinham visto o que seus inimigos tinham de pior a oferecer e haviam respondido de maneira ainda pior. Cada um dos nove, incluindo ele em Guarda Média, era responsável pela defesa de certas partes da ponte e das ilhas que a cercavam, e todos tinham chegado para discutir o que a estação traria. Menos uma.

Ahnna estava atrasada.

Entrando no abrigo do porto da enseada da caverna, Aren sentou nos degraus para esperar, irritado com a ansiedade que crescia. Essa seria a primeira vez que ele veria a irmã gêmea desde que Lara caiu da ponte. A primeira vez que se falariam desde que ele havia ameaçado mandá-la para Harendell. Ahnna queria que Lara fosse uma prisioneira de luxo em Guarda Média, e ele mal poderia imaginar como sua irmã reagiria ao ver a cunhada no coração de Ithicana.

Os portões começaram sua subida lenta e ruidosa, arrancando Aren de seus pensamentos. Um dos barcos de Guarda Sul fez a curva, e ele semicerrou os olhos sob a luz fraca, tentando identificar a irmã gêmea. Ahnna estava sentada na popa, o leme na mão, a expressão imperscrutável.

O barco bateu nos degraus de pedra, um dos soldados saltando para fora e o ancorando enquanto os outros descarregavam as provisões. Ahnna pendurou a bolsa no ombro, gritando para a tripulação aproveitar suas poucas horas de liberdade antes de subir a escada dois degraus de cada vez.

— Majestade — ela disse, e o coração dele se apertou. — Desculpe o atraso. Com o estado das relações entre os reinos do sul, Guarda Sul exige toda a minha atenção.

— Tudo bem. — Ele tentou aceitar que a cisão entre eles poderia nunca mais ser consertada. — Temos tempo.

Os olhos de Ahnna se ergueram para o céu, então ela balançou a cabeça.

— Não tenho tanta certeza.

O palácio estava em silêncio quando ele e Ahnna entraram, todos que não eram necessários tendo se retirado e os que eram necessários ocupados com suas tarefas. Isso criava uma qualidade de som estranha, como se a ausência de pessoas mudasse o edifício, fazendo os passos ecoarem e as vozes reverberarem.

Não que algum deles se sentisse inclinado a falar.

Virando no corredor, Aren avistou Lara sentada em um banco acolchoado à frente das câmaras do conselho, os ombros empertigados, os olhos fixos nas portas sólidas. Ela usava um vestido de seda azul e verde, o cabelo trançado em uma coroa que revelava seu pescoço longo. Sapatos de salto alto, com o couro cravejado de lápis-lazúlis, calçavam seus pés e, de onde estava, ele conseguia ver que as bochechas e sobrancelhas dela brilhavam com um pó dourado.

—Vejo que ela não abandonou o estilo de vida caro — Ahnna murmurou.

Não, e Aren cedia às vontades dela, mas não pelos motivos que sua irmã pensava. Lara renunciaria aos luxos, se mesclaria com o povo dele a ponto de esquecerem que ela não tinha nascido entre eles, mas os dois entendiam a importância de o povo lembrar que ela era maridriniana. De aprenderem a amá-la como uma maridriniana, como haviam aprendido.

Lara levantou com a chegada deles, e, quando virou para olhá-los, Aren ouviu Ahnna prender a respiração. Ela estava encarando as joias no pescoço de Lara, o colar de esmeraldas e diamantes negros que tinha sido da mãe deles.

— Como você pôde? — Suas palavras sibiladas saíram entre dentes. — De todas as coisas que poderia ter dado a ela, por que isso?

— Porque Lara é a rainha. E porque eu a amo.

Mil respostas passaram pelos olhos da irmã, mas ela não disse nenhuma. Apenas fez uma reverência a Lara.

— Fico feliz em ver vossa majestade bem. — Então pegou a chave que a marcava como uma comandante, destrancou a câmara do conselho e entrou.

— Falei que seria um erro não conversar com ela antes. — Lara colocou as mãos na cintura, balançando a cabeça perfeita. — Você dá um tapa na cara dela mostrando tudo que ela não quer ver e espera que ela ranja os dentes e aceite.

Aren puxou Lara junto a si, e ela o abraçou pelo pescoço.

— Por que você sempre tem que ter razão? — ele perguntou, fechando os olhos e beijando o pescoço dela.

— Não tenho. É você que está errado com muita frequência.

Ele riu baixo, sentindo parte de sua tensão se dissipar, mas logo voltando quando ela disse:

— É cedo demais, Aren. Me deixe buscar o Jor.

— Não. Você é a rainha de Ithicana, e isso faz de você meu braço direito. É como sempre foi, e levar Jor comigo lá dentro em seu lugar diria aos comandantes e ao povo que não vejo você como capaz. Que não confio em você. Estragaria tudo que conseguimos fazer desde que você chegou a Eranahl.

— Até onde eles sabem, eu sou incapaz.

— Eu sei que não é. — Mas ele era o único; o passado, o treinamento e a letalidade de Lara eram um segredo que Aren guardava de todos. E continuaria a guardar para proteger sua esposa e a paz tênue que seu casamento simbolizava. — Além disso, governar um reino envolve muito mais do que proeza marcial.

— Essa é a reunião do conselho das Marés de Guerras — ela disse entre dentes, olhando o corredor para confirmar que eles estavam a sós. — A única coisa que importa é proeza marcial. Me deixe buscar o Jor.

Aren fez que não.

—Você é a única que sabe de todos os riscos. — Ele encostou a testa na dela. — Preciso de você do meu lado.

E, antes que ela pudesse argumentar mais, ele destrancou a porta e puxou Lara para a sala de guerra de Ithicana.

37
LARA

AREN SOLTOU O BRAÇO DELA ASSIM que entraram, a intimidade que havia tornado o ar entre eles mais pesado ficando para trás, substituída por algo completamente diferente.

Ali, eles não eram marido e mulher. Não eram o rei e a rainha de Ithicana. Nessa sala, Aren era o comandante de Guarda Média e ela era seu braço direito e, por instinto, Lara imitou os ombros alinhados e a expressão séria dele. Foram até a réplica alta de Guarda Média, parte de um mapa enorme de Ithicana. O único mapa completo de Ithicana que existia.

Ninguém tinha permissão de entrar na sala além dos comandantes e de seus braços direitos. Nem mesmo os servos iam lá limpar, o grupo cuidava da tarefa com a eficiência ithicaniana. Ela era a primeira pessoa de fora a entrar, e isso ficou claro quando todos se voltaram para ela, os olhos arregalados de espanto.

— Onde está Jor? — a voz de Ahnna, ao lado da réplica de Guarda Sul, com a mão apoiada de maneira possessiva sobre a grande ilha, cortou o silêncio.

— Lá embaixo. — Aren foi curto e grosso, embora Lara desconfiasse de que o tom fosse mais de nervosismo do que de irritação.

Ele imaginava que a presença dela seria questionada.

— Comandante, talvez seja o caso de discutirmos se a presença de sua majestade é apropriada — Mara disse.

Nenhuma surpresa. A mulher não escondia sua aversão a Lara, quase sem dirigir a palavra a ela quando estava em Eranahl.

Aren voltou o olhar frio para a comandante de Guarda Norte.

— Escolhemos nossos braços direitos. Nossas escolhas não são questionadas. — Ele apontou o queixo para Aster, que Mara havia escolhido como braço direito mesmo depois que Aren o dispensou do comando de Kestark. — A menos que queira mudar esse protocolo.

Mara ergueu as mãos na defensiva.

— Só pensei que você fosse escolher alguém com experiência como seu braço direito, comandante. Emra — ela apontou para a jovem comandante de Kestark — escolheu alguém mais velho para compensar a pouca idade.

Emra havia escolhido a mãe — uma guerreira experiente de quem Lara gostava muito — como braço direito, e a mulher em questão revirou os olhos enquanto a filha respondia:

— Escolhi alguém em quem pudesse confiar.

Um pequeno raio de solidariedade, mas qualquer alívio que Lara sentisse com as palavras da jovem foi desfeito quando Ahnna disse:

— Desde quando você não confia em Jor?

Aren se ajeitou ao lado de Lara, encostando as pernas em sua saia. Ela sabia que não ter o apoio da irmã o magoava. Pelo que havia depreendido de Taryn, de Jor e dos outros guardas, os gêmeos eram próximos, defendendo um ao outro até Ahnna ser transferida para Guarda Sul. Ela fora o voto decisivo de apoio nessa câmara de conselho no casamento de Aren com Lara, mas, a julgar pela expressão da princesa, se arrependia profundamente da decisão.

— Lara é minha esposa. É a rainha. Confio nela, e ela é meu braço direito. — Lara prendeu a respiração enquanto o olhar de Aren pairava sobre todos na sala. — Quem tiver algum problema com isso pode sair desta merda agora.

Mara bufou, mas todos os outros seguraram a língua.

— Vamos começar, por favor? Quero voltar à água antes do amanhecer.

Foi um longo processo em que Mara detalhou os acontecimentos que haviam se desenrolado durante a estação de tempestade. O que os espiões de Guarda Norte haviam descoberto sobre as intenções de Harendell e Amarid. Onde seus exércitos e suas marinhas estavam. O número de navios que haviam sido construídos ou destruídos. Lara ouviu atentamente; não passou despercebido que todos os governantes do mundo matariam para ter um espião atrás dela.

— Amarid está substituindo os navios que perderam nas invasões do ano passado — Mara disse. — Mas acompanhamos o progresso deles, e nenhum estará pronto até o começo das Marés de Guerra, então podemos ter certa paz.

— Todos? — Aren perguntou. — Com que fundos? Amarid está quase falida.

Uma falência que Lara sabia ter sido consolidada por Ithicana ao tirar a renda que Amarid costumava receber pelo envio de aço através dos mares Tempestuosos. De todos os reinos, ao norte e ao sul, Amarid que sofrera mais com o casamento dela com Aren.

— Diretamente dos cofres, até onde podemos dizer — Aster respondeu. — Não é a crédito. Todos se recusam a emprestar dinheiro para eles. — O homem mais velho ergueu a página na mão. — Há um boato de que os navios foram financiados com pedras preciosas, mas parece improvável.

Pedras preciosas. A palavra chamou a atenção de Lara, importante por algum motivo, embora ela não conseguisse saber o porquê.

— Que tipo de pedras preciosas?

Todos os olhos no salão se voltaram a ela antes de se dirigirem a Aren. O maxilar dele tenso com uma irritação óbvia.

— Responda à pergunta.

— Rubis — Aster disse. — Mas Amarid não tem minas, então é mais provável que seja um boato.

Os dedos de Lara se voltaram à faca em seu cinto, passando pelas pedras carmesim cravejadas no cabo.

— Não tenho interesse em boatos — Aren disse. — Tenho interesse em fatos. Descubra como Amarid está pagando pelos navios. Se estiverem envolvidos com alguma outra parte, quero saber. E quais são as intenções dela. — Ele fez sinal para Mara continuar, mas a mente de Lara se manteve nos navios. Com a ideia de que poderia haver alguém fora de Amarid interessado em financiar mais ataques a Ithicana.

— ... um aumento significativo na importação de Amarid de certas mercadorias maridrinianas. — As palavras de Mara voltaram a chamar a atenção de Lara.

— Que tipo de mercadorias?

A expressão de Mara era de desinteresse.

— Vinho barato, principalmente.

— Por que, se Amarid faz os melhores vinhos e é conhecida por suas destilarias, eles importariam vinho maridriniano?

— Obviamente alguns amaridianos gostam daquela lavagem suja — Mara retrucou. — Agora, continuando...

— Comandante, olhe como fala. — A voz de Aren era fria.

A mulher mais velha apenas ergueu as mãos, exasperada.

— Imagino que os maridrinianos estejam vendendo o que podem para comprar o que precisam; só comentei porque foi algo fora do comum, e pode ser um mercado que podemos explorar no futuro.

— Não era um carregamento grande — Ahnna interrompeu. — Nossos impostos teriam corroído metade do lucro de tão barato que era. Peguei um engradado e o incluí nas provisões de Guarda Média.

O sangue de Lara bramia em seus ouvidos, a lembrança da garrafa de vinho maridriniano nas provisões do abrigo dançando em sua mente, junto com o rubi contrabandeado que encontraram. Um rubi que agora estava em sua caixa de joias em Guarda Média. Não era muito melhor contrabandear pedras preciosas dentro de um vinho barato que os ithicanianos dificilmente tocariam se Ahnna não tivesse pregado essa peça? Lara não soube dizer se Aren havia ligado os pontos — ele estava controlando muito as próprias reações.

— Posso continuar? — Mara questionou e, com o sim de Aren, ela fez um resumo rápido das defesas de Guarda Norte, depois passou a palavra para o comandante seguinte.

As ilhas ao norte e ao sul de Guarda Média foram as que mais sofreram com os ataques durante as últimas Marés de Guerra, e grande parte da conversa girou em torno de especular se esse ano seria igual. Lara ouviu sem prestar atenção, e não saía da sua cabeça a ideia de que alguém em Maridrina estava financiando a marinha amaridiana.

A conversa avançou lentamente na direção do sul, a reunião parando apenas quando alguém precisava ir ao banheiro e retomando logo que a pessoa retornava. Não havia tempo. Lara conseguia sentir: o tamborilar galopante da adrenalina que costumava preceder uma tempestade, mas, dessa vez, sussurrava guerra. Aren tomou a palavra por Guarda Média, quase sem consultar as anotações que Lara passou a ele.

— A ilha de Guarda Média em si foi atacada apenas uma vez. Na meia-estação, e obviamente por um capitão inexperiente, uma vez que navegaram diretamente no caminho de nossos quebra-navios. Foi como se estivessem pedindo para ser afundados. Mesmo assim, tivemos pouco descanso, já que as outras ilhas sob nossa guarda foram atacadas inúmeras vezes.

Eles se voltaram aos detalhes, mas Lara mal prestou atenção na conversa, sua pele fria. Ver de dentro as táticas militares de Ithicana tinha sido crucial para o plano do pai dela, seu treinamento lhe permitindo entender essas táticas e como poderiam ser exploradas. Durante todas as Marés de Guerra, ela havia acreditado que as oportunidades de observar os ithicanianos em ação tinham sido sorte, mas e se não tivesse sido? E se tivessem sido propositais? E se tivessem sido ordenadas pelo indivíduo que financiou a reconstrução daqueles navios?

E se esse indivíduo fosse seu pai?

— O ataque amaridiano contra Serrith foi a única ocasião em que sofremos perdas significativas...

Serrith. Desenfreada, a memória do ataque surgiu em sua mente. A maneira como os marinheiros amaridianos a haviam reconhecido, mas, em vez de atacar, haviam recuado até ficar claro que era a sua vida ou a deles. O que não fazia sentido nenhum, considerando que Lara e o tratado que ela representava eram a causa de toda a desgraça de Amarid.

— Sua vez, Emra — Aren disse. — Como vai Kestark?

O papel nas mãos da jovem tremia enquanto ela falava, mas sua voz era clara e firme ao resumir o estado de sua guarda, que havia sofrido grandes perdas durante as Marés de Guerra. Chegando ao fim de suas anotações, ela parou antes de acrescentar:

— Um navio mercantil amaridiano passou por Kestark há dois dias.

— Atenha-se aos detalhes importantes, menina — Aster disse, e Lara conteve o impulso de atirar o copo em sua mão na cabeça dele. — Não temos tempo para discutir todos os navios mercantis que atravessam nossas águas durante a estação de tempestade.

Os olhos de Emra faiscaram com irritação, mas ela se calou pelo hábito de respeitar o velho.

Tudo relacionado a Amarid tinha importância agora, e Lara abriu a boca para pedir para Emra elaborar, mas Aren foi mais rápido.

— Por que você mencionou isso?

— Eu estava na ilha Aela fazendo uma inspeção do posto avançado, comandante. Notamos a embarcação ancorada no lado leste contra a direção do vento, a tripulação aparentemente fazendo alguns reparos.

— E?

— E notei que estava muito alto na água. O que, considerando que tinha vindo do norte, parecia estranho. Então embarcamos para ver o que era.

—Você embarcou em um navio amaridiano?

— Embarcamos pacificamente. O porão estava vazio e, quando questionei o propósito deles, o capitão me disse que estavam transportando uma nobre abastada.

— Que história interessante — Aster disse, seco, mas Aren fez um sinal para ele ficar em silêncio, bem quando Lara já estava pensando em formas de envenenar a bebida do homem para fazê-lo calar a boca.

—Você viu essa mulher?

— Sim, comandante. Uma mulher linda com cabelo dourado. Trazia uma dama de companhia consigo, e também alguns militares de escolta.

—Você conversou com eles?

— Não — Emra respondeu. — Mas notei que o vestido dela era do mesmo estilo dos que sua majestade usa às vezes.

— Ela era maridriniana?

Emra encolheu os ombros, as bochechas corando.

— Não tenho experiência suficiente para dizer. Sua majestade é a única maridriniana que já conheci.

— Talvez devesse ter consultado sua mãe, comandante — Mara interveio. — Afinal, ela lutou na guerra contra Maridrina, então sabe bem como eles são e falam. Seja como for, isso pouco importa. Muitos maridrinianos que não têm como bancar a passagem pela ponte arriscam a viagem em navios amaridianos. Eles são pães-duros.

— E eu não teria voltado a pensar no assunto, comandante — Emra respondeu —, mas passamos pelo território de Guarda Média no caminho para Eranahl e avistamos o mesmo barco. E um navio mercantil lento como aquele não chegaria até Maridrina e voltaria à Guarda Média em menos de dois dias.

Lara se arrepiou como se estivesse sendo observada, embora não houvesse janelas na sala. Seu pai não usava mulheres em batalha nem como espiãs, exceto por Lara e suas irmãs. E ela havia pagado pela liberdade das irmãs com sangue.

— Mais alguém percebeu a mesma coisa? — Aren perguntou.

Todos fizeram que não, menos o comandante da guarnição ao norte de Guarda Média, que disse:

— Nossos batedores avistaram um navio mercantil dirigindo-se ao sul e ao leste, passando pelas ilhas Serrith e Gamire, mas parecia estar fugindo de uma tempestade que se formava no oeste.

— Precisamos saber de algo? — Mara perguntou.

Esse algo era que o pai de Lara estava à procura dela. Lara sabia e, a julgar pela tensão que sentiu irradiar de Aren, ele também desconfiava disso. Mas nenhum dos dois poderia falar nada sem levantar questionamentos sobre por que Silas estaria tão interessado em perseguir a filha desgarrada.

Aren fez que não.

— Prossigam.

Era a vez de Ahnna em Guarda Sul.

A princesa coçou o queixo, depois tocou a réplica da ilha que protegia tão ardorosamente.

— Todas as defesas de Guarda Sul estão em ordem. Conseguimos reparar, durante as pausas, qualquer dano que tenha sido infligido durante a estação de tempestade. — Consultando a página em sua mão, Ahnna detalhou o número de soldados posicionados, o depósito de armas, as provisões de comida e água. — Vocês sabem — ela baixou os papéis — que Valcotta conseguiu manter um bloqueio parcial ao acesso de Maridrina à Guarda Sul, apesar do preço que custou à frota deles. Pensamos que isso prejudicaria nossos lucros, mas a imperadora valcottana é sábia demais para nos dar motivo para reclamar. Tivemos filas de dez navios mercantis valcottanos por vez a cada pausa entre as tempestades, e eles compravam de tudo, muitas vezes a um preço mais alto. Quando as embarcações maridrinianas tinham a chance de aportar, havia pouco para comprar. Embora, graças ao rei Silas, eles priorizassem comida, e não as armas e o aço valioso.

— Ainda está tudo em Guarda Sul? — Aren perguntou.

— Temos um depósito inteiro cheio de armas — Ahnna respondeu. — Vai tudo enferrujar até ele botar os olhos nelas no ritmo em que as coisas estão indo. E não param de chegar.

— Os compradores pegam todo o aço e armamento que os harendellianos oferecem em Guarda Norte — Mara disse. — E os compradores valcottanos sabem disso.

Ahnna assentiu.

— Mas ele não se atreve a usar seus recursos para buscar. Não com o povo fazendo protestos nas ruas. Eles estão morrendo de fome. Estão desesperados. E culpam Ithicana por tudo isso.

O coração de Lara pareceu parar quando uma revelação súbita tomou conta dela. Ela havia sido tola em imaginar que poderia ter chegado ao fim. Tinha acreditado, com uma esperança iludida, que, sem os esforços de sua espionagem, seu pai não teria como se infiltrar nas defesas de Ithicana.

Seu pai havia esperado quinze anos, investido uma fortuna e a vida de vinte filhas em sua busca pela ponte. Havia mentido, manipulado e assassinado para manter tudo em segredo. Não havia a mínima chance de ele desistir.

Por mais que custasse a Maridrina.

Ela precisava falar com Aren a sós. Precisava alertá-lo que Ithicana corria tanto perigo quanto sempre. Precisava fazer isso antes que essa reunião acabasse, para que esses indivíduos que protegiam as costas de Ithicana voltassem às guardas preparados para lutar.

Mas não podia pedir para falar com ele a sós sem que todos questionassem o que ela e Aren estavam escondendo do conselho.

Pegando a pilha de anotações, Lara se abanou tão vigorosamente que todos os olhos se voltaram para ela. Então ela levou a mão ao copo de água, derrubando-o no chão de propósito, o vidro se estilhaçando.

Aren interrompeu a discussão com Mara, se virando para ela.

— Desculpe — ela murmurou.

Ele estreitou os olhos quando Lara balançou.

— Está muito quente aqui dentro.

—Você está bem?

— Acho que preciso sentar — ela disse, então caiu de lado nos braços dele.

38
AREN

— É MELHOR QUE O ASSUNTO SEJA IMPORTANTE — Aren disse entre dentes enquanto a carregava pelo corredor. — Porque duvido que você tenha desmaiado de verdade.

— Vamos para algum lugar onde possamos conversar — ela respondeu em um sussurro, confirmando a desconfiança dele.

Abrindo a porta de seus aposentos com o pé, Aren dispensou os servos que tinham vindo correndo atrás dele de olhos arregalados.

— Ficou tempo demais em pé. — Então fechou a porta com o ombro, Lara descendo agilmente de seus braços assim que o trinco fechou.

— Temos poucos minutos, então escute com atenção. Meu pai formou uma aliança com Amarid.

Silêncio.

— Ithicana tem espiões nos dois reinos, Lara, e nenhum deles relatou nenhum indício de uma aliança entre Maridrina e Amarid. Muito pelo contrário.

— Sim, com certeza é o que meu pai quer que você acredite.

Aren ouviu em silêncio enquanto Lara explicava as relações entre os ataques focados na área de Guarda Média, o vinho maridriniano e o rubi contrabandeado, e os navios financiados em Amarid com as mesmas pedras preciosas. Uma série de pequenos detalhes e coincidências que ele poderia ter ignorado, mas não sabendo por que Lara tinha sido enviada a Ithicana. Sabendo que Silas era, na verdade, seu inimigo.

— E tem os navios que estão à espreita ao redor de Guarda Média. A nobre... — A voz dela falhou, hesitante. — A nobre é apenas uma desculpa para os soldados estarem a bordo. Você sabe que estão à minha procura.

Foi então que Aren interrompeu.

— É claro que ele está à sua procura, Lara, porque sem você os planos dele, a aliança dele com Amarid... nada disso vale nada.

— Mas...

Aren apertou os ombros dela.

— Sem você, ele não tem nada.

Lara não o havia traído, Aren acreditava nisso. Confiava seu coração, sua ponte, seu povo a ela. Mas o brilho desvairado nos olhos da rainha fez brotar uma semente de dúvida no peito dele.

— Tem certeza que você não revelou nenhuma pista a ele em suas cartas?

Lara o encarou com firmeza.

— Tenho. Assim como tenho certeza que ele está criando uma situação em que não precisa mais de mim para conquistar a ponte. Ele vai fazer isso à força.

Soltando um longo suspiro, Aren disse:

— Lara, ele já tentou isso antes. Tentou e fracassou, e sofreu perdas catastróficas. Os maridrinianos lembram de como foi enfrentar nossos quebra-navios. Ver seus camaradas afogados nas ondas, lançados contra as rochas e devorados por tubarões. Silas pode contratar quantos barcos amaridianos quiser... não é uma luta que seu povo vai apoiar.

— Por que você acha que ele está fazendo o povo passar fome?

O sangue dele gelou de repente.

— Para tentar nos fazer interromper o comércio com Valcotta.

Lara balançou a cabeça devagar.

— Essa é a última coisa que ele quer. Meu pai não quer Ithicana como aliada; quer vocês como inimigos. — Havia um brilho de lágrimas nos olhos dela. — E ele já fez isso. Meu pai transformou você no vilão de Maridrina e, muito em breve, eles virão atrás do seu sangue.

Enquanto as palavras saíam da boca de Lara, Aren sabia que eram verdadeiras. Que, apesar de tudo que tinha feito, tudo que havia sonhado para o futuro de Ithicana, a guerra estava em sua porta. Dando as costas para Lara, ele apertou o pé da cama que dividia com ela, a madeira gemendo em sua mão.

— Você consegue defender Ithicana contra as duas nações? — O tom de voz de Lara era baixo.

Devagar, ele fez que sim.

— Este ano, sim. Mas imagino que nossas perdas sejam catastróficas. Os dois reinos têm muito mais soldados para lançar contra nós do que Ithicana tem a perder.

E quais eram as opções? O caminho mais seguro para deter Silas seria aliar forças a Valcotta, mas isso seria desastroso para Maridrina. O povo de Lara morreria aos milhares, abatidos pela espada ou pela fome. Vidas inocentes seriam perdidas — tudo por causa da ganância de um homem. Mas fazer outra coisa provavelmente significaria o fim de Ithicana, a menos que Harendell interviesse, o que o comportamento passado indicava o contrário.

— Não tem jeito — ele disse.

Silêncio.

— Pare o comércio com Valcotta. — As palavras de Lara saíram tão baixo que ele mal as escutou. — Tente boicotar o apoio a essa guerra com Maridrina. Faça de Ithicana a heroína.

— Se eu interromper as relações comerciais com Valcotta e usar meus recursos para romper o bloqueio deles contra Maridrina, isso vai dizimar nossos lucros. Ithicana precisa da renda que Valcotta traz em Guarda Sul para sobreviver. Sem falar que provavelmente vão retaliar. Você quer que eu corra esse risco por especulação? Por coincidências?

— Sim.

Silêncio.

— Aren, você me trouxe aqui porque acreditava que os ithicanianos precisavam conhecer Maridrina para que houvesse paz entre nossos povos. Para que vissem Maridrina como uma aliada, não como a inimiga de antigamente. — Sua voz estava embargada. — Isso vale para os dois lados. Maridrina também precisa ver Ithicana como uma aliada. Como uma amiga.

Aren suspirou.

— Mesmo se eu concordar com você, Lara, nunca vou conseguir convencer o conselho a aceitar. Eles acreditam que compramos a paz com Maridrina, que demos ao seu pai o que ele queria, que ele, portanto, não tem motivo para nos atacar. Eles não vão colocar em risco a renda valcottana com base na suposição de que seu pai pode querer mais.

— Então talvez seja hora de contar a eles a verdade sobre mim. Talvez seja o suficiente para provar a eles a gravidade da nossa situação.

Aren sentiu o sangue se esvair de seu rosto.

— Não posso.

— Aren...

— Não posso, Lara. A reputação de crueldade de Ithicana não é totalmente injusta. Se descobrirem que você era uma espiã... — A boca dele ficou seca como areia. — Não seria uma execução piedosa.

— Então que seja.

— Não. — Ele cruzou o espaço entre eles em três passadas,

trazendo-a para seus braços, beijando a cabeça dela. — Não. Eu me recuso a entregar você para ser assassinada. É mais fácil deixar que me transformem em comida de tubarão do que aceitar isso. Eu te amo demais.

E, como Aren sabia que ela era corajosa o bastante para se sacrificar quer ele quisesse quer não, ele acrescentou:

— Se descobrissem a verdade sobre você, a última coisa que fariam é ajudar seu povo. Eles vão me obrigar a me aliar formalmente a Valcotta, e o que aconteceria... Não sei se Maridrina sobreviveria.

Os ombros dela começaram a tremer, e então soluços escaparam.

— É impossível. Impossível salvar os dois reinos. Sempre foi.

— Talvez não. — Aren a guiou na direção da cama. — Preciso que você fique aqui e continue com a sua atuação.

Lara secou o rosto.

— O que você vai fazer?

Parando a mão na porta, Aren virou para a esposa.

— Seu pai enviou você a Ithicana com um propósito. Ele fracassou. Mas eu também trouxe você aqui por um motivo, Lara. E acho que está na hora de ver se minha estratégia surtiu efeito.

Ela não impediu Aren de sair, as passadas longas dele cortando os corredores do palácio enquanto ele falava. Um discurso que havia usado inúmeras vezes, mas agora se dirigia a um propósito diferente. Chegando às câmaras do conselho, Aren pegou a chave, destrancou a porta e entrou.

A conversa parou, então Ahnna disse:

— Vovó enviou uma mensagem. A estação de tempestade chegou ao fim. As Marés de Guerra começaram.

Todos na sala se movimentavam e pegavam suas coisas, os comandantes e seus braços direitos ansiosos para voltar às guardas. Para se preparar para rechaçar os inimigos, quem quer que fossem. Para terminar a reunião.

Mas Aren ainda não havia terminado.

— Tem mais um assunto que precisamos discutir — o rei disse, o tom de sua voz fazendo todas as cabeças virarem para ele. — Ou, talvez, terminar de discutir. E é a questão do sofrimento do povo maridriniano.

— E daí? — Aster disse, trocando um riso baixo com Mara. — Eles mereceram.

— Assim como nós.

O sorriso se desfez no rosto de Aster.

— Dezesseis anos atrás, Ithicana assinou um tratado de paz com Maridrina e Harendell. Um tratado ao qual esses dois reinos foram fiéis, nenhum deles atacando nossas fronteiras nesse intervalo. Todos os nossos termos com Maridrina foram cumpridos. Eles me deram minha linda esposa, e diminuímos os custos de usar a ponte.

— Imagino que você esteja chegando a algum lugar, majestade — Mara disse.

— Os termos foram cumpridos — Aren interrompeu —, mas a questão da natureza do acordo entre nossas duas nações continua sem resposta. Será, como a comandante Mara descreveu com tanta eloquência, um contrato comercial, em que Ithicana pagou a Maridrina pela paz? Ou será uma aliança em que nossos dois reinos usam os termos do tratado para desenvolver uma relação além da troca de serviços e produtos e moedas?

Ninguém disse nada.

— O povo de Maridrina está morrendo de fome. Poucas das terras deles são adequadas para o cultivo e, das que são, metade está alqueivada por falta de mãos para trabalhar. Os ricos ainda conseguem importar, mas o resto? Estão famintos. Desesperados. Tudo enquanto nós, supostos aliados, fazemos negócios com o inimigo deles, enchendo os porões valcottanos com as mercadorias de que Maridrina precisa tão desesperadamente porque os valcottanos pagam mais. De braços cruzados enquanto os navios valcottanos negam a Maridrina o aço pelo qual pagaram legalmente. Não é de admirar que vejam o tratado como uma farsa.

— O que está acontecendo em Maridrina é obra de Silas — Ahnna disse. — Não nossa.

— É, sim, obra de Silas. Mas será que somos melhores por ficarmos de braços cruzados enquanto crianças inocentes vão à cova sendo que temos poder para salvá-las? Silas não é todo o reino dele, assim como eu não sou o meu, e nenhum de nós é imortal. Existe um quadro geral.

— O que você está sugerindo, Aren? — Ahnna perguntou, a voz inexpressiva.

— Estou sugerindo que Ithicana exija que Valcotta desista de seu bloqueio. E, caso recusem, que a entrada deles seja negada nos portos de Guarda Sul. Que nos provemos aliados de Maridrina.

Um turbilhão de vozes irrompeu na sala, e a de Aster era a mais alta de todas.

— Essas palavras parecem ser de sua esposa, majestade.

— Parecem mesmo? — Aren encarou o homem. — Há quanto tempo insisto que nos unamos com outros reinos para que nosso povo tenha oportunidades além da guerra? Para que façamos de Ithicana algo mais do que um exército que protege a ponte tão brutalmente? Há quanto tempo minha mãe reivindicou isso antes de mim? Essas palavras não são de Lara.

Embora, de certo modo, fossem, porque antes sua única preocupação era proteger o próprio reino. Beneficiar Ithicana com uma aliança. Agora Aren via os dois lados e acreditava ser um homem melhor por isso.

— Mas, para ter uma aliança que permitisse essas oportunidades ao nosso povo, não podemos apenas tirar. Temos que dar algo em troca. O sofrimento de Maridrina? É uma oportunidade para mostrarmos o valor de Ithicana. Nosso valor.

— Essa é uma proclamação, então? — Aster vociferou. — Para arriscarmos nossos filhos sem podermos opinar sobre o risco?

Se Aren pudesse ter feito disso uma ordem, ele teria, simplesmente porque assim seria o único a carregar a culpa se as coisas dessem errado. Mas não era dessa forma que as coisas funcionavam em Ithicana.

—Vamos votar.

Acenos lentos, então a mãe de Emra disse:

— Certo, então. Levantem as mãos os que forem a favor.

Ela levantou a sua de imediato, assim como Emra e outros quatro dos comandantes mais jovens. Incluindo o voto de Aren, isso dava sete, e ele precisava de nove. Era um dos motivos por que não havia pedido que Lara voltasse com ele. Números ímpares garantiam que a votação não empatasse. E a ausência dela significava que ninguém poderia responsabilizá-la.

Vários da velha guarda, incluindo Aster, deram um passo para trás, balançando a cabeça. Mas Aren quase caiu para trás quando Mara ergueu a mão. Vendo o choque dele, a comandante de Guarda Norte disse:

— Só porque o questiono não quer dizer que não acredite em você, rapaz.

A única que faltava era sua irmã.

Ahnna passou o dedo por Guarda Sul, a sobrancelha franzida.

— Se fizermos isso, significará destruir nossa relação com Valcotta. Significará guerra para Ithicana.

Aren observou a réplica de seu reino.

— Ithicana sempre esteve em guerra, e o que ganhamos com isso?

— Estamos vivos. Temos a ponte.

— Você não acha que está na hora de lutarmos por algo mais?

Ahnna não respondeu, e suor escorreu pelas costas de Aren enquanto esperava a irmã gêmea dar seu voto. Esperava para ver se ela poderia esquecer sua desconfiança em relação a Lara e Maridrina. Se correria esse risco, se daria esse voto de confiança. Se lutaria ao lado dele como sempre havia lutado.

Ahnna deu um último tapinha afetuoso na ilha e, então, assentiu.

— Jurei há muito tempo lutar ao seu lado, contra todas as forças. Não vai ser diferente agora. Pode contar com Guarda Sul.

39
LARA

Oito semanas depois, Lara brindou com Jor sobre a fogueira, gargalhando quando uma tora estourou, lançando faíscas na mão deles.

Pela primeira vez na história, os meses de alívio das tempestades não haviam significado guerra para Ithicana, embora parecesse que a nação inteira tivesse prendido a respiração até o fim da estação ser declarado.

Depois de um alerta contundente de Aren para interromper o bloqueio ou correr o risco de perder o direito de negociar no mercado de Guarda Sul — o qual a imperadora valcottana havia ignorado —, Ithicana havia rechaçado os navios da marinha valcottana próximos à Guarda Sul, permitindo acesso total às embarcações maridrinianas. Aren então havia carregado os próprios navios de Ithicana cheios de comida e provisões, entregando-as à Vencia e distribuindo-as aos pobres. Aren havia usado várias vezes os próprios cofres e recursos de Ithicana para suprir a cidade devastada até o povo maridriniano estar gritando seu nome nas ruas.

Seja porque ele havia perdido o apoio do povo à guerra ou porque Lara não havia lhe dado as informações de que precisava, seu pai não levantou um dedo contra Ithicana. Tampouco Amarid, que parecia ainda estar lambendo as feridas. E, agora que as tempestades estavam se aproximando, os dois reinos haviam perdido a chance por mais um ano. Ou talvez para sempre, pelo que indicava a força da relação entre o povo ithicaniano e maridriniano.

Mas isso teve consequências. A imperadora havia respondido com uma carta dizendo a Aren que ele teria o que merecia por se deitar com cobras, convertendo toda a armada para o transporte mercantil em uma tentativa de minar ainda mais as rendas da ponte, que já haviam caído pela metade com a perda do comércio com a nação ao sul. Os cofres foram drenados. Mas, na mente de Lara, tanto os civis maridrinianos como os ithicanianos estavam vivos. Estavam seguros. Nada mais importava.

Ela havia cumprido seu dever como princesa e como rainha.

— Seu irmão deve estar passando por Guarda Média agora — Jor disse, entregando outro caneco cheio de cerveja para ela. — A maré está baixa. Podemos dar uma volta na ponte e fazer uma visita a ele. Ter uma reuniãozinha familiar.

Lara revirou os olhos.

— Eu passo.

O irmão dela, Keris, finalmente havia convencido o pai a lhe permitir entrar na universidade de Harendell para estudar filosofia e estava viajando pela ponte com toda a comitiva de cortesãos e criados para começar seu primeiro semestre. Um dos mensageiros havia chegado na frente e dito que o grupo parecia um bando de pássaros, enfeitados de sedas e joias.

—Vamos embora — Aren murmurou em seu ouvido. — Estou ansioso para uma noite com você em uma cama de verdade.

—Você vai pegar no sono no segundo em que sua cabeça encostar no travesseiro. — Ela se deliciou com o calor crescente do desejo entre as pernas quando os dedos dele traçaram as veias de seus braços.

Lara havia passado todo o período das Marés de Guerra com

ele no quartel, mas a cama de soldado não era muito propícia para o romance. Embora eles dessem um jeito.

— Eu aceito essa aposta. Vamos.

Ele a guiou pela garoa, o pior da chuva tendo passado. Um dos soldados de Aren estava do lado de fora e olhou para ela, surpreso.

— Pensei que já estivesse em casa.

— Ainda não. Jor não parava de encher minha caneca. Acho que a cerveja vai ter acabado quando seu turno terminar.

— Pensei ter visto você, só isso. — O guarda grande franziu a testa, depois deu de ombros. — Estão avisando sobre uma entrega de provisões no píer, então talvez cheguem mais bebidas.

— Vou mandar alguém da casa descer — Aren tranquilizou o homem, puxando Lara pelo braço.

— Obrigado, majestade. — Mas Aren já estava puxando a rainha pela trilha, a corrente na angra subindo ruidosamente atrás deles.

Suas botas pisavam na lama enquanto eles subiam a trilha para a casa que mal haviam visitado ao longo das oito semanas anteriores, nenhum dos dois conseguindo relaxar por tempo suficiente para se afastar do quartel.

— Um banho primeiro — Lara disse, sonhando com as fontes termais fumegantes. — Você está com cheiro de soldado.

— Vossa majestade também não está tão cheirosinha assim. — Aren a pegou nos braços, a luz da lanterna pendurada na mão da rainha balançando loucamente.

Ela se contorceu nos braços dele e passou as pernas em torno de sua cintura. Um gemido baixo escapou de seus lábios quando Lara prensou seu corpo no dele. Aren apertou a bunda dela.

Lara o beijou intensamente, então riu quando o rei escorregou, a lanterna caindo das mãos dela e apagando.

— Não se atreva a me derrubar.

— Então pare de me distrair — ele rosnou. — Ou vou ser obrigado a levar você para a lama.

Ela desceu do colo dele e o puxou em uma corrida perigosa encosta acima até avistar o gato de Aren, Vitex, sentado no degrau da frente, o rabo abanando furiosamente.

— O que você está fazendo aqui fora? — Aren estendeu a mão para pegar o gato, que chiou e saiu pulando, mancando um pouco enquanto corria para dentro das árvores.

Lara o observou ir embora.

— Ele está machucado.

— Deve ter levado uma surra da fêmea que ele estava caçando. Ele deve ter merecido. — Pegando-a pela cintura, Aren a ergueu escada acima e abriu a porta da casa.

Estava escuro.

— Que estranho Eli esquecer de deixar uma lamparina acesa. — A pele de Lara formigou enquanto encarava a escuridão cavernosa.

Aren tinha enviado uma mensagem para a casa dizendo que as Marés de Guerra haviam terminado, instruindo Eli a escolher uma garrafa cara de vinho da adega para sua mãe e sua tia. Mas o menino ithicaniano nunca se esquivava de suas responsabilidades.

— Talvez ele tenha bebido o vinho todo — Aren murmurou, enchendo o pescoço dela de beijos e apalpando os seios. — Vai ser bom para ele.

— Ele tem catorze anos.

A casa estava em silêncio, o que não era exatamente incomum, mas havia algo na natureza do silêncio que incomodava Lara. Como se ninguém respirasse.

— Exatamente. Sabe o tipo de coisa que eu estava fazendo quando tinha catorze anos?

Lara deu um passo para longe, tentando escutar.

— É melhor eu ver como ele está.

Aren deixou escapar um suspiro irritado.

— Lara, relaxa. As tempestades chegaram e vão cumprir o serviço. — Puxando-a para seus braços, ele a beijou. Devagar. Profundamente. Esvaziando a mente dela enquanto a empurrava com carinho pelo corredor escuro até o quarto deles, onde, felizmente, havia uma lamparina acesa. A chama amarela que afastava a escuridão aliviou a agitação de Lara, e ela deixou a cabeça cair para trás enquanto os dentes do marido roçavam seu pescoço, sentindo a brisa leve da janela aberta. — Depois a gente toma banho — ele gemeu.

— Não. Você está fedendo. Vai lá fora e eu já vou.

Resmungando, ele arrancou a túnica e os avambraços, jogando tudo no chão e se dirigindo à antecâmara e à porta que dava para o pátio externo.

Tirando o manto encapuzado, Lara pendurou a peça molhada no gancho para secar e estava desamarrando o cordão superior da túnica quando seu coração palpitou, o olhar parando em uma carta com um selo que ela conhecia bem. Ao lado, uma faca igual à que havia em sua cintura estava em uma pilha de areia carmesim, seus rubis cintilando sob a luz. A faca que Aren havia atirado nas docas em Vencia. Pavor encheu seu estômago enquanto ela ia até a mesa, pegando o papel pesado com os dedos dormentes e rompendo a cera.

Querida Lara,

Até em Vencia, ouvimos falar do afeto entre o rei ithicaniano e sua nova rainha, e enche nosso coração saber que, por mais improvável que seja, você encontrou amor em seu novo lar. Aceite meus mais sinceros votos para o seu futuro, por mais curto que venha a ser.

Seu pai

— Aren. — Sua voz tremeu. — Por que essa carta não foi entregue no quartel? Quem a trouxe?

Nenhuma resposta.

Um movimento arrastado.

Um palavrão murmurado.

Virando, ela levou a mão à faca em sua cintura. Então ficou paralisada. Aren estava de joelhos do outro lado do quarto. Uma figura de capuz com roupas idênticas às suas apontava uma lâmina cintilante para a garganta dele. E, debaixo da cama, saía a mão de um jovem, os dedos cobertos de sangue seco. Eli...

— Oi, irmãzinha — uma voz familiar disse, e a mulher ergueu o capuz.

40
LARA

— Marylyn. — O nome saiu rouco da garganta de Lara, e seu peito continha um turbilhão de emoções ao ver a irmã, embora soubesse o que aquela aparição representava.

Linda, de cabelo louro-dourado.

Marylyn era a nobre no navio em que Emra havia embarcado.

— Lara.

Aren começou a se debater, tirando Lara de seu transe.

— Não se mexa — Lara o advertiu. — A lâmina deve estar envenenada.

— Você conhece meus truques.

— Deixe-o ir.

— Nós duas sabemos que isso não vai acontecer, baratinha.

O velho apelido queimou os ouvidos dela enquanto seus olhos buscavam uma forma de desarmar Marylyn sem fazer com que Aren fosse morto. Mas não havia como.

— Quem é essa mulher? — Aren questionou.

— Lara é minha irmãzinha. Minha irmãzinha mentirosa, ladra e vagabunda.

As palavras foram um tapa na cara.

— Marylyn, vim para poupar vocês.

— Mentirosa. — A voz de Marylyn era puro ódio. — Você roubou o que era meu por direito, depois me largou para apodrecer no deserto. Faz ideia de como demorei para chegar a Vencia para explicar ao nosso pai o que você tinha feito?

— Fiz aquilo para proteger vocês!

— Lara, a mártir. — Marylyn formou um sorriso sarcástico. — Mas eu vi suas verdadeiras intenções, sua puta mentirosa.

Lara a encarou, perplexa. A carta que havia deixado no bolso de Sarhina havia explicado tudo. A intenção do seu pai de mandar matar as outras irmãs. Que Lara forjar a morte delas e assumir o lugar de Marylyn como rainha de Ithicana era a única forma de salvar a vida de todas, menos a sua própria, talvez. Ela havia lhes dado liberdade.

— Ele mataria nossas irmãs. Era o único jeito. Por que você não entende?

— Entendo perfeitamente. — Marylyn ajeitou a lâmina encostada ao pescoço de Aren, virando a ponta para cima. — Acha que eu não sabia que nosso pai pretendia matar vocês? — Ela riu. — Acha que eu me importava?

Aquela não era sua irmã. Não podia ser. Marylyn sempre tinha sido a mais doce. A mais bondosa. A que precisava de proteção.

A melhor atriz.

— Você disse que suas irmãs estavam mortas. — A voz de Aren a trouxe de volta ao momento.

— Quem diria que ela guardava segredos? — Marylyn acariciou a bochecha dele, rindo quando ele se encolheu. — Permita-me colocar vossa majestade a par. Ninguém obrigou Lara a vir a Ithicana para espionar, foi escolha dela. Embora "escolha" não seja uma palavra forte o bastante. Lara conspirou contra todas nós para garantir que se tornaria a rainha de Ithicana e para que pudesse ter a glória de lançar seu povo contra as lâminas maridrinianas.

— Não é verdade — Lara sussurrou.

— Essa é a mulher com que vossa majestade casou. Uma mentirosa como nenhuma outra que já conheci. Pior, uma assassina. Já a vi matar. Mutilar. Torturar. Tudo a sangue-frio. Praticando para o que ela pretendia fazer com seu povo.

Essa parte era verdade. Uma verdade dolorosa e terrível.

— Todas fizemos isso, Marylyn. Ninguém tinha escolha.

Sua irmã mais velha revirou os olhos.

— Sempre houve escolha. — Ela olhou para Aren de novo. — O que acha que ele teria feito na mesma posição? Acha que ele teria assassinado um homem inocente só para se salvar?

Não.

— Baratinha egoísta, sempre querendo ficar à frente em tudo. Embora eu entenda por que decidiu ficar depois de tê-lo apunhalado pelas costas. — Ela passou o dedo pelo peito despido de Aren. — Ele é um prêmio e tanto. Ninguém falou dessa parte nas nossas aulas no complexo. Posso pôr as qualidades dele à prova algumas vezes antes de cortar essa garganta.

Fúria incendiou o peito de Lara, e ela soltou a faca da bainha cravejada de joias, embora a ideia de machucar a irmã lhe causasse repulsa.

— Não encoste nele.

Marylyn mordeu os lábios.

— Por quê? Porque ele é seu? Primeiro, ele é meu por direito. Segundo, mesmo se eu pretendesse deixá-lo vivo, o que não pretendo, acha mesmo que ele vai querer algo com você agora que entende que tipo de mulher você é? Quando descobrir o que você fez?

— Não fiz nada.

Levando a mão ao bolso, Marylyn pegou um pergaminho pesado com margens de ouro.

Não.

— Reconhece isto, majestade? — Marylyn o ergueu na frente

do rosto de Aren. — Você escreveu no último outono em resposta ao pedido do meu pai de que se mantivesse fiel ao espírito do Tratado de Quinze Anos. Não foi uma resposta lá muito gentil, mas você até que cumpriu. — O corpo todo dela tremeu com uma gargalhada.

Não era possível.

Ela havia destruído todas as páginas.

— Existe um tipo de tinta que é invisível a menos que seja borrifada com outro agente. Então, fica perfeitamente visível. Se olhar nos aposentos de Lara, tenho certeza que vai encontrar um pote dessa tinta, talvez pela metade.

Marylyn virou a carta, e Lara não pôde fazer nada enquanto Aren assimilava linha após linha da letra caprichada dela revelando todos os segredos de Ithicana, uma estratégia para infiltrar a ponte que era condenatória de tantos detalhes.

Ela havia derrubado Ithicana.

— Lara? — Aren a encarou com os olhos em chamas, e ver a angústia neles foi como ter o coração arrancado do peito.

— Eu não... — Mas sim. — Escrevi isso antes. Antes de saber a verdade. — Antes de ele arriscar a vida para salvar a dela. Antes de levá-la para a cama. Antes de ter confiado tudo a ela. — Pensei que havia destruído todas as cópias. Foi... foi um erro. Eu te amo.

Ela nunca havia dito isso antes. Nunca havia dito que o amava. Por que nunca havia dito isso antes?

— Você me ama. — A voz dele era vazia. — Ou só estava fingindo?

— Que trágico isso tudo. — O relógio bateu, pontuando as palavras de Marylyn. — Mas desconfio que esteja prestes a ficar muito pior considerando que a comitiva de cortesãos de Keris cruzou com um carregamento de armas de Harendell.

Uma trombeta soou. Um grito de ajuda. Depois outra e mais

outra até as notas não serem mais do que uma mistura confusa de sons.

— Aqueles cortesãos saíram pelos pieres das ilhas Aela e Gamire e atacaram seus postos de guarda por trás, desativando seus quebra-navios de modo que as embarcações amaridianas carregadas com centenas de soldados nossos pudessem embarcar intactos. Neste momento, muitos estão avançando contra Guarda Norte e Guarda Sul para atacá-los de surpresa. E temos homens usando os sinais de trombeta de Ithicana para garantir que ninguém os ajude. Esse é só o começo, claro. As instruções de Lara foram bem detalhadas. Especialmente sobre como podemos conquistar Guarda Média.

Um pânico iluminou os olhos de Aren, e ela soube o que ele estava pensando: todos os seus soldados — todos os seus amigos — estavam parados no quartel, com a guarda baixa.

Marylyn continuou a tagarelar, mas a mente de Lara estava acelerada. Se conseguissem descer ao quartel, talvez pudessem fazer a corrente ser levantada a tempo. Enviar um sinal a Guarda Sul alertando-os. Mas seria impossível a menos que ela desarmasse Marylyn.

— Não faça isso. Não seja mais um peão do nosso pai.

O rosto de sua irmã se turvou.

— Não sou peão de ninguém.

— Não? Você faz a vontade dele, e a troco de quê? Tudo que ouvimos na infância foi uma mentira contada para alimentar um ódio irracional contra Ithicana. Para nos tornar fanáticas que não parariam por nada antes de derrubar o inimigo. Mas o nosso pai era o inimigo. Ele é o opressor de que Maridrina precisa se livrar. Fomos enganadas, Marylyn. Por que você não consegue enxergar isso?

— Não, Lara. Você foi enganada. — Marylyn balançou a cabeça com pena, a parte de trás da perna batendo na cama. — Sempre soube o que estava acontecendo. Você pergunta o que tenho a ganhar? Vou levar suas cabeças a Vencia, e nosso pai prometeu me encher de riquezas. Se eu caçar nossas outras irmãs perdidas, ele vai me tornar sua herdeira. Serei a rainha de Maridrina e mestra da ponte. — Ela sorriu. — Ithicana não existirá mais.

Uma raiva consumiu Lara como uma fera senciente, espreitando pelos músculos e tendões, fazendo seus dedos se flexionarem com a faca na mão. Mestre Erik sempre a havia alertado que a raiva a deixaria desastrada. Faria com que ela cometesse erros. Mas ele estava mentindo. A raiva lhe dava foco. E foi esse foco que notou o leve movimento dos lençóis na cama atrás de Marylyn. Que permitiu a ela ouvir o sibilar baixo mesmo com a batida rápida de seu coração. Aren, nascido e criado nesse reino selvagem, também escutou.

—Você está se iludindo. — Lara observou a sombra se movendo. — Nosso pai sabe que você é uma cadela raivosa. E, assim que tiver feito o trabalho sujo por ele, ele vai abater você. Ou eu posso fazer isso por ele.

Ela atirou a faca.

A lâmina cortou o ar, passando ao largo de Marylyn, mas se cravando na cama, os lençóis agora um alvoroço de movimento.

—Você perdeu o jeito. — Sua irmã riu ao mesmo tempo que Aren se inclinou para trás jogando o peso contra ela.

Eles tombaram na cama e a cobra machucada deu o bote. Marylyn gritou quando os dentes do animal se cravaram no ombro dela. Virando, ela soltou Aren e cravou a faca na cobra, prendendo o corpo da criatura no colchão.

Lara já havia atravessado o quarto. Partiu para cima de Marylyn, fazendo as duas saírem rolando. As irmãs se atracaram, punhos e pés se mexendo com a intenção de ferir. Mutilar. Matar. Golpe após golpe, as duas igualmente bem treinadas. Mas, quanto a isso ao menos, à violência, Lara sempre tinha sido melhor.

Prendendo a cabeça de Lara em um mata-leão, Lara sussurrou:

—Você não é rainha de nada. — Então virou os braços e torceu o pescoço da irmã.

A luz se apagou nos olhos dela, e o tempo pareceu parar.

Como isso havia acontecido? Parecia uma vida atrás que ela havia feito a escolha de se sacrificar para salvar as irmãs. Ser a defensora de Maridrina. Destruir o Reino da Ponte. Tudo havia mudado desde então. Suas convicções. Sua lealdade. Seus sonhos. Mas agora uma de suas irmãs jazia morta por sua causa, e Ithicana estava à beira de cair sob o jugo de Maridrina.

Apesar de tudo, seu pai ainda havia vencido.

— O que você fez?

O horror na voz de Aren fez seus dentes rangerem.

— Eu não queria que isso acontecesse.

Ele tinha um facão na mão, mas seu braço tremia enquanto o apontava para ela.

— Quem é você? O que é você?

—Você sabe quem eu sou.

A respiração dele era ofegante. Sem tirar os olhos dela em momento nenhum, ele estendeu a mão para pegar o papel que foi a condenação de Ithicana, relendo as linhas, os pensamentos estampados no rosto. Eles não conseguiriam lutar contra isso.

Houve uma comoção lá fora. Os sons de homens gritando.

— Não vou deixar você me condenar mais — Aren murmurou, furioso.

Lara não resistiu quando ele amarrou os punhos dela a uma das cortinas. Nem quando colocou uma fronha sobre a cabeça dela e a arrastou para fora do quarto, nem quando inúmeros soldados entraram na casa. Vozes ithicanianas, a princípio. Depois maridrinianas. Depois caos.

Gritos cortaram o ar, lâminas contra lâminas, e ela foi puxada de um lado para outro. Trombetas ainda soavam, chamando por uma ajuda que nunca chegaria. O ar da noite encheu seu nariz, e ela estava caindo, os joelhos batendo dolorosamente em degraus. Braços a puxando para ficar em pé, então eles estavam correndo.

Vozes sussurradas.

— Por aqui, por aqui.

Os gritos de perseguição.

— Abaixem-se, abaixem-se. Você a amordaçou?

O rosto dela estava encostado no chão, terra úmida entrando pela fronha. Uma pedra apertava suas costelas. Outra pressionava seu joelho com força. Tudo parecia distante, como se estivesse acontecendo em um sonho. Ou com outra pessoa.

Eles continuaram noite adentro, a chuva pesada ajudando-os a desviar do que pareciam inúmeros soldados maridrinianos caçando-os pela Guarda Média, embora logicamente ela soubesse que não havia como ser muitos. A essa altura, a tropa de elite do seu pai teria descoberto o corpo de Marylyn — e a ausência dela e de Aren — e não havia dúvida de que encontrá-los teria praticamente a mesma prioridade que conquistar a ponte em si.

Só quando chegou a alvorada, filtrada em tons de cinza pelas nuvens e pelo tecido ensopado que cobria seu rosto, eles procuraram abrigo. Havia vozes familiares no grupo. Jor e Lia. Outros da guarda de honra. Seus ouvidos se esforçavam para encontrar a de Aren, mas em momento nenhum ela identificou a voz dele entre os sussurros.

Mesmo assim, tinha certeza que ele estava lá. Intuía a presença dele. Sentia a culpa e a raiva e a derrota que irradiavam dele em ondas enquanto encarava a queda de seu reino. Ela soube, por instinto, quando ele mandou todos irem embora para que ficasse a sós com ela.

Lara esperou um longo tempo até ele falar, se preparou para a culpa e as acusações. Aren continuou em silêncio.

Quando não aguentou mais, Lara se empertigou, erguendo os punhos amarrados para arrancar a fronha da cabeça, piscando sob a luz fraca.

Aren estava sentado em uma pedra a poucos passos de distância, os cotovelos apoiados nos joelhos, a cabeça baixa. Ele ainda estava sem camisa, e a chuva caía em torrentes pelas suas costas musculosas, banhando as manchas de sangue e lama. Um arco e uma flecha pendurados, um facão afivelado em sua cintura. Na mão, ele segurava a faca dela — que ela havia atirado na cobra — e ele a estava revirando de um lado para outro como se fosse um artefato que nunca tinha visto antes.

— Alguém saiu? — Sua voz era rouca como lixa em madeira áspera. — Para alertar Guarda Sul?

— Não. — As mãos dele paralisaram, o gume afiado da lâmina cintilando sob a chuva. — Taryn tentou. Os maridrinianos usaram nossos próprios quebra-navios com uma proficiência espantosa. Ela morreu.

Uma dor aguda apertou o peito de Lara, um gosto amargo tomando sua boca. Taryn estava morta. A mulher que nunca quis ser soldada estava morta, e por culpa dela.

— Sinto muito.

Ele ergueu a cabeça, e Lara se retraiu diante da fúria nos olhos dele.

— Por quê? Você conseguiu o que queria.

— Eu não queria isto. — Mas ela havia desejado, até certo ponto.

Havia desejado destruir Ithicana. Essa vontade os havia levado a esse ponto, por mais que ela se arrependesse.

— Chega de mentiras. — Ele levantou em um único movimento fluido, caminhando até ela com a faca na mão. — Posso não ter um relatório completo ainda, mas sei que a ponte foi conquistada por seu pai usando um plano para infiltrar nossas defesas que era melhor do que eu mesmo poderia ter elaborado. Seu plano. — Quando ele ergueu a voz, ela não pôde deixar de se retrair, sabendo que eles estavam sendo caçados.

— Pensei que tinha destruído todas as evidências. Não sei como essa me escapou...

— Cala a boca! — Ele ergueu a lâmina. — Meu povo está morto e morrendo por culpa sua. — A faca escapou de seus dedos.
— Por minha culpa.

Arrancando o papel irrefutável do bolso, ele o ergueu na cara dela. Mas o lado em que ele havia escrito, a caligrafia fluida e caprichada. Palavras persuadindo seu pai a reconsiderar sua guerra com Valcotta e a priorizar o povo dele em vez do orgulho. O peito dela se apertou quando ela chegou ao fim.

Que fique claro, porém, que, caso busque retaliação contra sua espiã, Ithicana verá a atitude como um ato de agressão contra nossa rainha, e a aliança entre nossos reinos será desfeita de maneira irrevogável.

Aren ajoelhou diante de Lara, segurando o rosto dela, emaranhando os dedos em seu cabelo. Lágrimas brilhavam nos olhos dele.

— Eu amei você. Confiei em você. Me entreguei. Entreguei meu reino.

Amei. No passado. Porque ela nunca havia merecido o amor dele e, agora, o havia perdido de vez.

— E você só estava me usando. Só estava fingindo. Era tudo uma farsa. Um plano.

— Não! — Ela arrancou a palavra dos próprios lábios. — No começo, sim. Mas depois... Aren, eu te amo. Por favor, acredite nisso, ao menos.

— Eu me perguntava por que você nunca dizia. Agora sei. — Ele apertou mais o rosto dela, depois afastou as mãos de repente. — Diz isso agora apenas porque está tentando salvar a própria pele.

— Não é verdade!

Explicações disputaram para sair de sua boca primeiro. Formas de fazê-lo entender. Formas de fazê-lo acreditar. Todas morreram em seus lábios quando ele tirou a faca da lama.

— Eu deveria matar você.

Seu coração tremeu no peito como um pássaro engaiolado.

— Mas, apesar de tudo, tudo que você fez, não tenho culhões para enfiar essa faca no seu coração sombrio de maridriniana.

A faca passou entre seus punhos, cortando a corda em um único movimento. Ele pressionou o cabo na palma da mão dela.

—Vai. Corre. Não tenho dúvidas de que você vai conseguir sair desta ilha. — Seu maxilar se cerrou. — É da sua natureza sobreviver.

Lara o encarou, os pulmões paralisados. Ele não a estava deixando ir, ele a estava... banindo.

— Por favor, não faça isso. Posso lutar. Posso ajudar você. Posso...

Aren deu um empurrão nos ombros dela com força suficiente para fazer com que ela cambaleasse para trás.

—Vá! — Então ele baixou o braço e pegou o arco, encaixando uma das flechas de penas pretas.

Mantendo-se firme, ela entreabriu os lábios, desesperada para não perder a chance de desfazer o mal que havia feito. A chance de lutar contra seu pai. De libertar Ithicana.

De reconquistar Aren.

—Vá! — ele gritou para ela, apontando a flecha para a testa dela enquanto lágrimas escorriam por suas bochechas. — Não quero ver seu rosto nunca mais. Não quero ouvir seu nome nunca mais. Eu daria tudo para que houvesse um jeito de expurgar você da minha vida. Mas até eu encontrar forças para colocar você em uma maldita cova, isso é tudo que tenho. Agora corra!

Os dedos dele tremeram na corda do arco. Ele faria isso. E isso o destruiria.

Lara virou na lama, correndo encosta acima, os braços em movimento. Suas botas escorregaram e deslizaram enquanto pulava sobre árvores caídas e samambaias derrubadas.

E parou. Apoiando a mão em uma árvore, ela virou. A tempo de ver a flecha dele passar de raspão pelo seu rosto, acertando a árvore ao seu lado.

Ela apertou a mão trêmula na linha riscada em seu rosto, um fio de sangue escorrendo entre seus dedos. Os olhos fixos nela, Aren tirou outra flecha da aljava, a encaixou e apontou a ponta afiada. Os lábios dele se moveram. *Corra.*

Ela correu, sem nunca olhar para trás.

41
LARA

— Mais uma.

O taberneiro ergueu a sobrancelha sobre a caneca que estava secando com um pano sujo, mas não comentou nada enquanto voltava a encher o copo dela com a porcaria que essa bodega chamava de vinho. Não que isso importasse; a intenção dela não era saborear.

Virando a bebida em três goles, Lara empurrou o copo de volta no bar.

— Encha.

— Uma moça bonita como você pode acabar se metendo em confusão bebendo desse jeito.

— Uma moça bonita como eu vai cortar a garganta de quem quiser arranjar confusão. — Ela abriu um sorriso cheio de dentes. — Então, não abuse da sorte e me passe logo a garrafa. — Empurrou algumas moedas estampadas com o rosto do rei de Harendell na direção do homem. — Aqui. Isso nos poupa de voltar a conversar hoje.

Mais sábio do que parecia, o taberneiro deu de ombros, pegou as moedas e deu uma garrafa cheia de lavagem para ela. Mas, mesmo bêbada, ela gravou as palavras do homem. Seu rosto era conhecido aqui. Estava na hora de encontrar um novo boteco onde afogar as mágoas toda noite.

O que era uma pena. O lugar cheirava a cerveja derramada e vômito, mas Lara tinha se afeiçoado a ele.

Bebendo diretamente da garrafa, ela observou o salão com os olhos turvos, as mesas cheias de marinheiros de Harendell vestindo calças largas e aqueles malditos chapéus que sempre a faziam pensar em Aren. Um trio de músicos tocava no canto. Garçonetes que não levavam desaforo para casa carregavam bandejas de rosbife fumegante e sopas gordurosas para os clientes, o cheiro dando água na boca. Um aceno para uma das mulheres fez um pote de sopa chegar à frente dela em questão de segundos.

— Prontinho, Lara.

Merda. Era hora de seguir em frente. Estava nessa cidade havia quanto tempo? Dois meses? Três? No torpor do álcool, ela havia perdido a noção dos dias, sentindo como se fosse uma vida atrás e ao mesmo tempo como se só tivesse passado um dia desde que ela havia puxado o barco velho para a praia de Harendell, quase morrendo de fome e com as roupas ainda vermelhas pelo sangue de soldados maridrinianos que ela havia matado para conseguir sair de Guarda Média.

O cheiro de sopa fez cócegas em seu nariz, mas seu estômago revirou, e ela empurrou a tigela para o lado, bebendo da garrafa.

A coisa mais inteligente a fazer era seguir pelo interior do continente, rumo ao norte, para longe de todos aqueles que conheciam e se importavam com Lara, a rainha Traiçoeira de Ithicana. Os agentes de seu pai estariam procurando por ela — talvez uma de suas irmãs, quem sabe — e uma bêbada como ela era um alvo fácil.

Mas ela não parava de inventar desculpas para não ir. O clima. A facilidade de roubar moedas. O conforto dessa espelunca de bar. Mas ela sabia por que ficava ali: as notícias de Ithicana na boca do povo. Noite após noite ela sentava no bar, ouvindo o papo dos marujos sobre uma batalha ou outra, torcendo e rezando para que o jogo virasse. Para que, entre os resmungos contra o domínio crescente de Maridrina, ela ouvisse que Aren estava de volta ao poder. Que Ithicana detinha a ponte novamente.

Esperanças perdidas.

A cada dia que passava, as notícias pioravam. Ninguém em Harendell estava contente por Maridrina controlar a ponte — os mais idosos já lamentavam o fim dos bons e velhos tempos de eficiência e neutralidade ithicaniana — e havia muita conversa sobre a chance de o rei harendelliano intervir. Mas, mesmo se ele fizesse isso, Lara sabia que seria apenas depois da próxima estação de tempestade, dali a seis meses. E, até lá... Até lá, seria tarde demais.

— ... batalha com os ithicanianos... o rei... prisioneiro.

Os ouvidos de Lara se eriçaram, um mal-estar dispersando o torpor do vinho. Virando para a mesa atrás, cheia de um grupo de homens corpulentos de bigodes igualmente grandes, ela perguntou:

— O que vocês disseram sobre o rei ithicaniano?

Um dos homens abriu um sorriso lascivo para ela.

— Por que não vem aqui para eu te contar tudo sobre o pobre coitado? — Ele deu um tapinha no joelho encardido.

Pegando a garrafa, Lara cambaleou até a mesa e a colocou entre as canecas.

— Aqui estou. Agora, o que você estava dizendo?

O homem deu um tapinha no joelho. Ela fez que não.

— Estou bem em pé, meu senhor.

— E eu ficaria melhor ainda com essa sua bundinha no meu colo. — A mão dele fez um arco largo, batendo na bunda dela, onde ficou, os dedos rechonchudos apertando a carne.

Lara levou a mão para trás, apanhando o punho dele com firmeza. O idiota teve a coragem de sorrir. Puxando com força, ela virou, batendo a palma da mão dele na mesa e, um segundo depois, cravando a adaga.

O homem soltou um grito agudo e tentou tirar a mão, mas a lâmina estava fincada na madeira.

Um dos outros tentou ajudar, mas caiu para trás com o nariz quebrado.

Outro tentou dar um soco na cara dela, mas Lara desviou, acertando o bico da bota na virilha dele.

— Agora. — Ela girou a faca de leve. — O que você estava falando sobre o rei de Ithicana?

— Que ele foi capturado em uma batalha com os maridrinianos. — O homem estava chorando de soluçar, se contorcendo na cadeira. — Ele está sendo mantido prisioneiro em Vencia.

— Tem certeza?

— É só perguntar para qualquer um! A notícia acabou de chegar de Guarda Norte. Por favor!

Lara o observou cuidadosamente, nada em seu rosto revelando o terror crescente em suas entranhas. Tirando a faca, ela se inclinou para baixo.

— Se você der um tapa na bunda de outra pessoa, vou caçar você e cortar essa mão fora.

Dando meia-volta, ela acenou para o taverneiro e saiu a passos largos, mal sentindo a chuva em seu rosto.

Aren tinha sido capturado.

Aren era um prisioneiro.

Aren era refém do pai dela.

O vento soprou e bateu em seu cabelo. O último pensamento se repetindo infinitamente em sua cabeça enquanto Lara ia depressa até sua pensão, as pessoas abrindo caminho para ela. Havia apenas um motivo para seu pai manter Aren vivo: usá-lo como isca.

Subindo dois degraus de cada vez, ela destrancou a porta do quarto e fechou com uma batida. Depois de beber um monte de água da boca do jarro, tirou o vestido azul simples que usava e vestiu suas roupas ithicanianas, guardando rapidamente os pertences em uma bolsa. Então, com uma lasca de carvão na mão, sentou à mesa.

O colar estava quente em sua pele, as esmeraldas e diamantes cintilando sob a luz de velas. Não tinha direito de usá-lo, mas pensar no colar sendo roubado, sendo usado por qualquer outra pessoa era insuportável, então ela nunca o havia tirado.

Até agora.

Colocando o colar sobre o papel, Lara traçou as joias com o carvão, o torpor do vinho se dissipando lentamente enquanto ela trabalhava. Quando o desenho estava completo, ela colocou o colar de volta no pescoço e ergueu um mapa completo de Ithicana, o olhar fixado no grande círculo a oeste do resto.

Isso é loucura, a parte racional de sua mente gritou. *Você mal sabe nadar, é uma péssima marinheira, e estamos no meio da estação de tempestade.* Mas seu coração, que havia se tornado uma coisa fria e fumegante desde que ela havia fugido de Aren em Guarda Média, agora ardia com uma ferocidade que não tinha como ser negada.

Guardando o mapa no bolso, ela afivelou as armas na cintura e saiu sob a tempestade.

Lara levou três semanas para chegar, e quase morreu uma dezena de vezes ou mais durante a jornada. Tempestades violentas a seguiram até ilhas minúsculas, e ela gritava sob o vento enquanto guiava o barquinho pela Maré de Tempestade. Lutou contra cobras que tentaram se esconder sob a cobertura de seu barco; rajadas de vento que rasgaram sua única vela; e ondas que inundaram seu barco, levando todas as provisões.

Mas Lara era chamada de baratinha por um motivo, e ali estava.

Os céus estavam cristalinos, o que provavelmente significava que o pior tipo de tempestade estava iminente, e o sol quase a ofuscou com o brilho das ondas. Seu barco, a vela baixa, flutuava à sombra do vulcão enorme, e o único som era o das ondas que batiam nas falésias.

Lara levantou, os joelhos tremendo enquanto se segurava ao mastro para se equilibrar. Havia um brilho de luz do sol se refletindo no vidro no fundo das encostas da selva, mas, mesmo sem ele, ela sabia que estava sendo vigiada.

— Abram — ela gritou.

Em resposta, um estrondo alto cortou o ar. Lara praguejou, observando o pedregulho voar na direção dela. A rocha atingiu a água a alguns passos dela, encharcando-a, as ondas quase virando o barco.

Depois de se encolher no fundo do barco, ela voltou a ficar em pé, cravou os dedos no mastro, lutando para vencer o medo da água ao seu redor.

— Escute o que tenho para dizer, Ahnna! — Os outros ithicanianos a teriam atingido no primeiro lançamento. Somente a princesa se daria ao trabalho de aterrorizá-la primeiro. — Se não gostar, pode me jogar de volta ao mar.

Nada se mexeu. Não houve nenhum barulho além do bramido do oceano.

Então, um estertor cortou o ar, o som inconfundível dos portões para Eranahl se abrindo. Pegando o remo, Lara manobrou para entrar.

Rostos familiares cheios de fúria a receberam quando o barco bateu nos degraus. Ela não resistiu quando Jor a puxou pelo cabelo, os degraus de pedra batendo em suas canelas enquanto ele a arrastava para cima, rosnando:

— Eu arrancaria seu coração aqui e agora se não fosse Ahnna que merecesse essa honra. — Ele colocou um capuz na cabeça dela.

Eles a levaram até o palácio, os sons e cheiros terrivelmente familiares, e, enquanto contava os degraus e curvas, Lara soube que estava sendo levada para a sala do conselho. Alguém, provavelmente Jor, chutou a parte de trás de seus joelhos quando entraram, e ela caiu, as palmas das mãos acertando o chão.

— Você tem muita coragem de voltar, isso eu admito.

O capuz foi arrancado de sua cabeça. Levantando, Lara encontrou o olhar de Ahnna, seu peito ficando apertado diante da cicatriz cruel que agora percorria o meio da testa da mulher até a maçã do rosto. Foi um milagre ela não ter perdido um olho. Cercando-a, estava meia dúzia de soldados, todos carregando as marcas de terem escapado por pouco de Guarda Sul com vida. E atrás deles, pendurado na parede, estava o grande mapa de Maridrina.

— Me dê um bom motivo para eu não cortar sua garganta, sua vadia traiçoeira.

Lara forçou um sorriso no rosto.

— Não é muito criativo.

Uma bota a acertou nas costelas, fazendo-a se curvar. Pressionando a mão na lateral do corpo, Lara lançou um olhar sombrio para Vovó antes de se voltar para Ahnna.

— Você não vai cortar minha garganta porque meu pai capturou Aren.

Ahnna trincou os dentes.

— Um fato não ajuda sua causa.

— Nós precisamos resgatá-lo.

— Nós? — A voz da princesa era incrédula. — Seu pai está com Aren dentro do palácio em Vencia, o que tenho certeza que você sabe que é uma verdadeira fortaleza protegida pela elite do exército maridriniano. Meus melhores soldados não foram capazes nem de entrar. Todos morreram tentando. Por favor, me explique por que você teria como ajudar. Vai usar seus poderes de sedução para entrar, vagabunda?

Lara a encarou de cima a baixo, um silêncio sufocante pairando na sala.

Durante quinze anos, ela havia sido treinada para se infiltrar em um reino impenetrável.

Para descobrir fraquezas e explorá-las.

Para destruir seus inimigos.

Para ser implacável.

Ela havia nascido para isso.

Mas Lara não disse nada, porque palavras não convenceriam essas pessoas que acreditavam — com razão — que ela era uma mentirosa.

Inspire. Expire.

Ela se moveu.

Eles eram guerreiros experientes, mas o elemento surpresa era dela. E ela era o que era. Sem se conter em nada, Lara girou, punhos e pés impossíveis de acompanhar enquanto desarmava os soldados ao seu redor, derrubando-os. Rechaçando-os.

Ahnna partiu para cima dela com um grito, mas Lara lhe deu uma rasteira e rolou no chão com ela, capturando a princesa em um mata-leão e roubando sua faca.

Um silêncio encheu a sala, os soldados levantando e encarando Lara com um novo e saudável respeito, mesmo enquanto pensavam em formas de desarmá-la.

Lara olhou ao redor, encarando cada soldado antes de soltar o pescoço de Ahnna, que rolou para longe, arfando, os olhos em choque. Lara levantou.

—Vocês precisam de mim porque conheço nosso inimigo. Fui criada por eles para ser sua maior arma, e vocês viram com seus próprios olhos o que sou capaz de fazer. O que eles nunca consideraram é que sua maior arma poderia se voltar contra eles. — E Lara não era a única arma que haviam criado: havia outras dez jovens à

solta que deviam a vida a ela, uma dívida que ela pretendia cobrar.
—Vocês precisam de mim porque sou a rainha de Ithicana. —Virando, ela atirou a faca, observando enquanto a lâmina se cravava no mapa, marcando Vencia, e Aren, com uma precisão perfeita. — E está na hora de acabar com meu pai.

1ª EDIÇÃO [2022] 4 reimpressões

ESTA OBRA FOI COMPOSTA PELA VERBA EDITORIAL EM BEMBO
E IMPRESSA PELA GRÁFICA BARTIRA EM OFSETE SOBRE PAPEL PÓLEN NATURAL
DA SUZANO S.A. PARA A EDITORA SCHWARCZ EM DEZEMBRO DE 2023

A marca FSC® é a garantia de que a madeira utilizada na fabricação do papel deste livro provém de florestas que foram gerenciadas de maneira ambientalmente correta, socialmente justa e economicamente viável, além de outras fontes de origem controlada.